Fachtagung Bauwerksdiagnose (Bauwerksdiagnose 2020)

Berichtsband BB 174

Berlin, Germany
13-14 February 2020

ISBN: 978-1-7138-3711-4

Printed from e-media with permission by:

Curran Associates, Inc.
57 Morehouse Lane
Red Hook, NY 12571

Some format issues inherent in the e-media version may also appear in this print version.

Deutsche Gesellschaft Fuer Zerstoerungsfreie Pruefung (DGZfP)
Max-Planck-Str. 6
12489 Berlin
Germany

Phone: +49 30 67807-0
Fax: +49 30 67807-109

mail@dgzfp.de

Additional copies of this publication are available from:

Curran Associates, Inc.
57 Morehouse Lane
Red Hook, NY 12571 USA
Phone: 845-758-0400
Fax: 845-758-2633
Email: curran@proceedings.com
Web: www.proceedings.com

TABLE OF CONTENTS

VORTRAGSBLOCK 1: REGELWERKE, AKTUELLES

VORTRAGSBLOCK 2: ÜBERWACHUNG / MONITORING

VORTRAGSBLOCK 3: IMPULSVORTRAG

VORTRAGSBLOCK 4: PRAXISANWENDUNGEN "MARKETPLACE"

VORTRAGSBLOCK 5: DIGITALISIERUNG/BIM/AR

VORTRAGSBLOCK 6: SCHLUSSVORTRAG

POSTERS

Der neue ZfP-Katalog

Juliane WIESE [1], Alexander TAFFE [1], Markus REINHARDT [2], Martin FRIESE [3]
[1] HTW, Berlin
[2] EBA, Bonn
[3] BASt, Bergisch Gladbach
Kontakt E-Mail: Alexander.Taffe@HTW-Berlin.de

Kurzfassung. Im Rahmen des BMVI-Expertennetzwerks hat das Eisenbahnbundesamt (EBA) hat in einem Projekt die Erstellung von Verfahrenskatalogen für die zerstörungsfreie Prüfung in den Bereichen Beton, Mauerwerk und Stahl eine Entscheidungsgrundlage für Akteure der Bauwerksprüfung und Bauaufsichtsbehörden beauftragt. Damit soll eine geeignete Grundlage zur Auswahl von Verfahren zur zerstörungsfreien Prüfung im Bauwesen (ZfPBau) geschaffen werden.

Mit dem ZfPBau-Kompendium der BAM und dem Forschungsvorhaben "Sustainable Bridges" liegen bereits Verfahrenskataloge vor, die aber aus den Jahren 2004 bzw. 2007 stammen. Diese galt es, um den Stand der vergangenen Jahre zu erweitern und in eine geeignete Gliederung zu bringen. Dabei wurde der Schritt von allen "relevanten Verfahren" zu den "geeigneten Verfahren" gemacht.

Auf der Basis einer eingängigen Literaturrecherche wurden die Möglichkeiten und Grenzen der ZfPBau-Verfahren quantifiziert und die geeigneten Verfahren herausgestellt. Mit der Formulierung der praxisrelevanten und baustoffspezifischen Prüfaufgaben ist eine Bewertung hinsichtlich der Eignung der Verfahren erarbeitet worden und in Matrixform dokumentiert Dabei konzentriert sich der Verfahrenskatalog auf Prüfaufgaben im Bauwesen. Insbesondere im Bereich Stahl stellt der Katalog keinen Ersatz zu den geltenden Normen dar, deren Anwendungsbereich sich insbesondere auf die ZfP außerhalb des Bauwesens erstreckt.

Zusätzlich wurde eine graphische Benutzeroberfläche (GUI) für den webbasierten Datenabruf der in den Bereichen Stahl, Stahlbeton und Mauerwerk erzeugten Daten erstellt.

Einführung

Die Idee nach einem Verfahrenskatalog für ZfPBau-Verfahren geht bis Ende der 1980er-Jahre zurück. Im Jahr 1991 hat die BAM (Bundesanstalt für Materialforschung und –prüfung) mit dem als Loseblattsammlung erhältlichen Forschungsbericht 177 den ersten deutschsprachigen Verfahrenskatalog erstellt [1]. Diese Datenbank wurde von damals rd. 80 Verfahren im Jahr 2004 auf den Umfang von 115 Verfahren erweitert [2] und über den Webserver der BAM unter der Bezeichnung „ZfPBau-Kompendium" zugänglich gemacht. Seit Anfang 2017 ist das ZfPBau-Kompendium der BAM nicht mehr über den BAM-Server erreichbar.

Eine ähnlich strukturierte Datenbank wurde in dem von der EU geförderten Forschungsvorhaben Sustainable Bridges von Helmerich et. al. im Jahr 2007 konzipiert, die auch unter dem Namen *NDT-Toolbox* bekannt ist [3].

Auch der Frage, welche Prüfaufgabe mit welchem Verfahren nachgegangen werden kann, wurde in Bezug auf ZfPBau-Verfahren in der Vergangenheit erarbeitet:

- In den Jahren 2003 und 2004 wurde durch Prof. Taffe, damals wissenschaftlicher Mitarbeiter an der BAM, in dem Forschungsvorhaben „Entwicklung eines RI-EBW-PRÜF-kompatiblen Verfahrenskatalogs innerhalb der Bauwerksprüfung nach DIN 1076“ eine Verknüpfung von Brückenschäden und Verfahren des ZfPBau-Kompendiums als sog. „BASt-Kompendium“ entwickelt, das heute noch über den Installationsdatenträger der Brückenprüfer Software SIB-Bauwerke bereitgestellt wird.
- Im Jahr 2014 wurde vom Deutschen Beton- und Bautechnik-Verein (DBV) das DBV-Merkblatt „Anwendung zerstörungsfreier Prüfverfahren im Bauwesen“ [4] veröffentlicht. Es enthält 1) eine kurze Verfahrensbeschreibung, 2) nennt zehn Prüfaufgaben und 3) mehrere bauartbedingte Prüfungen. Die möglichen Verfahren werden priorisiert und Ergebnisse werden beispielhaft beschrieben.

Mit dem ZfPBau-Kompendium der BAM und dem Forschungsvorhaben "Sustainable Bridges" sowie dem BASt-Kompendium und dem DBV-Merkblatt liegen bereits Verfahrenskataloge vor, die aber aus den Jahren 2004 bis 2014 stammen. Diese galt es, um den Stand der vergangenen Jahre zu erweitern und in Bezug auf die Baustoffe Beton, Mauerwerk und Stahl in eine geeignete Gliederung zu bringen.

1. Identifikation der relevanten ZfPBau-Prüfverfahren

Die Auswahl der als relevant eingestuften Verfahren für den Verfahrenskatalog ergibt sich aus den Ergebnissen einer eingehenden Literaturrecherche. Die Struktur des Katalogs unterteilt sich gemäß den physikalischen Messprinzipen bzw. gemäß der eingebrachten Energie wie folgt:

- Optische Verfahren
- Mechanisch (handwerkliche) Verfahren
- Mechanisch angeregte Verfahren
- Magnetische Verfahren
- Elektrische Verfahren
- Elektromagnetische Verfahren
- Elektrochemische Verfahren
- Chemische Verfahren.

Insgesamt wurden für das Los Beton 26 Verfahren, für das Los Mauerwerk 14 Verfahren und für das Los Stahl 21 Verfahren als relevant eingestuft. Verfahren, die in der Vergangenheit fast ausschließlich in der Forschung zum Einsatz kamen, wurden nicht mehr berücksichtigt. Das erklärt den geringeren Umfang an Verfahren im Vergleich zum ZfPBau-Kompendium der BAM.

2. Identifikation der relevanten ZfPBau-Prüfaufgaben

Im Laufe der Bearbeitung zur Strukturierung der Prüfaufgaben hat sich ergeben, dass zunächst der Prüfgegenstand definiert und unterteilt werden muss, um eine sinnvolle Übersicht und Zuordnung der Prüfaufgaben zu erhalten. Bei den Prüfaufgaben selbst ist ebenfalls eine Unterteilung sinnvoll, um darstellen zu können, dass sich die Prüfaufgaben aus verschiedenen Einzelprüfungen und einer Prüfabfolge zusammensetzen. So kann die Lösung einer komplexen Prüfaufgabe später modular zusammengesetzt werden.

Der Prüfgegenstand wird unterteilt in Werkstoffeigenschaften und Bauteilkonstruktion. Die Prüfaufgaben für die Baustoffeigenschaften betreffen den inneren Zustand, also Baustoff- und Materialeigenschaften, des zu untersuchenden Objekts. Die Baukonstruktion umfasst den generellen Aufbau mit Anschlüssen des zu untersuchenden Objekts.

Die Prüfaufgaben unterteilen sich in die *qualitative* Bestimmung durch Detektion und die *quantitative* Bestimmung durch Messung des zu untersuchenden Objekts – siehe Tabelle 1. Durch diese Unterteilung ergeben sich insbesondere bei der Bauteilkonstruktion sinnvolle Prüfabfolgen mit Einzelprüfungen, z.B. die Betondeckungsmessung als Abfolge der Bewehrungsortung (qualitativ) und anschließender Betondeckungsmessung (quantitativ).

Tabelle 1. Strukturierung praxisrelevanter Prüfaufgaben für Beton

		Prüfaufgaben Beton	
		Detektion: Qualitative Bestimmung	Messung: Quantitative Bestimmung
Prüfgegenstand	Baustoffeigenschaften: Innerer Zustand/ Oberfläche	Elementzusammensetzung	Elementgehalt
		(Änderung der) Baustoffeigenschaften	- Druckfestigkeit - Oberflächen- und Haftzugfestigkeit
		Oberflächen-Inhomogenitäten (z.B. Risse) *(i.d.R. betriebsinduziert)*	Art, Lage und Fehlergröße (Länge, Breite, Tiefe)
		Volumen-Inhomogenitäten (z.B. Kiesnester) *(i.d.R. herstellungsbedingt)*	Art, Lage und Fehlergröße (Länge, Breite, Tiefe)
		Delaminationen	Lage und Größe delaminierter Bereiche
		Karbonatisierung	Karbonatisierungstiefe
		Feuchteverteilung	Feuchtegehalt
		Bauschädliche Salze (z.B. Chloride)	Salzgehalt (z.B. Chloridgehalt)
		Verpressfehler	Lage und Größe der Verpressfehler
		Korrosionsaktive Bereiche	Bereiche mit erhöhter Korrosionsaktivität
	Bauteilkonstruktion: Innerer Aufbau/ Geometrie	Rückwand	- Bauteildicke/ -länge - Dickenänderung - Schichtenaufbau
		Bewehrung (Stahlbeton)	- Betondeckung - Stababstände - Durchmesser
		Spannglieder/ Hüllrohre (Spannbeton)	- Tiefenlage - Anzahl
		Spannstahlbruch/ Spanndrahtbruch (Spannbeton)	-

3. Verknüpfung der ZfPBau-Prüfaufgaben mit den ZfPBau-Verfahren und Bewertung geeigneter Verfahren für Prüfaufgaben

Auf Basis der Erkenntnisse aus der Literaturrecherche zur *Identifikation der relevanten ZfPBau-Prüfverfahren* und zur *Identifikation der relevanten ZfPBau-Prüfaufgaben* stehen die Möglichkeiten und Grenzen der als relevant eingestuften Verfahren sowie die Prüfaufgaben fest. Im Folgenden werden die Verfahren in einer Matrix mit den Prüfaufgaben verknüpft – siehe Tabelle 2.

Tabelle 2. Matrix Prüfaufgabe/ ZfP-Verfahren Beton

Bewertung geeigneter Verfahren für Prüfaufgaben*

** Diese Matrix ist als vereinfachtes Modell zur Datenabfrage vorgesehen. Für detaillierte und weiterführende Informationen zu Anwendungsbereichen, Anwendungsgrenzen und Sonder-Anwendungen der Verfahren wird auf das Formblatt des jeweiligen Verfahrens verwiesen.*

*** Die baustoffspezifischen Prüfaufgaben sind in qualitative und quantitative Prüfaufgaben unterteilt. Die qualitative Bestimmung (grau hinterlegt) beschreibt die generelle Detektionswahrscheinlichkeit eines Objekts. Die quantitative Bestimmung (weiß hinterlegt) beschreibt die messbare Charaktersierung eines Fehlers und die Messunsicherheit.*

Bewertungskriterien

- \- physikalisch nicht möglich
- o physikalisch möglich, technisch eingeschränkt geeignet oder wirtschaftlich nicht sinnvoll
- \+ physikalisch möglich, technisch geeignet und wirtschaftlich sinnvoll

Prüfaufgaben**		Physikalische Grundlage Optische Verfahren	(1) Sichtprüfung	(2)(a) Endoskopie: Boreskope	(2)(b) Endoskopie: Fiberskope	(2)(c) Endoskopie: Videoskope	Physikalische Grundlage Mechanische (handwerkliche) Verfahren	(1) Ausziehprüfung	(2) Abreißversuch	(3) Bohrmaschine mit automatischer Abschaltung	Physikalische Grundlage Mechanisch angeregte Verfahren	(1) Rückprallhammer / Schmidt-Hammer	(2) Klopfprobe	(3) Impakt-Echo	(4) Ultraschall	(5) Low-Strain-Verfahren / Hammerschlag-Methode	Physikalische Grundlage Elektromagnetische Verfahren	(1) RADAR	(2) Aktive Thermografie	(3) Radiographie/ Durchstrahlungsprüfung	(4) Röntgendiffraktometrie XRD	(5) Neutronensonde	Physikalische Grundlage Magnetische Verfahren	(1) Magnetisches Gleichfeld	(2) Magnetisches Wechselfeld	(3) Remanenzmagnetismus	Physikalische Grundlage Elektrochemische Verfahren	(1) Potentialfeldmessung	Physikalische Grundlage Chemische Verfahren	(1) Indikatorverfahren: Phenolphthalein	(2) Chemische Analysverfahren: Salz-Analyse	(3) Laser-induzierte Plasmaspektroskopie LIBS	(4) Röntgenfluoreszenzanalyse RFA	(5) Energiedispersive Röntgenanalyse EDA
Baustoffeigenschaften: Innerer Zustand/ Oberfläche	**Baustoffzusammensetzung (Beton-/ Zementsorte)**		-	-	-	-		-	-	-		-	-	-	-	-		-	-	-	+	-		-	-	-		-		-	+	+	+	+
	Elementgehalt		-	-	-	-		-	-	-		-	-	-	-	-		-	-	-	+	-		-	-	-		-		-	+	+	+	+
	(Änderung der) Baustoffeigenschaften		-	-	-	-		+	+	-		+	-	o	o	-		-	-	-	-	-		-	-	-		-		-	-	-	-	-
	Druckfestigkeit		-	-	-	-		+	-	-		+	-	o	o	-		-	-	-	-	-		-	-	-		-		-	-	-	-	-
	Oberflächen- und Haftzugfestigkeit		-	-	-	-		-	+	-		-	-	-	-	-		-	-	-	-	-		-	-	-		-		-	-	-	-	-
	Oberflächen-Inhomogenitäten (z.B. Risse)		+	+	+	+		-	-	-		o	+	o	+	+		o	+	+	-	-		-	-	-		-		-	-	-	-	-
	Art, Lage und Fehlergröße (Länge, Breite, Tiefe)		o	o	o	o		-	-	-		-	+	o	+	+		o	+	+	-	-		-	-	-		-		-	-	-	-	-
	Volumen-Inhomogenitäten (z.B. Kiesnester)		+	+	+	+		-	-	-		-	-	-	o	-		-	+	-	-	-		-	-	-		-		-	-	-	-	-
	Art, Lage und Fehlergröße (Länge, Breite, Tiefe)		o	o	o	o		-	-	-		-	-	-	o	-		-	o	-	-	-		-	-	-		-		-	-	-	-	-
	Delaminationen		o	o	o	o		-	-	-		-	o	+	-	-		-	+	-	-	-		-	-	-		-		-	-	-	-	-
	Lage und Größe delaminierter Bereiche		o	o	o	o		-	-	-		-	o	+	-	-		-	+	-	-	-		-	-	-		-		-	-	-	-	-
	Karbonatisierung		-	-	-	-		-	-	-		-	-	-	-	-		-	-	-	-	-		-	-	-		-		+	-	o	-	-
	Karbonatisierungstiefe		-	-	-	-		-	-	-		-	-	-	-	-		-	-	-	-	-		-	-	-		-		+	-	o	-	-
	Feuchteverteilung		o	o	o	o		-	-	-		-	-	-	o	-		+	+	-	-	+		-	-	-		o		-	-	-	-	-
	Feuchtegehalt		-	-	-	-		-	-	-		-	-	-	-	-		o	-	-	-	+		-	-	-		-		-	-	-	-	-
	Bauschädliche Salze (z.B. Chloride)		o	o	o	o		-	-	-		-	-	-	-	-		-	-	-	-	-		-	-	-		-		-	+	+	o	o
	Salzgehalt (z.B. Chloridgehalt)		-	-	-	-		-	-	-		-	-	-	-	-		-	-	-	-	-		-	-	-		-		-	+	+	o	o
	Verpressfehler		-	+	+	+		-	-	o		-	-	o	+	-		-	-	o	-	-		-	-	-		-		-	-	-	-	-
	Lage und Größe der Verpressfehler		-	+	+	+		-	-	o		-	-	o	+	-		-	-	o	-	-		-	-	-		-		-	-	-	-	-
	Korrosionsaktive Bereiche		o	o	o	o		-	-	-		-	-	-	-	-		o	-	o	-	-		-	-	-		+		-	-	-	-	-
	Bereiche mit erhöhter Korrosionsaktivität		-	-	-	-		-	-	-		-	-	-	-	-		-	-	-	-	-		-	-	-		+		-	-	-	-	-
Bauteilkonstruktion: Innerer Aufbau/ Geometrie	**Rückwand**		-	o	o	o		-	-	-		-	-	+	+	+		o	-	o	-	-		-	-	-		-		-	-	-	-	-
	Bauteildicke bzw. Bauteillänge		-	o	o	o		-	-	-		-	-	+	+	+		o	-	o	-	-		-	-	-		-		-	-	-	-	-
	Dickenänderung		-	o	o	o		-	-	-		-	-	o	o	+		-	-	o	-	-		-	-	-		-		-	-	-	-	-
	Schichtenaufbau		-	o	o	o		-	-	-		-	-	o	o	-		+	-	o	-	-		-	-	-		-		-	-	-	-	-
	Bewehrung (Stahlbeton)		-	o	o	o		-	-	o		-	-	-	+	-		+	+	+	-	-		+	+	-		-		-	-	-	-	-
	Betondeckung		-	o	o	o		-	-	o		-	-	-	o	-		+	-	+	-	-		+	+	-		-		-	-	-	-	-
	Stababstände		-	o	o	o		-	-	o		-	-	-	+	-		+	-	+	-	-		+	+	-		-		-	-	-	-	-
	Durchmesser		-	o	o	o		-	-	o		-	-	-	-	-		-	-	o	-	-		o	o	-		-		-	-	-	-	-
	Spannglieder/ Hüllrohre (Spannbeton)		-	o	o	o		-	-	o		-	-	-	+	-		+	+	+	-	-		-	-	o		-		-	-	-	-	-
	Tiefenlage		-	o	o	o		-	-	o		-	-	-	+	-		+	-	+	-	-		-	-	-		-		-	-	-	-	-
	Anzahl		-	o	o	o		-	-	o		-	-	-	+	-		o	-	+	-	-		-	-	o		-		-	-	-	-	-
	Spannstahlbruch/ Spanndrahtbruch (Spannbeton)		o	o	o	o		-	-	o		-	-	-	-	-		-	-	o	-	-		-	-	+		-		-	-	-	-	-

Die Bewertung wird bewusst einfach gehalten und folgt dem Grundsatz nach dem Handbuch Bauwerksprüfung [5], wo zur Auswahl des Prüfverfahrens folgende Unterscheidung getroffen wird: „Bei der Frage nach der Auswahl eines geeigneten Prüfverfahrens gilt es, 3 Aspekte zu betrachten:

- **physikalische Voraussetzungen** für die Anwendung eines Messprinzips (z. B. physikalische Eigenschaften der zu untersuchenden Baustoffe, die die Ausbreitung einer bestimmten Energieform erlauben),
- **technische Voraussetzungen** für die Anwendung eines Gerätes (z. B. Zugänglichkeit der Messfläche, Verfügbarkeit geeigneter Sensoren und Auswertungsmethoden, Zuverlässigkeit der Prüfaussage),
- **wirtschaftliche Vertretbarkeit** (z. B. Größe der Messfläche im Verhältnis zum Messraster, Zeitaufwand von Messung und Auswertung, Eingriffe in den Verkehr)."

Darauf aufbauend wurde die Klassifizierung wie folgt festgelegt:

- **„-“: Anwendung des Verfahrens physikalisch nicht möglich**
  Es gibt keine (ausreichende) physikalische Grundlage, die einen Zusammenhang von Messgröße zur Prüfaufgabe herstellt. Das schließt folgerichtig eine technisch sinnvolle bzw. wirtschaftlich vertretbare Anwendung aus.
- **„o“: Anwendung des Verfahrens mit Einschränkungen möglich**
  Die physikalischen Voraussetzungen sind gegeben. Bei geeigneten Randbedingungen ist eine technische Anwendung zwar möglich, die Genauigkeit bzw. Zuverlässigkeit der Ergebnisse mag eingeschränkt sein. Daher beschränkt sich eine wirtschaftlich vertretbare Anwendung häufig auf Einzelfälle mit hoher Relevanz bzgl. der Prüfaussage (z.B. akute Gefährdung der Standsicherheit) oder auf wissenschaftliche Anwendungen, wenn wirtschaftliche Aspekte eine untergeordnete Rolle spielen.
- **„+“: Anwendung des Verfahrens gut geeignet**
  Die physikalischen Voraussetzungen sind gegeben. Bei geeigneten Randbedingungen ist eine technische Anwendung je nach Anforderungen des Kunden möglich. Leistungsfähigkeit und Grenzen der Verfahren sind in der Praxis hinreichend dokumentiert, so dass das Verfahren je nach Kundenanforderungen und der Bedeutung der Prüfergebnisse auf die Nutzung des Bauwerks als wirtschaftlich vertretbar eingestuft werden kann. Ungünstige Randbedingungen und hohe Kundenanforderungen können die technische Anwendbarkeit einschränken bzw. eine wirtschaftliche Vertretbarkeit in Frage stellen.

Daher wird bei der Auswahl des Verfahrens dringend empfohlen, zwischen Kunden und Dienstleister die Prüfaufgabe mit der zu beantwortenden Prüfaussage zu spezifizieren. Dazu sind im Vorfeld von beiden Seiten die Kundenanforderungen und die technisch möglichen Ergebnisse zu benennen. Im Sinne der wirtschaftlichen Vertretbarkeit mögen einzelne Kundenanforderungen mit den technisch realistisch erzielbaren Möglichkeiten abgeglichen werden. Dies betrifft insbesondere die Festlegung der minimal detektierbaren Objektgröße, des Messrasters und der zu untersuchenden Fläche.

Die Matrix ist als vereinfachtes Modell zu verstehen und bildet die Grundlage für den Abfragealgorithmus des webbasierten Datenabrufs der ZfP-Verfahren. Die Matrix hat damit nicht den Anspruch auf absolute Richtigkeit und Vollständigkeit. Der Anwendungsbereich und Grenzen der Verfahren sowie Literaturverweise und weiterführende Informationen befinden sich in den Datenblättern der Verfahren. Im Vordergrund steht die generelle Einschätzung der Brauchbarkeit für den Endnutzer.

4. Einheitliche Gestaltung der Datenblätter

Das Formblatt für den neuen ZfPBau-Verfahrenskatalog ist so aufgebaut, dass die einzelnen Formfelder später problemlos in ein Online- Tool übertagen werden können.
Hinsichtlich der Ausführlichkeit wird ein Kompromiss aus dem ZfPBau-Kompendium und der NDT-Toolbox umgesetzt. Insgesamt wird auf die Verwendung von eindeutigen Fachbegriffen und treffenden Überschriften für die einzelnen Formfelder geachtet.

Der Inhalt des Formblattes baut sich in einer festgelegten Reihenfolge auf. So ergibt sich eine eindeutige Struktur der Felder, die dadurch thematisch aufeinander aufbauen – siehe Tabelle 3. Der einleitende Überblick gibt eine schnelle Auskunft, ob das entsprechende Verfahren geeignet ist für die gesuchte Prüfaufgabe. Wenn nein, dann kann man sich mit dem nächsten Verfahren beschäftigen. Wenn ja, dann folgt der vertiefende Hauptteil und weiterführende Informationen zum Verfahren.

1) Einleitender Überblick
   a) Messprinzip, Messverfahren und Messmethode in der Kurzbeschreibung sowie die physikalisch möglichen Prüfaufgaben
   b) Standard- Anwendungsbereich und –grenzen sowie Sonder-Anwendungsmöglichkeiten und bauliche Voraussetzungen
2) Spezifische Informationen über das ausgewählte Verfahren
   a) Ausführliche Verfahrensbeschreibung und Verfahrensvergleich (Vor- und Nachteile bei gleicher Prüfaufgabe)
   b) - Messmethode (Messaufbau, Messergebnisse, Messgeräte, Messgröße, Messdurchführung): Der Messaufbau und die Messergebnisse werden in Form von Fotos dargestellt.
      - Verfahrensaufwand (Technik, Zeit, Kosten, Fachwissen): Für den Verfahrensaufwand werden 1 bis 5 Punkte vergeben, wobei 1 Punkt den geringsten Aufwand und 5 Punkte den höchsten Aufwand beschreiben.
3) Weiterführenden Informationen
   a) Gerätehersteller,
   b) Verwandte Verfahren und
   c) Literaturangaben – unterteilt in Fachliteratur und Regelwerke.

Tabelle 3. Auszug aus dem Datenblatt Sichtprüfung, Los Beton

Physikalische Grundlage Optisches Messprinzip	
Verfahren **Sichtprüfung** engl.: Visual Testing	Prüfaufgabe - Oberflächen-Inhomogenitäten: Oberflächenrisse - Feuchteverteilung - Korrosion
Kurzbeschreibung Zerstörungsfreie Prüfung zur Detektion von Schäden, Mängeln und Fehlern und zur Beurteilung der Beschaffenheit der Prüffläche durch Inaugenscheinnahme einer Prüffläche mit oder ohne Hilfsmittel. - Oberflächenverfahren	
Standard- Anwendungsbereich (praxisrelevante Prüfaufgaben) - Orten und Bewerten von oberflächlichen Qualitätsmerkmalen durch Wahrnehmen, Vergleichen, Schätzen, Zählen und Messen [1] - Kiesnester, Porenansammlungen, Ansammlungen von Zementschlämme, auslaufende Zungen bei Arbeitsfugen, Kantenabbrüche und Farbunterschiede infolge von verminderter Festigkeit [2] - Risse [2] - Absanden [2] - Ausblühungen infolge Versalzung [2]: Beurteilung der Feuchteverteilung, wenn Rückstände von Salzen an der Betonoberfläche erkennbar sind - Kalkkrusten im Bereich von Arbeitsfugen, Kiesnestern und Rissen [2] - Rostflecken an Betonoberfläche durch Korrosion der Bewehrung (Bindedraht, Schalungsnägeln) [2]: Erkennbarkeit von Korrosion, wenn es sich um fortgeschrittene karbonatisierungsinduzierte Korrosion handelt - Betonabsprengungen über Bewehrung infolge der mit der Korrosion verbundenen Volumenvergrößerung [2] - Risse entlang der Bewehrungsstahl-/ Spanngliedachse [2]: Erkennbarkeit von Spannstahlbrüchen, wenn Risse sichtbar sind, die den Spanngliedverlauf abzeichnen - Sichtprüfung als grundlegende Prüfung für weiterführende Untersuchungen	
Anwendungsgrenzen (technisch, physikalisch, wirtschaftlich) - Zugänglichkeit - Lichtverhältnisse - Erkennbarkeit an der Oberfläche - Betrachtungsabstand bzw. Raster der Sichtprüfung - Größe und Form des zu ortenden Objekts	
Sonder- Anwendungsmöglichkeiten (zusätzliche Prüfaufgaben) - Verwendung von Hilfsmitteln wie Spiegeln, Linsen, Endskopen und Foto- sowie Videotechnik	

5. Konzeption einer GUI für einen webbasierten Datenabruf der ZFP-Verfahren

Die Konzeption eines geeigneten Datenbankentwurfs wurde auf Basis der zuvor definierten Anforderungen an die Abfragelogik aus der Matrix sowie der Ausgabe der Abfrageergebnisse entwickelt.

Im Folgenden wird der Standard-Programmablauf anhand von zwei Abfrage-Szenarien für die Einstiegspunkte *ZfPBau-Prüfaufgabe* und *ZfPBau-Prüfverfahren* erläutert:

- **Einstiegspunkt Prüfaufgabe**
  Für das Abfrageszenario Prüfaufgabe wird nach dem Starten der Anwendung und dem Bestätigen des Disclaimers sowie der Losauswahl die Auflistung der Prüfaufgaben ausgewählt. Der Anwender entscheidet sich für eine bestimmte Prüfaufgabe. Im Anschluss wird eine Liste der Verfahren, die mit der gewählten Prüfaufgabe assoziiert sind, angezeigt. Es kann nun gewählt werden, ob eine bestimmtes Verfahren näher betrachtet oder aber Verfahren nach Kriterien wie z.B.: physikalisch möglich gefiltert und dann ausgewählt werden sollen. Am Ende wird dem Anwender auf Basis dieser Entscheidungen vom System das entsprechende Datenblatt generiert.
- **Einstiegspunkt Verfahren**
  Für das Abfrageszenario Verfahren wird nach dem Starten der Anwendung und dem Bestätigen des Disclaimers das entsprechende Los und die Auflistung der Verfahren ausgewählt. Der Nutzer entscheidet sich für ein bestimmtes Verfahren. Daraufhin wird diesem eine Liste der Prüfaufgaben, die mit dem gewählten Verfahren assoziiert sind, angezeigt. Es kann nun gewählt werden, ob eine bestimmte Prüfaufgabe näher betrachtet oder aber Prüfaufgaben nach Kriterien wie z.B.: physikalisch möglich gefiltert und dann ausgewählt werden sollen. Am Ende wird dem Anwender auf Basis dieser Entscheidungen vom System das entsprechende Datenblatt generiert.

6. Grenzen des ZfP-Katalogs

Mit dem neuen ZfP-Katalog steht für mögliche Prüfaufgaben des Bauwesens eine Auswahlgrundlage für die Baustoffe Beton, Mauerwerk und Stahl zur Verfügung. Dabei ist zu beachten, dass die ZfPBau-Verfahren primär für den Einsatz an Beton als etabliert anzusehen sind. Für Mauerwerk gibt es aufgrund der stark heterogenen Struktur des Baustoffs weit weniger etablierte Standardanwendungen als für Beton, auch wenn 14 Verfahren angegeben werden. Die für Mauerwerk in Frage kommenden Verfahren müssen daher im Einzelfall auf die Eignung an dem konkreten Objekt und für die konkrete Prüfaufgabe geprüft werden.

Bei möglichen Prüfaufgaben an Stahl ist zu beachten, dass der ZfP-Katalog keinen Ersatz für die zfp- und bauproduktspezifischen Normen sowie für die Ausbildung inkl. der Lehrgangsunterlagen in der ZfP metallischer Komponenten/Werkstoffe darstellt, deren Umfang weitaus größer ist als hier angegeben. Die erarbeiteten Verfahrensdatenblätter konzentrieren sich auf mögliche Prüfaufgaben an Stahlbauteilen im Bauwesen. Deshalb wurde beispielsweise auf bestimmte Prüftechniken, die primär in den Bereichen Eisenbahnwesen, Luftfahrt und Automotive angewendet werden, nicht eingegangen. Auch ist zu beachten, dass die praktisch relevanten ZfP-Verfahren im Bereich Stahl Qualifizierung und Zertifizierung von Prüfpersonal nach ISO 9712 erfordern. Daher dienen die für den Werkstoff Stahl absichtlich kurz gehaltenen Verfahrensdatenblätter primär den Akteuren aus dem Bauwesen, um geeignete Verfahren zu identifizieren und die zerstörungsfreien Prüfungen von entsprechend zertifiziertem Personal durchführen zu lassen.

Referenzen

[1] Krause M., Wiggenhauser, H. und G. Schickert: ZfPBau-Datenbank für Ingenieurbauwerke, in: DGZfP (Hrsg.); Symposium Zerstörungsfreie Prüfung im Bauwesen, Berlin 27.02.-01.03.1991, Berlin (1991), S. 293 – 301

[2] Schickert, G., Krause, M. und H. Wiggenhauser: ZfPBau-Kompendium, Internetpräsenz: http://www.bam.de/zfpbau-kompendium.htm (Letzte Überarbeitung 2004)

[3] Helmerich, R., Bien, J. and P. Cruz: A guideline for Inspection and Condition Assessment including the NDT toolbox, Proceedings of Sustainable Bridges – Assessment for Future Traffic Demands and longer lives. Wrocław, 2007, pp. 93-104

[4] Deutscher Beton- und Bautechnik-Verein; DBV-Merkblatt: Anwendung zerstörungsfreier Prüfverfahren im Bauwesen, Eigenverlag, Berlin 2014

[5] Mertens, Martin (Hg.) (2015): Handbuch Bauwerksprüfung. Zustandsprüfung im Bestand: Standsicherheit, Verkehrssicherheit, Dauerhaftigkeit. Köln: Rudolf Müller.; Kapitel 4.2

Baustoffrecycling – sensorgestütze Vorsortierung

Ines DÖRING [1], Vivienne PIETHE [1], Mirko LANDMANN [1]
[1] IAB Weimar gGmbH, Weimar
Kontakt E-Mail: i.doering@iab-weimar.de

Kurzfassung. Allgemein ist bekannt, dass innerhalb der EU 25-30 % des gesamten Abfallstroms auf mineralische Bau- und Abbruchabfälle entfallen. Das Aufbereiten und Recyceln von Baumaterialien ist zur Schonung natürlicher Ressourcen, zur Reduzierung der CO2-Emission bei der Produktion neuer Baustoffe aus ökonomischer sowie ökologischer Sicht notwendig. Für eine Verwertung ist die Erfassung, Sortierung und Aufbereitung der Baumaterialien essentiell.

Ebenfalls bekannt ist, dass verschiedene, auch sensorgestützte Sortierverfahren, existieren mit denen Materialien detektiert und separiert werden können. Wenig Verständnis findet jedoch die Feststellung, dass keines der Sortierverfahren für jedes Material und jede Zielstellung geeignet ist. Derzeitig verfügbare Sortierverfahren stoßen bei der Anwendung auf Bau- und Abbruchabfällen immer wieder an ihre Grenzen. Der vorliegende Beitrag setzt sich mit speziellen Problemen beim Einsatz von NIR-, Farb- und LIBS-Verfahren auseinander und stellt mögliche Lösungsansätze vor.

Im Fokus aktueller Untersuchungen steht der Einsatz der Laserinduzierten Plasmaspektroskopie (LIBS) zur Erkennung und Sortierung von Baumaterialien. Ein Vorteil des Verfahrens liegt in der möglichen Detektion von schwarzen und amorphen Baustoffen. Ein zweiter Vorteil entsteht durch das Eindringen des Lasers in das Materialinnere, so dass die Störwirkung von Fremdpartikeln an der Oberfläche erkannt werden kann. Erste Voruntersuchungen zeigen, dass Materialien wie beispielsweise Ziegel, Steinzeug, Holz, Gummi und Gips im LIBS-Spektrum identifiziert werden können. Ziel weiterer Forschung muss sein, mithilfe der chemischen Informationen, die das Analyseverfahren liefert, Störstoffe wie Gips, Glas und Asbest aus dem Bauschuttgemenge zu entfernen. Eine Fusion mit der Farb- und NIR-Sortierung soll ebenfalls berücksichtigt und erprobt werden.

1 Einführung

Laut Deutscher Gesellschaft für Mauerwerksbau wurden im Jahr 2014 75,3 % der tragenden Konstruktionen aller Wohnbauten als Mauerwerk errichtet. Abb. 1 zeigt die Baufertigstellungen von Wohngebäuden (Neubau, seit 1995) entsprechend der verwendeten Hauptbaustoffe. Weitere Marktsegmente der Mauersteine lassen sich in der Bauwerkssanierung oder dem industriellen Gewerbebau auffinden. Die meisten Mauerwerkhauptbaustoffe sind derzeit in Form von Verbundbaustoffen verbaut, die vermehrt in Form mineralischer Bau- und Abbruchabfälle in die Kreislaufwirtschaft zurückgelangen. Die Aufbereitung solcher Materialgemenge gestaltet sich hierbei, unter Berücksichtigung des Stands der Technik, als schwierig.

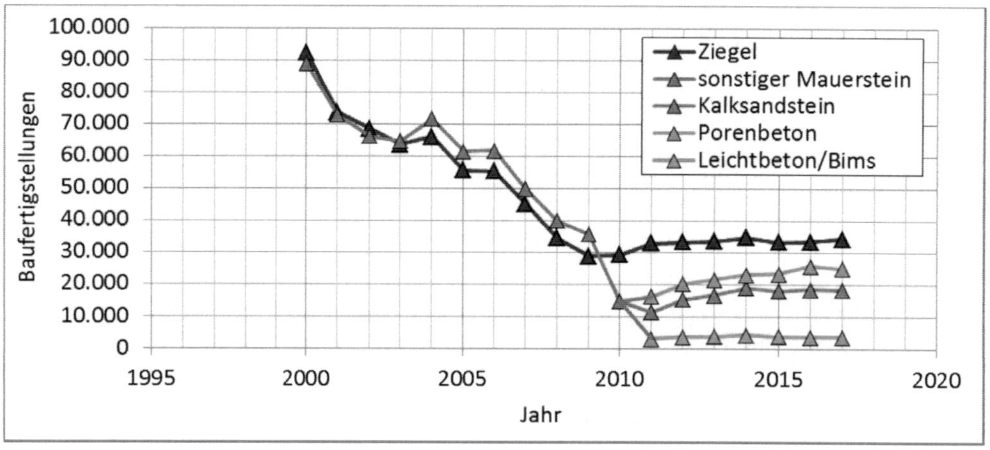

Abb. 1. Baufertigstellungen von Wohngebäuden im Mauerwerksbau [1]

2 Stand der Technik

Problematisch erweisen sich in den Strukturen integrierte Dämmstoffe, die erst nach dem Abbruch freigelegt werden können, oder diverse anhaftende Störstoffe, wie Gipsputz, der bis zu 10 M.-% bei Gebäuden betragen kann [2]. Schon jetzt ist festzustellen, dass die RC-Quoten von Baustellenabfällen, sowie auch von Bauschutt, aufgrund der starken Heterogenität sinkt (Abb. 2). Dies lässt sich darauf zurückführen, dass herkömmliche Sortierverfahren an ihre Anwendungsgrenzen gelangen.

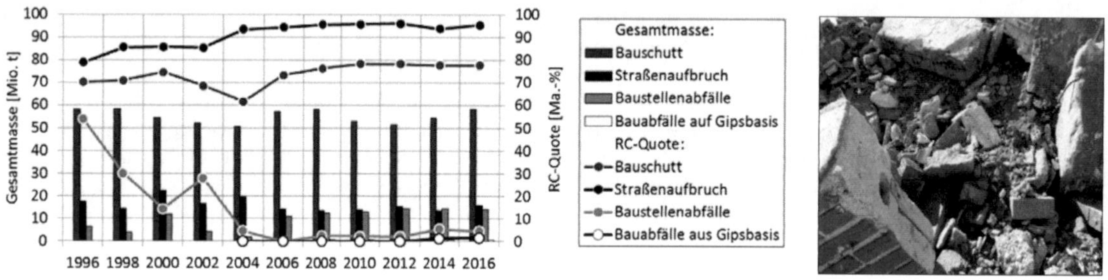

Abb. 2. Abfallmengen und Recyclingquoten der Hauptstoffströme [3] sowie darin befindliche Materialverbünde und –diversität (IAB)

Die Entwicklung von geschlossenen Stoffkreislaufkonzepten, d. h. der Wiederverwertung von RC-Produkten in der Produktion, bedarf sortenreiner Ausgangsmaterialien und der Ausschleusung von Fremd- und Störstoffen. Hierfür müssen entsprechende sensorgestützte Sortierverfahren zum Einsatz kommen.

Für die Erzeugung sortenreiner Materialfraktionen stehen verschiedene Aufbereitungsmöglichkeiten zur Verfügung. Dabei lassen sich folgende Aussagen treffen:

- Mit steigender Materialdiversität in mineralischen Bau- und Abbruchabfällen ist ein höherer Aufschluss- und Sortiergrad notwendig.
- Der selektive Rückbau lässt sich bei komplexen Verbundbaustoffen oftmals nicht realisieren.
- Die noch immer gängige Praxis folgt dem vereinfachten Aufbereitungsregime mit angeschlossener händischer Vorsortierung.
- Zum Erreichen der Ziele entsprechend Kreislaufwirtschaftsgesetz muss ein erweitertes Aufbereitungsregime in Verbindung mit verschiedenen Sortierverfahren zur

Anwendung kommen.
Es stehen verschiedene Verfahren zur Sortierung mineralischer Bau- und Abbruchabfälle zur Verfügung (Tabelle 1). Der Fokus liegt auf der Einzelkornsortierung.

Tabelle 1. Sortierverfahren

<table>
<tr><th colspan="2">Sortierverfahren</th><th colspan="2">Anwendungsgrenzen</th></tr>
<tr><td colspan="2">Fe- und/oder NE-Abscheidung</td><td>nur Metalle</td><td>Stand der Technik</td></tr>
<tr><td colspan="2">Dichtesortierung</td><td>aufschlusszerkleinerte Materialien (ca. 4 mm bis ca. 54 mm) mit Leicht- und Schwerfraktion</td><td>Stand der Technik</td></tr>
<tr><td rowspan="2">Einzelkorn-sortierung</td><td>händische Klaubung</td><td>nur grobstückige Materialien (≥ 54 mm), Vorsortierung</td><td>Stand der Technik</td></tr>
<tr><td>sensorgestützte Sortierung</td><td>aufschlusszerkleinerte Gemenge ≤ 54 mm</td><td>-</td></tr>
</table>

2.1 *Einzelkornsortierung*

Einzelkornsortierverfahren zeichnen sich, in Abhängigkeit von der verwendeten Sortiertechnologie, durch eine hohe Trennschärfe aus. Sie können zur Anreicherung von Wertstoffen oder Abtrennung von Fremd- und Störstoffen, wie bspw. organischen Bestandteilen oder Gipsputzen, aus einem heterogenen Schüttgutgemenge angewandt werden. Zwei Verfahren müssen unterschieden werden [4]: händische Klaubung und sensorgestütze Sortierung.

2.2 *Händische Klaubung*

Die händische Klaubung dient der Vorsortierung grobstückiger Materialien ≥ 54 mm. Hierbei erfolgt eine subjektive, aber zugleich effiziente Abtrennung von Störstoffen aus der Wertstofffraktion durch geschultes Personal. Insbesondere bei mobilen Aufbereitungsanlagen und bei Überwachungs- und Sortierarbeiten ist mit einem erhöhten Unfallrisiko zu rechnen (Hand- und Augenverletzungen) [5]. Hinzu kommen Belastungen durch Staub (Feinstaubablagerungen in den Atemwegen, Lungenfibrose), Lärm (Gehörschädigung), Vibrationen (Erkrankungen des Bewegungsapparates) und Witterung (Erkältungskrankheiten, Gelenkbeschwerden, Kreislaufprobleme, Konzentrationsschwächen) [5]. Ebenso werden Tätigkeiten in körperlicher Zwangshaltung ausgeführt [6] mit entsprechender negativer Wirkung auf das Muskel-Skelett-System des menschlichen Körpers, die auch zu Beschwerden im Hand-Arm-Schulter-Bereich führen können.

2.3 *Sensorgestützte Sortierung*

Bei der sensorgestützten Sortierung handelt es sich um ein automatisiertes Verfahren. Für die Sortierung von Bauschuttgemengen können entweder Band- oder Freifallsortieranlagen zum Einsatz kommen, bei denen die Trennung durch eine Ablenkung der Fallkurve, i. d. R. mittels Druckluftimpulsen, stattfindet. Grundsätzlich bestehen diese Sortieranlagen aus der Sortiermaschine selbst sowie einem Sensor, der die Partikel anhand verschiedener Trenncharakteristika, bspw. Partikelform, Farbe, Dichte (Röntgen) oder chemisch-mineralogischer Zusammensetzung, unterscheiden und folglich sortieren kann (Abb. 3). Tabelle 2 zeigt verfügbare Technologien zur sensorgestützten Sortierung mineralischer Schüttgüter, die auf der Basis von Reflexion, Adsorption oder Transmission arbeiten. Für den Einsatz der Baustoffsortierung kommen hierfür nur einige, wenige Technologien in Frage. Die einzelnen Technologien können miteinander kombiniert werden, um die Sortierqualität zu erhöhen und Vor- und Nachteile einer jeden Technologie auszugleichen.

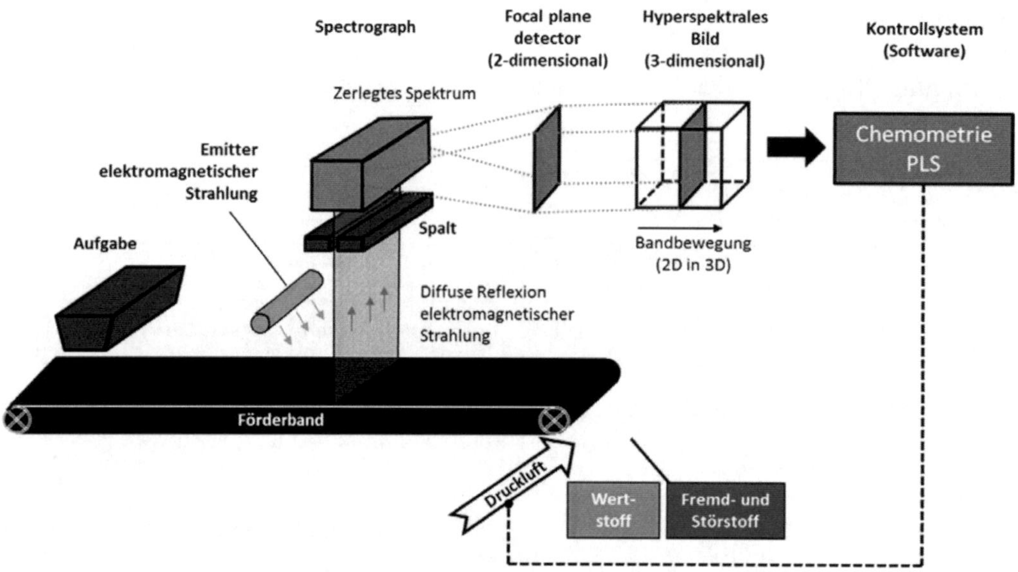

Abb. 3. Prinzip der Sensorgestützten Sortierung

Tabelle 2. Technologien zur sensorgestützten Sortierung mineralischer Schüttgüter

Technologie	**Wellenlängenbereich**	**Baustoffsortierung**
VIS (sichtbarer Bereich)	380 nm - 780 nm	[7], [8], IAB
NIR (Nahinfrarot)	780 nm – 2.500 nm	[9], [10], IAB, SWIR/VIS [11]
XRT (Röntgen-Transmission)	10 nm-1 pm	-
XRF (Röntgen-Fluoreszenz)		-
LIF (Laserinduzierte Fluoreszenz)	variabel	-
LIBS (Laserinduzierte Breakdown-Spektroskopie)		[12], [13], [14], [15]

Schwerpunkte am IAB bildeten Untersuchungen durch hyperspektrale NIR-Kameras und Farbzeilenkameras, da sich durch eine Kombination beider Technologien deren Nachteile ausgleichen lassen und eine Sortierung mineralischer Abfallgemenge unter ökonomischen Gesichtspunkten erst ermöglicht wird. Weitere Untersuchungen werden mittels LIBS durchgeführt.

3 Sortierung im NIR- und VIS-Spektrum

3.1 Sortierung von Modellgemischen

Am IAB existiert eine Baustoffsammlung aus sortenreinem Gummi-, Holz-, Porenbeton-, Kalksandstein-, Ziegel-, Polystyrol-, Normalbeton-, Leichtbeton- Kunststoff-, Bitumen-, Keramik- und Gipsmaterial in gebrochenem Zustand. Diese dient zur Erstellung einer Baustoffbibliothek, in der die physikalische und chemisch-mineralogische Charakterisierung der Baustoffe erfasst ist. Mit Hilfe der zur Verfügung stehenden Technik (Bandsortierer S+S) und Software wurden von den einzelnen Baustoffen NIR- und VIS-Spektren aufgenommen. Diese liegen der künftigen Erkennung zugrunde (Abb. 4). Aus der Baustoffsammlung wurden Modellgemische hergestellt, an denen die entwickelten Analyseprogramme erprobt und optimiert wurden.

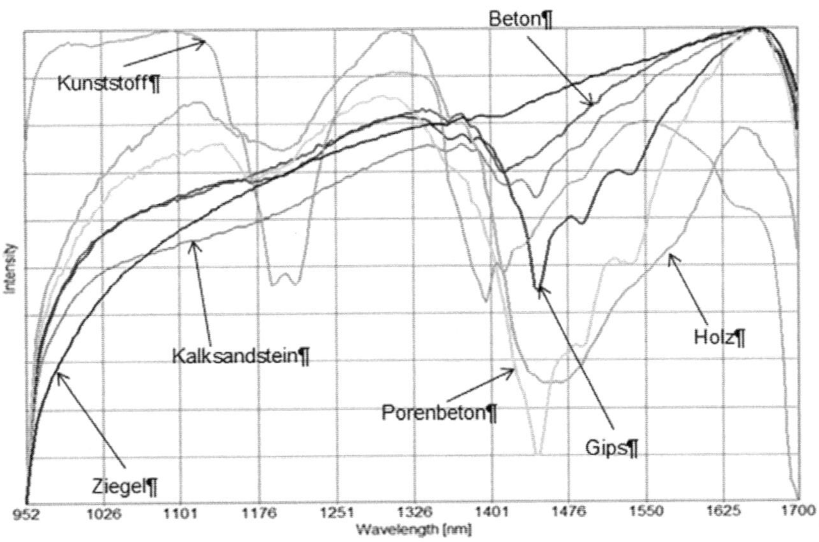

Abb. 4. Mittelwertspektren sortenreiner Baustoffe (NIR)

Im NIR-Bereich kann es aus unterschiedlichen Gründen zu Fehlsortierungen kommen:

- einige Materialien liefern teilweise ungenügende Spektren,
- Glas (amorph) und stark absorbierende Materialien, wie Dachpappe oder bituminöse Stoffe werden nicht erkannt.
- Material mit geringer Dichte wird teilweise ungezielt ausgetragen,
- Parameter der Sortieranlage (Verzögerungszeit/Blaszeit) können nicht gleichzeitig auf die verschiedenen Materialien abgestimmt werden,

Die einzelnen Materialien sind im VIS-Bereich zwar deutlich zu erkennen (Abb. 5), jedoch ist es aufgrund von Farbüberlappungen der unterschiedlichen Materialien nicht möglich, diese nur anhand ihrer Farbe zu unterscheiden und demzufolge zu sortieren. Wenn nur eine Farberkennung angewandt werden soll, kommt es häufig zu Fehlerkennungen. Gleichfarbige Störstoffe verschiedener Art können nicht voneinander getrennt werden. Die höchsten Erkennungsraten werden für Ziegel, Beton und Kalksandstein erreicht.

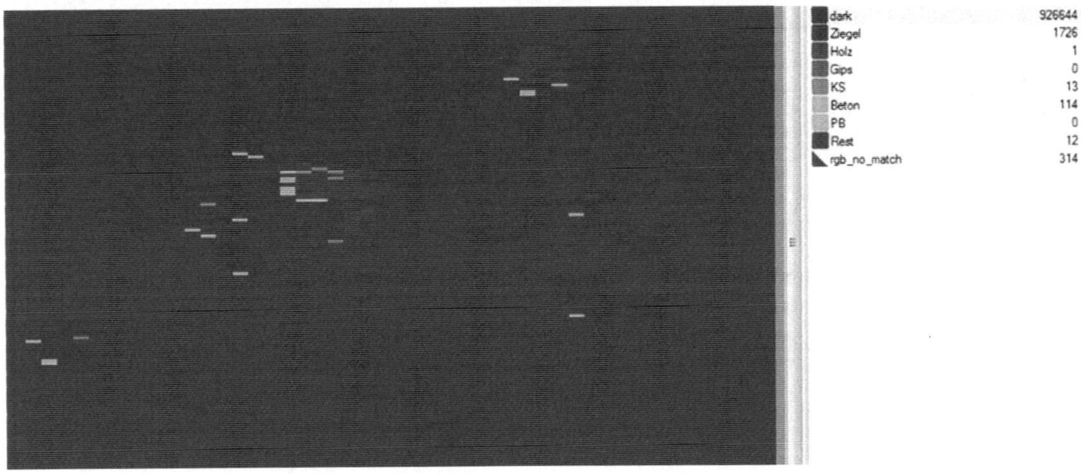

Abb. 5. Erkennung von Proben im VIS-Spektrum

Nach bisheriger Erkenntnis wird für Gips und Holz mit NIR-, für Ziegel und Beton mit VIS-Erkennung die höchste Sortierrate erreicht. Für die kombinierte Sortiertechnik zeigen sich verschiedene Wege (Tabelle 3).

Tabelle 3. Möglichkeiten für die kombinierte Sortiertechnik

Weg	Ziel	Nachteil
Kombination von NIR- und VIS- Analysen in einem Sortierbaum	Teilweiser Ausgleich der Nachteile der beiden einzelnen Technologien	Die Sortierraten liegen jedoch unter denen der Erkennung mit nur einer geeigneten Analysesoftware.
stufenweises Ausschleusen von Störstoffen	Einsatz der geeignetsten Analyse in jeder Stufe	Hierfür sind mehrere Durchläufe mit jeweils gezielt ausgewählter Analysesoftware nötig. Bestimmte Störstoffe können nicht erkannt werden. und verbleiben im RC-Restmaterial.
stufenweises Ausschleusen von Zielstoffen	Gewinnung von Zielmaterial mit möglichst geringer Verunreinigung	Leicht verunreinigtes Zielmaterial wird nicht erkannt und verbleibt im Nichtaustrag.
gleichzeitige Erkennung mehrerer Materialien	Einsparung von Zeit und Gerätetechnik	Sortierraten sinken gegenüber denen bei Einzelaustrag.

3.2 Sortierung von Praxisgemischen

Praxisgemische im Lieferzustand können nicht sortiert werden (Abb. 6). Der hohe Feinanteil (ca. 40 M-%) muss in jedem Fall abgesiebt werden. Aus den Fraktionen 8 – 16 mm und > 16 mm wurden zuerst Gips und Holz mittels NIR-Erkennung, dann Ziegel mittels VIS-Erkennung ausgetragen. Die Zusammensetzung des Nichtaustrages genügte prinzipiell den Forderungen der DafStb-Richtlinie für Gesteinskörnung aus RC-Material, Typ 2. Teilweise wurden die Forderungen für RC-GK Typ 1 eingehalten (Tabelle 4). Bisher nicht möglich ist die Erkennung von Bitumen gegen den schwarzen Untergrund. Lösungsansatz hierfür ist der Einsatz eines andersfarbigen Hintergrundes für die VIS-Erkennung.

Abb. 6. Praxisgemisch; li. Lieferzustand, re. Siebung > 16 mm

Tabelle 4. Sortierergebnis Praxisgemisch 8 – 16 mm

Analyse			Zusammen-	8 - 16 mm	Forderung		Forderung	
Ziel			setzung	Probe 3	RC-GK Typ 2		RC-GK Typ 1	
Ergebnis	Austrag [%]	Nichtaustrag [%]	NichtAustrag [%]					
Holz	100,00%	0,00%	0,00%		< 2 cm^3/kg	Holz	< 2 cm^3/kg	Holz
Gips	88,46%	11,54%	0,11%					
Ziegel	61,53%	38,47%	18,14%					
Bitumen	3,03%	96,97%	0,23%		<= 1 M.-%	Bitumen	<= 1 M.-%	Bitumen
Glas	0,00%		0,54%					
Fliesen	11,19%	88,81%	2,74%					
Beton+GK	7,56%	92,44%	72,91%		>= 70 M.-%	Beton+GK	>= 90 M.-%	Beton+GK
Kunststoff	55,56%	44,44%	0,03%					
Schlacke	11,68%	88,32%	2,66%					
Metall			0,00%					
Porenbeton			0,00%	25,85%	<= 30 M.-%	KS, PB, Fliesen,	<= 10 M.-%	KS, PB, Fliesen,
Kalksandstein	11,52%	88,48%	2,31%			Ziegel, Schlacke		Ziegel, Schlacke
undefiniert	0,00%	100,00%	0,33%	1,00%	<= 2 M.-%	Gips, Glas,	<= 1 M.-%	Gips, Glas,
Summe			1,0			Kunststoff, Metall		Kunststoff, Metall

3.3 Probleme bei der Praxisanwendung

Die Verschmutzung des Abbruchmaterials an der Oberfläche stört die Erkennung im NIR- und VIS-Spektrum. Eine Waschung des Materials führt zu Problemen bei der Entsorgung des kontaminierten Wassers. Zudem wird die NIR-Erkennung des Materials durch die Überlagerung der Wasserspektren erschwert. Die Gewinnung sortenreiner RC-Baustoffe und Vermeidung von Mischabfällen kann nur durch eine Vorsortierung infolge Rückbau statt Abriss erreicht werden. In der Feinfraktion des aufbereiteten Abbruchmaterials reichern sich Störstoffe geringerer Festigkeit und Partikelgröße an. Diese dürfen unbehandelt weder in den Boden noch in neue mineralische Baustoffe eingebracht werden.

Alle diese Überlegungen sind mit zusätzlichen Kosten für die Recycler und die nachfolgenden Anwender verbunden, was die Akzeptanz der Sortierverfahren in der Praxis enorm erschwert.

4 Sortierung im LIBS-Spektrum – Vor- und Nachteile

Durch den gezielten Einsatz des LIBS-Analyseverfahrens sollen die Probleme der NIR- und VIS-Erkennung minimiert werden. Zum einen beeinträchtigt die Verschmutzung der Partikeloberfläche die Analyse hier nur bedingt, da der Laserstrahl in das Material eindringt und somit nicht primär nur die Patina erfasst. Zum anderen ist es bei der LIBS-Erkennung irrelevant, ob sich das Material vom Untergrund optisch abhebt. Das Material wird mithilfe seiner atomaren Eigenschaften identifiziert. Somit können beispielsweise Bitumen und Gläser ebenso leicht detektiert werden wie Beton oder andere mineralische Baustoffe.

Berücksichtigt werden muss allerdings das Zusammenspiel aller Analyseverfahren. Nur so können Materialien, deren atomare Zusammensetzung miteinander verwandt ist, zuverlässig voneinander unterschieden werden. Das betrifft z. B. stark kohlenstoffhaltige Baustoffe wie Holz oder polymerbasierte Baustoffe wie Gummi, Bitumen und andere Kunststoffe.

Des Weiteren muss die technische Umsetzbarkeit berücksichtigt werden, da es nach Stand der Technik aktuell nur möglich ist, die Bauwerksbruchstücke eindimensional entlang der Laufrichtung abzurastern und nicht flächig in zwei Richtungen. Das Material muss folglich akurat auf dem Band positioniert werden. Zudem beeinflussen die verschiedenen Korngrößen die Signalintensitäten. Der Laserfokus müsste sich idealerweise individuell an die unterschiedlichen Korngrößen anpassen, um optimale Ergebnisse zu erzielen.

Es gilt daher, die Analyseverfahren so intelligent miteinander zu kombinieren, dass die Probleme der einzelnen Methoden bestmöglich begrenzt und die Vorteile optimal genutzt werden.

5 Referenzen

[1] Statistisches Bundesamt, Bauen und Wohnen

[2] Weimann, K., Matyschick, J. und Adam, C.: Optimierung des Rückbaus/Abbaus von Gebäuden zur Rückgewinnung und Aufbereitung von Baustoffen unter Schadstoffentfrachtung des RC-Materials sowie ökobilanzieller Vergleich von Primär- und Sekundärrohstoffeinsatz inkl. Wiederverwertung. s.l. : Umweltbundesamt, 2013.

[3] Kreislaufwirtschaft BAU: http://kreislaufwirtschaft-bau.de] [Zitat 29.04.2019]

[4] Bunge, Rainer: Mechanische Aufbereitung. Primär- und Sekundärrohstoffe. Weinheim : WILEY-VCH Verlag GmbH & Co. KGaA, 2012.

[5] Steinbruchs-Berufsgenossenschaft: BGI 716 - Bauschuttrecycling. 1998.

[6] Bundesanstalt für Arbeitsschutz und Arbeitsmedizin (BAuA): Stellungnahme des ABAS zum manuellen Sortieren von Abfällen außerhalb von speziellen Anlagen. [Zitat 11.09.2015] http://www.baua.de/de/Themen-von-A-Z/Biologische-Arbeitsstoffe/ABAS/aus-dem-ABAS/Abfallsortierung.html.

[7] Linß, E., et al.: Identifiaction of CDW by using image processing in the Visual and NIR-sprectum and amchine learning methods. In: Tagungsband 18. ibausil, 12. bis 15. September 2012, Band 2, S. 1026-1033.

[8] Xing, Weihong: Quality Improvement of Granular Secondary Raw Building Materials by Separation and Cleaning Techniques (Doctoral Thesis). Delft University of Technology : s.n., 2004.

[9] de Groot, P. J., et al.: Validation of remote, on-line, near-infrared measurements for the classification of demolition waste. In: Analytica Chimica Acta 453 (1), 2002.

[10] Vegas, I., et al.: Upgrading the quality of mixed recycled aggregates from construction and demolition waste by using near-infrared sorting technology. In: Construction and Building Materials 75, 2015.

[11] Linß, E., et al.: Automatisierte Sortieranalyse für rezyklierte Gesteinskörnungen. In: Fachtagung Recycling R'19 am 25./26. September 2019 in Weimar.

[12] Molkenthin, A.: Laser-induzierte Breakdown Spektroskopie (LIBS) zur hochauflösenden Analyse der Ionenverteilung in zementgebundenen Feststoffen (Dissertation). BAM-Dissertationsreihe, Band 2. Berlin : BAM Bundesanstalt für Materialforschung und -prüfung, 2009.

[13] Feierabend, A.: Einsatz von oprischen Messsystemen auf der Basis von LIBS-Spektroskopie zur Analyse und Klassifizierung von mineralischen Materialien. In: Fachtagung Recycling R'13 am 19./20. September 2013 in Weimar.

[14] Noll, R., et al.: LIBS analyses for industrial applications - an overview of developments from 2014 to 2018. In: Royal Society of Chemistry.

[15] Xia, H. und Bakker, M.C.M.: Reliable classification of moving waste materials with LIBS in concrete recycling. In: Talanta 120. (2014).

Neues zur Betondeckungsmessung

Sarah Vonk [1], Alexander TAFFE [1], Martin FRIESE [2]
[1] HTW, Berlin
[2] BASt, Bergisch Gladbach
Kontakt E-Mail: Alexander.Taffe@HTW-Berlin.de

Kurzfassung. Die Betondeckungsmessung beschränkt sich im Allgemeinen auf den Nachweis der Dauerhaftigkeit. Entsprechend der geforderten Mindestbetondeckung der Expositionsklassen von max. 40 mm und 15 mm Vorhaltemaß sind Betondeckungen von maximal 60 bis 70 mm relevant. Das deckt sich mit den maximal erzielbaren Detektionstiefen magnetisch induktiver Geräte (i.d.R. auf der Basis von Wirbelstrom; [1], [2]). Größere Betondeckungen sind jedoch aus statischer Sicht von Interesse. Das gilt besonders dann, wenn die Tragfähigkeit einer Konstruktion bei tiefer liegender Bewehrung nachgewiesen werden soll und die Einbautiefen der Bewehrung erforderlich sind, um z. B. den inneren Hebelarm zu bestimmen ([3], [4]). Daher zielen die hier veröffentlichten Ergebnisse zu Radar und Ultraschall auf die spätere Anwendung zur Nachrechnung von Bauwerken auf der Basis von Ergebnissen der zerstörungsfreien Prüfung (ZfPStatik).

In diesem Beitrag geht es um die Bestimmung von Genauigkeiten von Radar- und Ultraschallechomessungen. Daher wird in diesem Beitrag auch auf die Erstellung von Testkörpern und deren Genauigkeit hinsichtlich der realisierten Einbautiefen der Bewehrung eingegangen.

Einführung

Zur Betondeckungsmessung an üblich bewehrten Stahlbetonbauteilen haben sich seit den 1980er-Jahren primär magnetisch induktive Verfahren, meist auf der Basis von Wirbelstrom, für Tiefen bis 60 bzw. 70 mm etabliert, um die Dauerhaftigkeit nachzuweisen ([1], [2]). Das Interesse an größeren Einbautiefen hat mit Ansätzen der sog. ZfPStatik zugenommen, bei denen Messergebnisse der zerstörungsfreien Prüfung im Bauwesen (ZfPBau) zur statischen Nachrechnung von bestehenden Bauwerken herangezogen werden ([3], [4]). Neben den magnetisch induktiven Verfahren [6] stehen mit Radar [7] und Ultraschall [8] zwei weitere Verfahren zur Verfügung, die alle in Merkblättern der DGZfP beschrieben werden. Allerdings gibt es über die Genauigkeit und Anwendungsgrenzen hinsichtlich erzielbarer Detektionstiefen nur wenig konkrete Veröffentlichungen, z. B. [5]. Daher wurde in einem von der BASt (Bundesanstalt für Straßenwesen) initiierten Forschungsvorhaben die Frage der Genauigkeit von Radarmessungen genauer untersucht [9]. Dazu wurden die nachfolgend beschriebenen Testkörper konzipiert und hergestellt sowie Messungen mit Radar und Ultraschallecho durchgeführt. Dabei wurde u.a. der Frage nach der Genauigkeit der Betondeckungsmessung und der getrennten Darstellbarkeit dicht benachbarter Bewehrungsstäbe nachgegangen; ein Teil der Ergebnisse ist hier veröffentlicht.

1 Konzeption und Herstellung von Testkörpern mit hoher Genauigkeit der Einbautiefe

Für die Radar- und Ultraschalluntersuchungen zur Ermittlung der Genauigkeit der gemessenen Betondeckung mussten geeignete Betontestkörper konzipiert werden. Das Hauptaugenmerk lag hierbei auf dem präzisen Einbau von Bewehrungsstäben zur Erzielung einer sehr genau bestimmbaren, tatsächlichen Einbautiefe, die dem Sollwert bei den Betondeckungsmessungen entspricht. Dabei wurden folgende Punkte berücksichtigt:

- Geradebiegen und Richten der aus dem Werk gelieferten Bewehrungsstäbe und -matten
- Zuschneiden der Schalungsplatten mit einer Formatkreissäge
- Millimetergenaue Anordnung der Bewehrungsstäbe durch Präzisionsbohren der Löcher in die Schalung
- Mechanismus zum Ausrichten der Stäbe zur einheitlichen Lage der Rippung

Während in der Baupraxis auf die Ausrichtung der Rippen der Bewehrung nicht geachtet wird, wurden für die Testkörper die Bewehrungsstäbe mit der Rippenmitte nach oben angeordnet, um Reflektoren in einheitlicher Tiefe und Ausrichtung messen zu können. Ebenso dient diese Anordnung zur Reduzierung der Abweichungen der Betondeckung und zur besseren Vergleichbarkeit der Betondeckungen untereinander, weil alle Bewehrungsstäbe auf die gleiche Weise angeordnet wurden.

Bei der Konstruktion der ersten beiden Testkörper wurden folgende Festlegungen getroffen:

- Oberflächennah unbewehrter Testkörper (HTW-TK1) zum Aufzeigen Leistungsfähigkeit der Verfahren ohne störenden Einfluss der Bewehrung (intrisic capability):
  Realisiert wurden acht Stäbe von 20 bis 90 mm Einbautiefe auf Seite 1 und acht Stäbe auf Seite 2 von 95 bis 165 mm in 10-mm-Schritten;
- Oberflächennah bewehrter Testkörper (HTW-TK2) mit Q188 (∅6 mm, 15 cm Maschenweite) zur Bewertung des störenden Einflusses der Bewehrung:
  Realisiert wurden acht Messstellen von 40 bis 110 mm Einbautiefe auf Seite 1 und acht Messstellen auf Seite 2 von 120 bis 190 mm in 10-mm-Schritten
- Verwendeter Bewehrungsstabdurchmesser ∅12 mm mit gleichartiger Anordnung der Rippen in beiden Testkörpern

Die beiden Testkörper HTW-TK1 und HTW-TK2 wurden zur Ermittlung der Genauigkeit von Betondeckungsmessungen mit den o.g. Festlegungen konzipiert und wie in Abbildung 1 dargestellt realisiert. Dabei wurde eine Genauigkeit der Einbautiefe der Bewehrungsstäbe von etwa ± 0,5 mm erreicht.

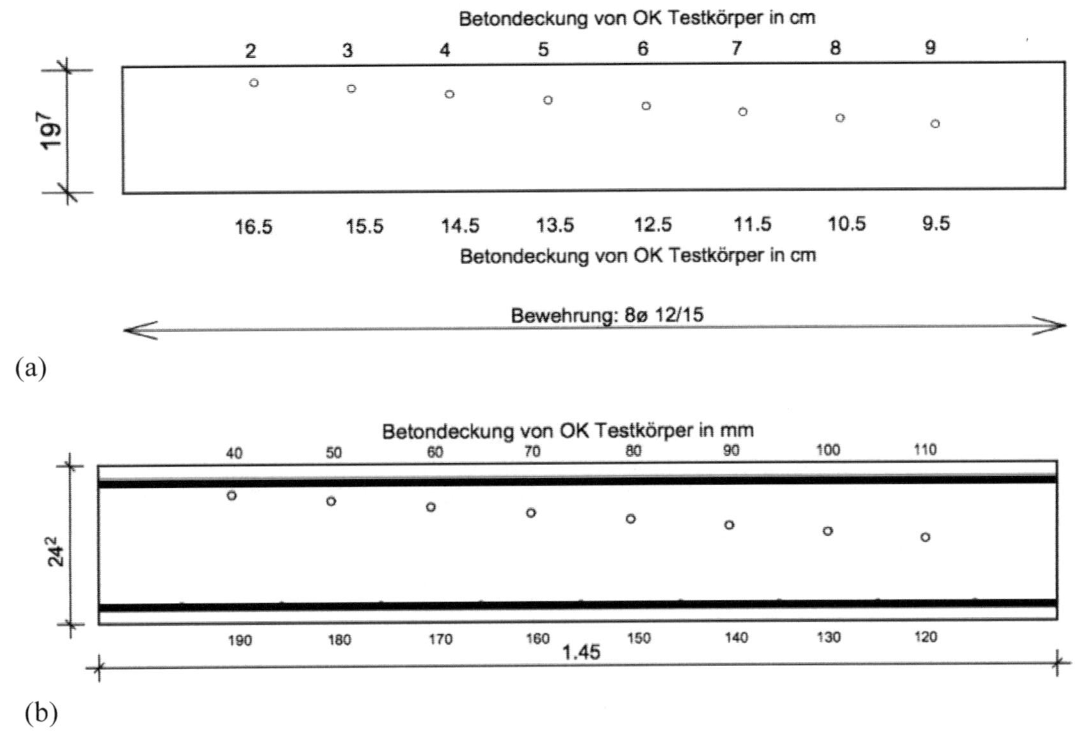

Abbildung 1 Prinzipskizze der hergestellten Testkörper zur Ermittlung der Genauigkeit der Verfahren: (a) HTW-TK1 mit Stäben von 20 bis 165 mm Betondeckung und (b) HTW-TK2 mit Matte Q188 an der Oberfläche und Betondeckungen zwischen 40 und 190 mm.

Für den Testkörper HTW-TK4 (Abbildung 3) wurden jeweils fünf Bewehrungsstäbe in gleicher Tiefe verbaut. Wie in Abbildung 2 dargestellt, bilden die ersten drei Bewehrungsstäbe jeweils zwei Stabachsabstände von 5 cm, während der dritte bis fünfte Bewehrungsstab jeweils zwei Stabachsabstände von 10 cm bildet. Von Interesse ist jeweils der Referenzstab in der Mitte (in Rot dargestellt), da sich jeweils nach links und rechts Bewehrungsstäbe mit gleichem Stabachsabstand befinden.

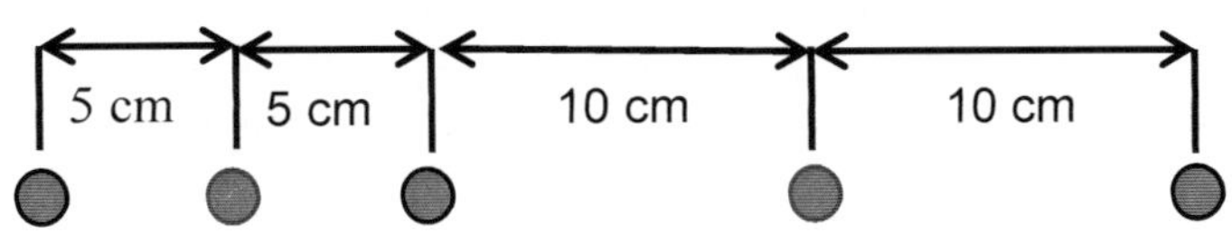

Abbildung 2 Systematik der Anordnung der Stäbe in HTW-TK4

Der Systematik in Abbildung 2 folgend werden in HTW-TK4 Betondeckungen von 5, 10 und 15 cm von der einen Seite sowie 20, 25 und 30 cm von der gegenüberliegenden Seite realisiert. Dabei wird das Verhältnis d_c/s_a von 0,5 bis 3,0 in 0,5er-Schritten und von 3,0 bis 6,0 in 1,0er-Schritten variiert. Bei Werten von $d_c/s_a > 1$ können benachbarte Stäbe gemäß [2] mit magnetisch induktiven Verfahren nicht mehr getrennt voneinander detektiert werden. Damit erlaubt der Testkörper HTW-TK4 systematische Untersuchungen zur Detektion von Bewehrungsstäben jenseits der Anwendungsgrenzen von magnetisch induktiven Verfahren ($d_c > 5$ cm; $d_c/s_a > 1$). Auch für diesen Testkörper wurde eine Genauigkeit der Einbautiefe der Bewehrungsstäbe von etwa ± 0,5 mm erreicht.

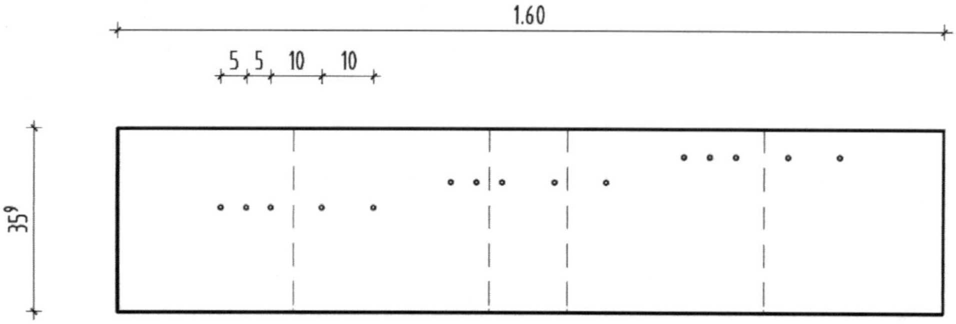

(a)

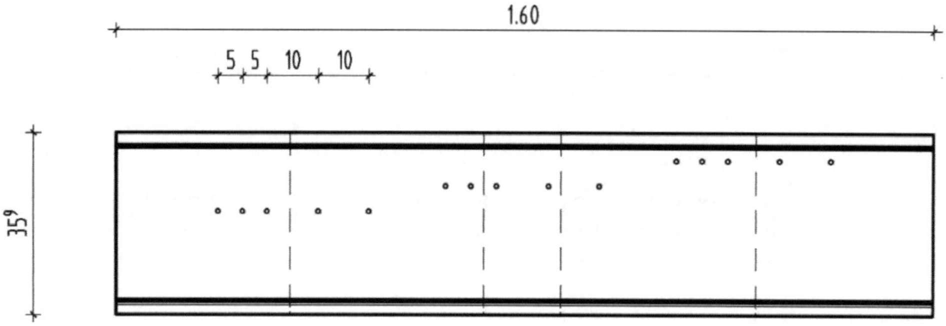

(b)

Abbildung 3 Prinzipskizze des hergestellten Testkörpers HTW-TK4 zur Ermittlung der getrennten Auflösbarkeit von benachbarten (s_a = 10 cm) und dicht benachbarten (s_a = 5 cm) Stäben. Mit Betondeckungen d_c von 5 bis 30 cm in 5-cm-Schritten erhält man d_c/s_a von 0,5 bis 6. (a) Ein Bereich ist unbewehrt und (b) ein Bereich mit einer Matte Q188 bewehrt.

2 Ergebnisse der Radarmessungen

Für die Untersuchungen der Radarmessungen wurde ein Radar-Kompaktgerät verwendet. Das Gerät ist mit drei Bowtie-Antennen ausgestattet. Bei der Aufnahme der Messdaten kommuniziert jede Antenne mit sich selbst sowie von Antenne zu Antenne, wodurch fünf Messspuren generiert werden. Mit der Gerätesoftware können die Rohdaten als seg-y Dateien ausgelesen werden, um sie anschließend in eine herstellerunabhängige Software einlesen, bearbeiten und auswerten zu können.

Die Radargramme der herstellerunabhängigen Software des Radarkompaktgerätes in Abbildung 4 zeigen jeweils auf der linken Seite den jeweiligen Testkörper kurz nach der Betonage und auf der rechten Seite nach der letzten aufgenommenen Messung. Es wird deutlich, dass je mehr der Testkörper an Betonfeuchte verliert, desto deutlicher sind die Reflexionen der Bewehrungsstäbe.

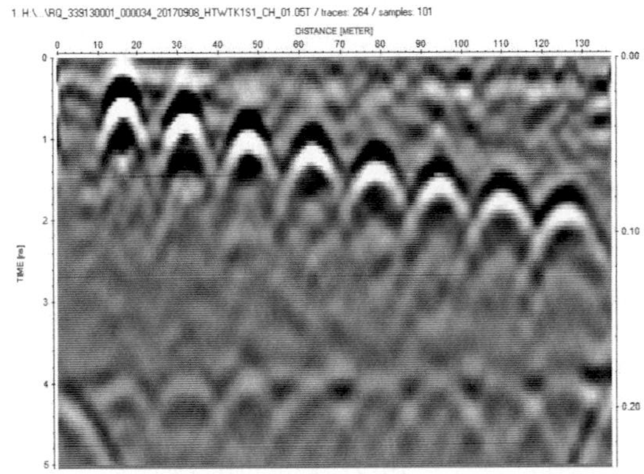

TK1: 12 Tage nach Betonage

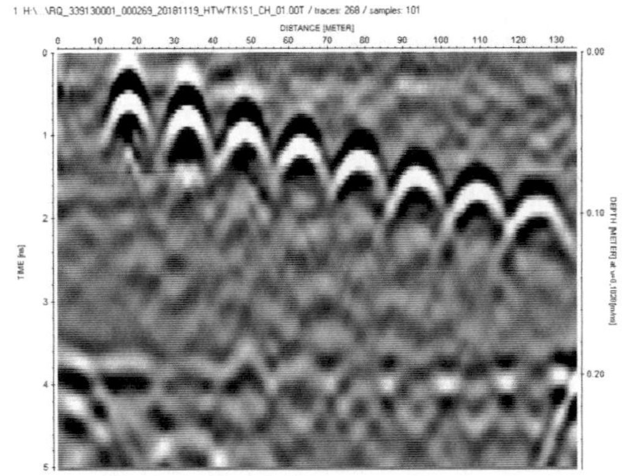

TK1: 450 Tage nach Betonage

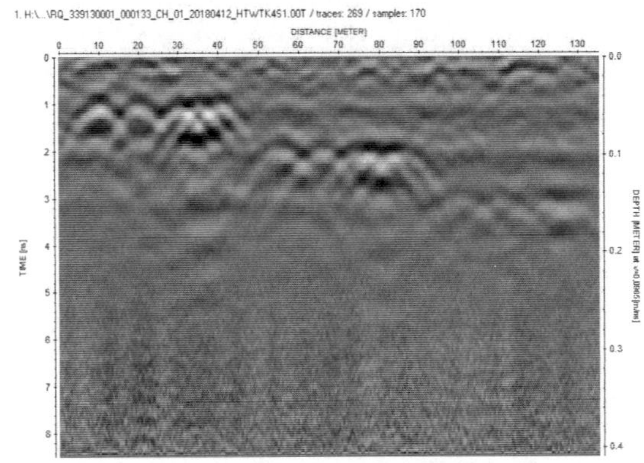

HTW-TK4 ohne Matte: 3 Tage nach Betonage

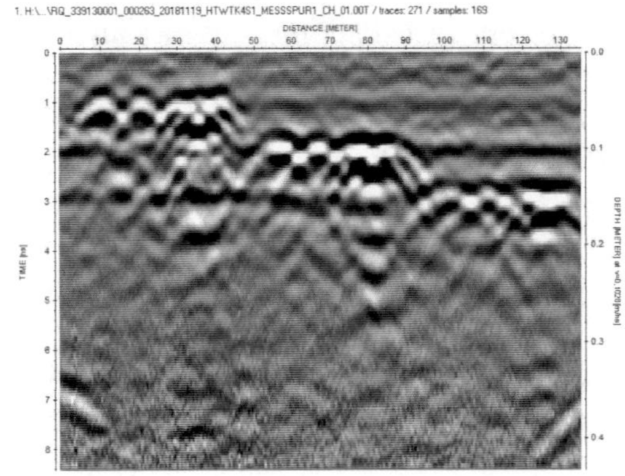

HTW-TK4 ohne Matte: 224 Tage nach Betonage

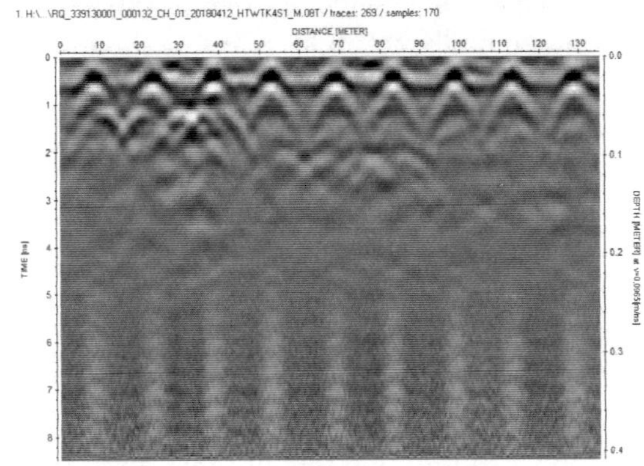

HTW-TK4 mit Matte: 3 Tage nach Betonage

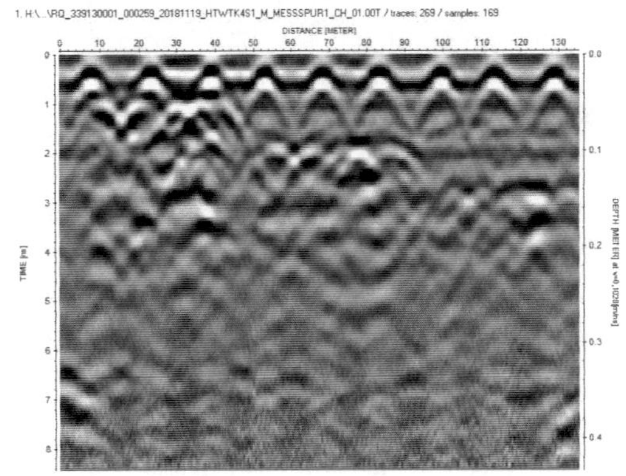

HTW-TK4 mit Matte: 224 Tage nach Betonage

Abbildung 4 Vergleich der Radargramm kurz nach der Betonage (links) und im fortgeschrittenen Alter (rechts). Lediglich Stäbe mit einer Einbautiefe von mind. 15 cm sind in jungem Beton nicht detektierbar.

Im Folgenden werden die Messergebnisse für die Testkörper HTW-TK1 und HTW-TK4 getrennt ausgewertet. Im Allgemeinen wird die Betondeckung immer zu groß (Abweichungen positiv) an beiden Testkörpern detektiert. Dies hängt unter anderem damit zusammen, dass die Ausbreitungsgeschwindigkeit über die Rückwand bzw. den am tiefsten liegenden und noch detektierbaren Reflektor kalibriert wurde.

HTW-TK1

Die Betondeckungen bis 90 mm können zwar bereits drei Tage nach der Betonage detektiert werden, aber die Abweichungen liegen für die Betondeckungen nahe 90 mm im ersten halben Jahr mit bis zu 5 mm zu hoch. Dies decken die Erkenntnisse in [10], wo ebenfalls die Genauigkeit der Betondeckungsmessung mit dem Radar-Kompaktgerät untersucht wurde. Die Abweichungen nehmen jedoch mit zunehmender Zeit ab und variieren nach etwa einem Jahr bei den Betondeckungen nahe 90 mm gleichmäßig mit 1-2 mm um den Sollwert. Bei den geringeren Betondeckungen oberhalb 20 mm liegen die Abweichungen im ersten Halbjahr mit Werten von bis zu 10 mm zu hoch. Sie nehmen im ersten Jahr zwar ab, bleiben aber immer zu groß mit Werten von etwa 5 mm. Für diese systematische Abweichung bei den Stäben mit geringer Betondeckung ist vermutlich der verlängerte Laufweg (der sog. „Umwegfehler“) verantwortlich. Bei den Betondeckungen Richtung 90 mm ist diese systematische Abweichung nicht mehr zu beobachten. Daraus ergibt sich, dass mit Radar jenseits der Anwendungsgrenze magnetisch induktiver Verfahren von 60 bis 70 mm, erstaunlich geringe Abweichungen erzielbar sind – sogar in der Größenordnung magnetisch induktiver Verfahren – von ± 1-2 mm. Allerdings sind diese hohen Genauigkeiten nur bei einer exakten Kalibrierung der Wellengeschwindigkeit möglich, was in der Praxis aber i.d.R. so genau nicht umsetzbar ist.

HTW-TK4, Seite 1 (Einbautiefen 50, 100 und 150 mm)

Im Hinblick auf das Verhältnis von der Betondeckung d_c zum Stababstand s_a (d_c/s_a) konnten auf der Seite 1 der Testkörper mit den Betondeckungen 50, 100 und 150 mm und ohne oberflächennahe Bewehrung alle Verhältnisse von $d_c/s_a = 0{,}5 - 3$ und damit alle Bewehrungsstäbe getrennt detektiert werden. Im Bereich mit oberflächennaher Bewehrung konnten die Bewehrungsstäbe in 150 mm Tiefe nicht mehr detektiert werden. Dies hängt mit der Schwächung des Signals durch die eingebaute Bewehrungsmatte im oberflächennahen Bereich zusammen. Im Hinblick auf die Messgenauigkeit ergaben sich bei einer Betondeckung von 50 mm bis zu + 5 mm Abweichungen, wie bereits für HTW-TK1 oben beschrieben. Bei der Betondeckung von 100 und 150 mm ergaben sich vereinzelte Abweichungen von + 1 mm, was überraschend gering ist. Dies hängt damit zusammen, dass die Ausbreitungsgeschwindigkeit an den Bewehrungsstäben mit 100 mm Betondeckung kalibriert wurde.

HTW-TK4, Seite 2 (Einbautiefen 200, 250 und 300 mm)

Auf der Seite 2 des Testkörpers mit den Betondeckungen 200, 250 und 300 mm ohne oberflächennahe Bewehrung wird eine Woche nach der Betonage jeweils nur der erste Bewehrungsstab mit einer Betondeckung von 200 und 250 mm und einem Stababstand von 50 mm detektiert. Nach zwei Monaten wird auch der erste Bewehrungsstab mit 300 mm Betondeckung und einem Stababstand von 50 mm detektiert. 77 Tage nach der Betonage lassen sich im Bereich der Betondeckungen von 150 mm zum ersten Bewehrungsstab auch der dritte und fünfte Bewehrungsstab detektieren. Die roten Referenzstäbe werden jeweils nicht detektiert (Abbildung 2), daher lässt sich hier auch kein Verhältnis von der Betondeckung d_c zum Stababstand s_a (d_c/s_a) ermitteln. Auf der oberflächennah bewehrten der Seite 2 mit den Betondeckungen 200, 250 und 300 mm wird kein Bewehrungsstab detektiert, lediglich die Bewehrungsmatte.

3 Ergebnisse der Ultraschallmessungen

Ziel war es, verlässliche Aussagen zur Eignung von Ultraschall für die Erkennung oberflächennaher Bewehrung zu erhalten. Es wurde untersucht, ab welcher Tiefe Ultraschall eine Alternative zu den magnetisch-induktiven Methoden darstellen kann. Zu diesem Zweck wurde ein Konzept erarbeitet, inwieweit eine Detektion möglich ist und welche Abweichungen bei der Betondeckungsmessung auftreten. Zusätzlich wurde die Nachweisbarkeit der Bewehrung, Betondeckung und Bewehrungsdurchmesser untersucht.

Die Untersuchungen wurden an den Testkörpern HTW-TK1 und HTW-TK2 durchgeführt. Als Messgeräte wurden drei sich derzeit auf dem Markt befindliche Ultraschallgeräte verwendet. Das Ultraschallgerät Nr. 1 ist ein Sender-Empfänger-Wandler, der aus sechs Blöcken besteht, von denen jeder vier einzelne DPC-Wandler (Dry Point Contact Transducer) enthält. 12 der 24 DPC sind zu einer Sendeeinheit und 12 DPC zu einer Empfangseinheit zusammengefasst. Die Ultraschallgeräte Nr. 2 und Nr. 3 sind sog. Phased Arrays. Jeder DPC kann sowohl als Sender als auch als Empfänger fungieren. Auf diese Weise können mit SAFT in kurzer Zeit aussagekräftige Bilder aufgenommen werden. Das Gerät sendet die Signale multistatisch. Praktisch bedeutet dies, dass das erste Modul Signale sendet und die Echos werden von den verbleibenden sieben Modulen empfangen. Anschließend sendet das benachbarte Modul Signale und die nachfolgenden Module registrieren das Echo, das erste Modul verwendet das Echo jedoch nicht. Dies wird fortgesetzt, bis das vorletzte Modul sendet und vom letzten Modul empfangen wird. Um die Ergebnisse der Ultraschallgeräte zuverlässig vergleichen zu können, wurden die gleichen Einstellungen (Frequenz, Verstärkung, Tiefenverstärkung) für die Untersuchungen verwendet - vorausgesetzt die Geräteeinstellungen erlaubten die Änderung oder es standen die gleichen Geräteeinstellungen zur Verfügung.

Die Ultraschalldaten der Messungen wurden zur Auswertung in die InterSAFT-Software importiert. InterSAFT- hat sich zur Bearbeitung von Ultraschalldaten in der Forschung etabliert und dient im Rahmen dieser Forschung als eine einheitliche Vergleichsplattform für die zu analysierenden Ultraschallmessdaten. Exemplarisch werden im Folgenden die mit SAFT bearbeiteten B-Bilder zunächst für die Testkörperseite mit den Betondeckungen von 20 bis 90 mm (Seite 1) und 120 bis 190 mm (Seite 2) dargestellt.

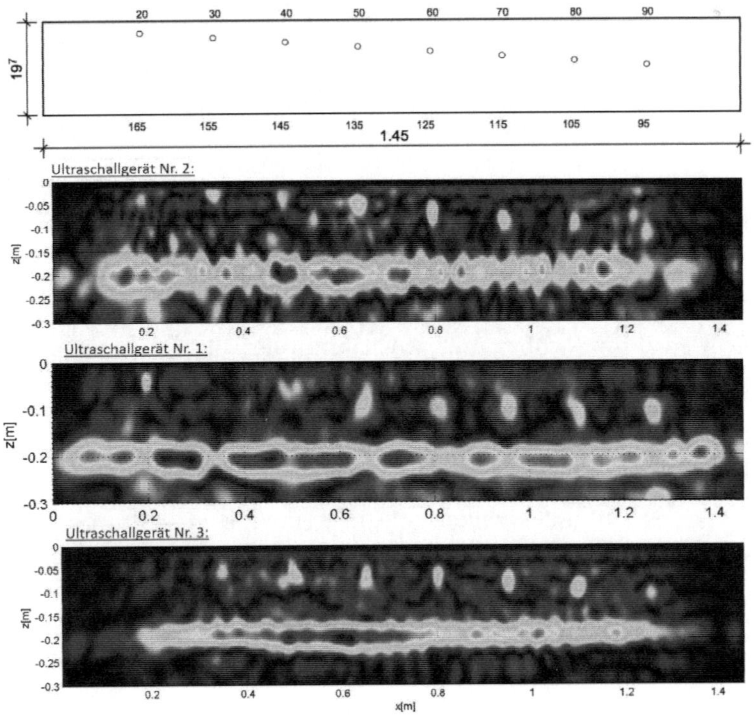

Abbildung 5 HTW-TK1 Seite 1 - 40 kHz – Ultraschallgerät Nr. 2 Messraster 3 cm - Ultraschallgerät Nr. 1 Messraster 1 cm - Ultraschallgerät Nr. 3 Messraster 3 cm.

Abbildung 5 zeigt den Testkörper HTW-TK1 Seite 1 und die mit InterSAFT bearbeiteten B-Bilder der einzelnen Geräte. HTW-TK1 Seite 1 ist die Seite, auf der die Betondeckungsabmessungen von 20 bis 90 mm in 10-mm-Schritten vorhanden sind. Mit dem Ultraschallgerät Nr. 2 und Nr. 3 werden alle Bewehrungsstäbe außer dem ersten erkannt. Der erste Bewehrungsstab mit einer Betondeckung von 20 mm kann nur erahnt werden. Es könnte ein Artefakt aufgrund der Überlagerung von Oberflächenwellen sein. Die letzten fünf Bewehrungsstäbe werden mit dem Ultraschallgerät Nr. 1 zuverlässig detektiert. Der zweite und dritte Bewehrungsstab wurde nicht erkannt, der erste kann nur erahnt werden.

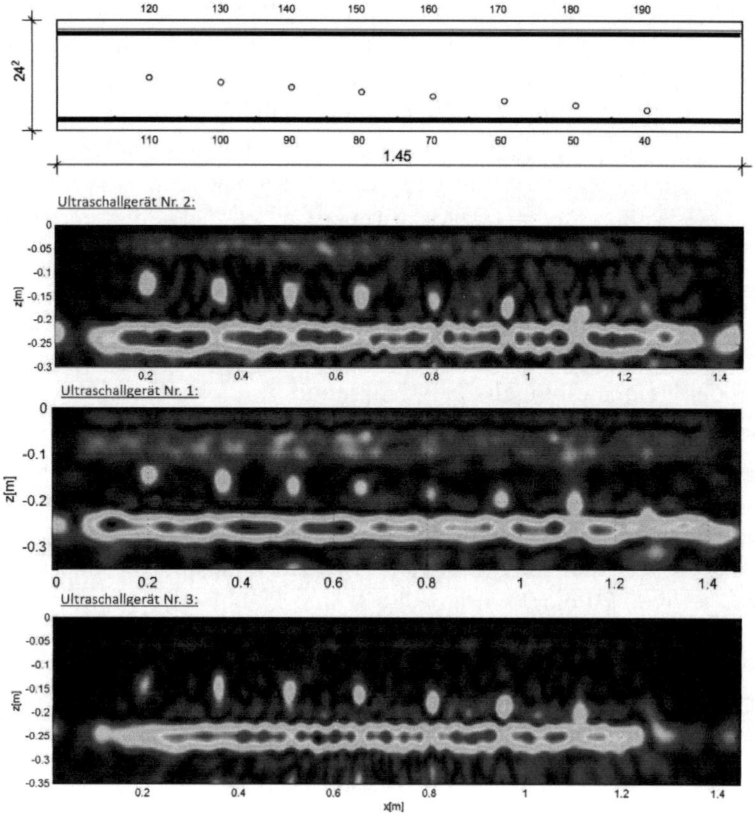

Abbildung 6 HTW-TK2 Seite 2 40 kHz – Ultraschallgerät Nr. 2 Messraster 3 cm - Ultraschallgerät Nr. 1 Messraster 1 cm - Ultraschallgerät Nr. 3 Messraster 3 cm.

Auf der Seite 2 des HTW-TK2 mit den Betonüberdeckungen von 120 bis 190 mm wurden alle Bewehrungsstäbe mit Ausnahme des letzten mit allen Geräten erfasst (Abbildung 6). Dies liegt daran, dass sich die eingelegte Bewehrungsmatte in einem Abstand von 8 mm direkt hinter dem Bewehrungsstab befindet und einen geringen Abstand von 40 mm zur Rückwand aufweist. Dadurch wird der Reflektor des Bewehrungsstabs mit der Rückwandreflexion überlagert.

Ziel war es zu untersuchen, ob und inwieweit Ultraschall als Ergänzung zu magnetisch-induktiven Geräten zur Detektion oberflächennaher Bewehrung geeignet ist. Die systematischen Untersuchungen wurden hinsichtlich der Grenzen und Möglichkeiten der Bewehrungslage und Betondeckungsmessung ausgewertet.

Bewehrungsortung

Die Ergebnisse der Bewehrungsortung wurden anhand einer vereinfachten, subjektiven PoD ausgewertet. Es wurde untersucht, ab welcher Tiefe Ultraschall als alternative Testmethode zu magnetisch induktiven Geräten eingesetzt werden kann und bis zu welcher Tiefe die Detektion möglich ist. Mit den Ultraschallgeräten Nr. 2 und Nr. 3 konnten die Bewehrungsstäbe Ø12 ab 30 mm Betondeckung erkannt werden. Mit dem Ultraschallgerät Nr. 1 war eine Detektion nur mit einer Betondeckung von 50 mm möglich. Eine zuverlässige Betondeckungsmessung ist daher mit allen drei Ultraschallgeräten ab einer Betondeckung von 50 mm möglich.

In der Tiefe konnten alle Bewehrungsstäbe bis zu 180 mm erfasst werden. Die tiefste Bewehrung von 190 mm wurde aufgrund der Überlappung der Reflektoren mit der Rückwandreflexion und dem oberflächennahen verstärkten Bereich nicht festgestellt. Ein tieferes Erkennen einzelner Bewehrungsstäbe scheint durchaus möglich. Dies muss an einem Testkörper mit größerer Bauteildicke und tiefer eingelegter Bewehrung getestet werden. Verglichen mit dem oberflächennahen, unverstärkten Bereich des Testkörpers HTW-TK1 zum oberflächennahen, bewehrten Bereich des HTW-TK2 in Form einer Matte störte dies nicht die Detektion der darunterliegenden Bewehrung. Dementsprechend ist auch ein Blick in tiefere Schichten hinter dichter oberflächennaher Bewehrung möglich.

Betondeckung

Anschließend wurde untersucht, mit welcher Genauigkeit die Betondeckung im oberflächennahen Bereich mit der Ultraschallmethode bestimmt werden kann. Untersucht wurden Betondeckungen von 30...180 mm in 10-mm-Schritten und deren Abweichungen. Die tatsächlichen Betondeckungen haben eine maximale Abweichung von + 0,5 mm. Das bedeutet bei 50 mm Betondeckung 10% maximaler Abweichung auf der sicheren Seite. Die Auswertung ergab für die einzelnen Geräte folgende Messabweichungen: Mit dem Ultraschallgerät Nr. 2 können die Betondeckungen auf bis zu ± 1 cm und mit dem Ultraschallgerät Nr. 1 und Nr. 3 auf ± 1,5 cm genau gemessen werden (Abweichungen positiv; Betondeckungen immer zu groß detektiert). Es hat sich gezeigt, dass die Tendenz besteht, dass die Betondeckung umso genauer bestimmt werden konnte, je tiefer die Bewehrungsstäbe angeordnet sind.

4 Zusammenfassung

Das Radar- und Ultraschallverfahren werden bislang nur in Ausnahmefällen für die Betondeckungsmessung verwendet, können aber als Ergänzung zu den magnetisch induktiven Verfahren und Multidetektoren dienen, wo diese an ihre Anwendungsgrenzen gelangen. Daher ist eine Verwendung von Radar und Ultraschall zur Bestimmung der Betondeckung – besser der Einbautiefe – eher bei statischen Fragestellungen, z. B. im Bereich der ZfPStatik, besser geeignet als zum Nachweis der Dauerhaftigkeit durch Nachweis der Mindestbetondeckung.

Die bereits erfolgreiche Detektion der Bewehrungsstäbe drei Tage nach der Betonage zeigt, dass das Radarverfahren ebenfalls im Rahmen der Qualitätssicherung im Neubau an „jungem" Beton einsetzbar ist. Jedoch sollte bei Betondeckungen bis 70 mm und ohne oberflächennah bewehrten Bereich nach wie vor das magnetisch induktive Verfahren aufgrund der höheren Messgenauigkeit verwendet werden. Ab Betondeckungen von mehr als 70 mm kann das Radarverfahren mit Abweichungen ebenfalls von ± 1 bis 2 mm eingesetzt werden. Diese Genauigkeit lässt sich aber nur bei einer genauen Kalibrierung der Wellengeschwindigkeit erzielen. In der Praxis wird dies kaum möglich sein; des Weiteren ist mit einer Streuung der

Wellengeschwindigkeit durch variierende Feuchtigkeit zu rechnen. Da die magnetisch induktiven Verfahren zuverlässig nur die erste Bewehrungslage detektieren können, kann das Radarverfahren zur Detektion der darunterliegenden Bewehrungsstäbe (2. Bewehrungslage) verwendet werden, wenn diese nicht parallel unterhalb der Stäbe der 1. Lage verlaufen.

Ebenso kann das Radarverfahren an Neubauteilen dicht benachbarte Bewehrungsstäbe (s_a = 5 cm) bis in eine Tiefe von 150 mm ($d_c/s_a > 3$) und in zweiter Bewehrungslage bis in eine Tiefe von 100 mm detektieren; dieser Wert liegt deutlich oberhalb der magnetisch induktiven Verfahren, die ein Verhältnis $d_c/s_a < 1$ erfordern. Des Weiteren kann die Betondeckungsmessung mit Ultraschall ab einer Tiefe von 50 mm bis zu 180 mm durchgeführt werden; vermutlich auch tiefer. Somit bietet auch das Ultraschallverfahren eine Alternative für die Sicht in tiefere Schichten, wo magnetisch induktive Geräte ihre Grenzen erreichen. Für die Betondeckungsmessung lassen sich Abweichungen von ± 1 bis 1,5 cm erzielen, abhängig vom gewähltem Ultraschallgerät und vorausgesetzt die Ausbreitungsgeschwindigkeit wurde auf das jeweilige Gerät genau kalibriert.. Auch ist eine Sicht hinter dicht bewehrte Bereiche für Ultraschall physikalisch möglich, was mit magnetisch induktiven Verfahren nicht möglich ist, wie oben bereits erwähnt. Ebenso ist die getrennte Detektion eng benachbarter Bewehrungsstäbe mit einem Verhältnis von $d_c/s_a > 1,2$ möglich.

Referenzen

[1] Schaab, A., Flohrer, C. und B. Hillemeier: Die zerstörungsfreie Prüfung der Betondeckung der Bewehrung, Beton- und Stahlbetonbau, 84 (1989) 11, S. 275-279 und 12, S. 324-327

[2] Taffe, A. und B. Jungen: "Untersuchungen zur Genauigkeit von magnetisch induktiven Betondeckungsmessungen," *Beton- und Stahlbetonbau*, Vol. 111, Heft 8, S. 484–495, 2016.

[3] Taffe, A. und S. Feistkorn: Methoden zur Gütebewertung von ZfPBau-Verfahren. In: Beton- und Stahlbetonbau 108 (2013) 4, S. 237-251

[4] Taffe, A., Braml, T., Feistkorn, S. und O. Wurzer: Assessment of Existing Structures using Probabilistic Analysis Methods in Combination with Nondestructive Testing Methods. In: Structural Engineering International, Volume 23, S. 376-385, 2013

[5] Taffe, A., Diersch, N. und Feistkorn, S.: Erzielbare Detektionstiefen metallischer Reflektoren mit dem Impulsradarverfahren an Beton. In: Beton- und Stahlbetonbau 107 (2012), Nr. 4, S. 237-251

[6] Deutsche Gesellschaft für Zerstörungsfreie Prüfung e.V., Merkblatt B02 zur zerstörungsfreien Betondeckungsmessung und Bewehrungsortung an Stahl- und Spannbetonbauteilen, Berlin: DGZfP, Deutsche Gesellschaft für Zerstörungsfreie Prüfung e.V, 2014.

[7] Deutsche Gesellschaft für Zerstörungsfreie Prüfung e.V., Merkblatt über das Radarverfahren zur zerstörungsfreien Prüfung im Bauwesen. Merkblatt B 10, Berlin: DGZfP, Deutsche Gesellschaft für Zerstörungsfreie Prüfung e.V, 2008.

[8] Deutsche Gesellschaft für Zerstörungsfreie Prüfung e.V., Merkblatt über Ultraschallverfahren zur zerstörungsfreien Prüfung im Bauwesen. Berlin: DGZfP, Deutsche Gesellschaft für Zerstörungsfreie Prüfung e.V, 2018.

[9] Bundesanstalt für Straßenwesen; Forschungsbericht FE15.0534: Möglichkeiten und Grenzen der zukünftigen Anwendung von ZfP-Verfahren an Brücken- und Tunnelbauwerken (2019)

[10] O. Grudzio, "Detektion von Betonstahlbewehrung und Ermittlung der Genauigkeit der Betondeckungsmessung mit Radar bezogen auf die zeitliche Veränderung der Betonfeuchte: Masterarbeit HTW Berlin," Fachgebiet für Zerstörungsfreie Prüfung im Bauwesen, Hochschule für Technik und Wirtschaft, Berlin, 2018.

Wirtschaftliche Anwendung von ZfP-Bau-Verfahren im praktischen Alltag

Martin WILCKE [1], Nina BROSSMANN [1], Norman DIERSCH [1], Andrei WALTHER [1,2]
[1] Kiwa, Berlin; [2] FH Potsdam

Kontakt E-Mail: martin.wilcke@kiwa.de

Kurzfassung. Für eine Vielzahl von Problemstellungen zur Zustandsanalyse und Qualitätsbewertung im Bauwesen haben sich zerstörungsfreie Messmethoden und Prüfverfahren bewährt und etabliert [1]. Viele Gerätehersteller haben eine enorme Leistungsfähigkeit für die auf dem Markt verfügbaren technischen Geräte und Software-Lösungen zur Datenverarbeitung entwickelt. Eine standardisierte Ausbildung für Dienstleister im Bauwesen ist aktuell nur in Ansätzen vorhanden und zumeist Teil der Hochschulausbildung im Ingenieurstudium.

Mit der mechanischen Rückprallhammerprüfung lässt sich die Betondruckfestigkeit am Bauwerk schnell und zuverlässig abschätzen. Durch die Nutzung von Ultraschalltechnik können mit Hilfe akustischer Wellen Schichtstärken, Bauteildicken und Hohllagen bzw. Fehlstellen diagnostizieret werden. Mittels elektromagnetischer Verfahren sind nicht nur Detektionen von metallischen Einbauteilen, z.B. Betonstahlbewehrung, möglich sondern bei entsprechend gegebenen Randbedingungen auch die Angabe von Betondeckung oder Stabdurchmesser [2].

Von der technisch sicheren Durchführung der Untersuchung in Orientierung an möglichst standardisierbare Prüfprozeduren bis hin zur mit persönlicher Verantwortung des Prüfingenieurs verbundenen Bewertung der Ergebnisse ist eine substanziell nachweisbare Personalqualifikation auf dem Gebiet der zerstörungsfreien Prüfung im Bauwesen erforderlich [3].

Die Anwendung von ZfP-Bau-Verfahren muss zu technisch richtigen und ausreichend präzisen Resultaten führen und zugleich einer ökonomischen Sinnhaftigkeit genügen. Vor Bewältigung der Prüfaufgabe steht die Notwendigkeit zur Identifikation der aus den Informationsbedürfnissen des Auftraggebers abzuleitenden Prüfziele. Üblicherweise stellt eine finanzielle Budgetierung auf Auftraggeberseite die Rahmenbedingungen im Vergleich zu Rückbau und Neukonstruktion betreffender Bauteile oder Bauwerke bzw. zur Belassung des Status quo für explizit zu definierende Nutzungsdauern. Die zerstörungsfreie Prüfung im Bauwesen muss einen geldwerten Informationsgewinn generieren, welcher für Schaffung von Planungsvoraussetzungen oder den weiteren Baufortschritt nützlich ist.

Aufgrund der starken Informationsasymmetrie auf diesem Marktsektor für Ingenieurdienstleistungen ist eine eingehende Aufklärung der potenziellen Vertragspartner über Möglichkeiten und Grenzen für die zukünftige Zusammenarbeit von besonderer Bedeutung.

Anhand einiger ausgewählter Beispiele soll nachfolgend die mit wirtschaftlichem Erfolg gelungene Anwendung von ZfP-Bau-Verfahren dokumentiert und einer fachkundigen Diskussion zugeführt werden.

1. Einführung

Aufgrund der oftmals starken Informationsasymmetrie auf dem Marktsektor für Ingenieurdienstleistungen in der Bauwerksdiagnose mit zerstörungsfreien Prüfverfahren ist eine eingehende Aufklärung der potenziellen Vertragspartner über Möglichkeiten und Grenzen für die zukünftige Zusammenarbeit von besonderer Bedeutung. Es ist Aufgabe des ingenieurtechnisch ausgebildeten Dienstleisters gemeinsam mit Auftraggeber auf Grundlage von dessen Angaben und Fragestellungen das Prüfproblem durch sachkundige Beratung herauszuarbeiten und die bestmögliche Untersuchungsstrategie festzulegen.

So wird z.B. für die zerstörungsfreie Festigkeitsabschätzung von Beton am Bauwerk eine Orientierung an den Vorgaben der DIN EN 12504-2 und den Bewertungskriterien der DIN EN 13791 unabdingbar [4,5]. Dabei stellt bereits die vom Sachverständigen vorzunehmende Auswahl von Anzahl und Koordinaten der Prüfstellen ein erfolgsentscheidendes Kriterium sowohl für die technische Sinnhaftigkeit der Prüfung an sich als auch für die wirtschaftliche Realisierbarkeit dar. Sollen zusätzlich Korrelationen zu zerstörenden Prüfergebnissen aus Bohrkern- oder Rückstellproben vorgenommen werden, so erhöhen sich Aufklärungsaufwand und Kalkulationsrisiken bei ungenügender Information über die tatsächlichen Gegebenheiten am Bauwerk.

Auch für „moderne" ZfP-Bau-Verfahren wie die Ultraschall- oder Radaruntersuchung ist die Aufklärung über die möglichen Ergebnisse für die angedachten Prüfziele entscheidend, um nicht im weiteren Verlauf der Zusammenarbeit den nicht mehr deckungsfähigen Erwartungsbildern ohne Aussicht auf wirtschaftlichen Erfolg oder technisch sinnvolle Lösung der Prüfaufgabe hinterherlaufen zu müssen. Hier ist der Austausch über Zugänglichkeitsbedingungen und bereits vorhandene Sachstandsinformationen aus der Bauwerksdokumentation besonders essenziell. Konsequenzen der aus den Prüfungen gewonnenen Erkenntnisse können zu grundsätzlichen Neubewertungen einzelner Sachverhalte führen, ohne dass Baubetrieb und Baustelleneinrichtung bereits für Vorhalte- oder Stillstandskosten sorgen.

Die verfahrensorientierten Merkblätter der DGZfP e.V. für zerstörungsfreie Prüfung im Bauwesen können als Belege für den aktuellen Stand der Technik angesehen werden.

Tab. 1: Übersicht einiger wichtiger ZfP-Bau-Verfahren

Merkmal	**Bewehrungsortung und Betondeckungsmessung**	**Strukturaufklärung und Einbauteildetektion**	**Hohlstellendetektion und Dickenmessung**
Verfahren	Wechselfeld/Wirbelstrom	Geo-Radar	Ultraschall
Prinzip	Magnetisch-induktiv	Elektro-magnetisch	Akustisch-mechanisch
Regelwerk	DGZfP-Merkblatt B2 [6]	DGZfP-Merkblatt B10 [7]	DGZfP-Merkblatt B4 [8]

In nachfolgenden Kapiteln werden die Anwendung der Bau-ZfP an tatsächlichen baulichen Fragestellungen dargestellt. Dabei wird chronologisch für unterschiedliche Aufgabenstellungen das Vorgehen erläutert und Ergebnisse sowie Prüfaussagen exemplarisch präsentiert.

2. Bestimmung von Bauteilstärken an Tunneldecken und Hintergleiswänden aus Stahlbeton eines Berliner U-Bahnhofs während der Instandsetzung

Im Rahmen der Instandsetzung eines U-Bahnhofs ist die Bauteildicke für das Setzen der Injektionspacker zur fachgerechten Rissverpressung entscheidend. Im Zuge der Baumaßnahmen war die Dicke der Tunneldecken und Wandabschnitte nachzuweisen.

Untersuchungs-objekt:	Tunneldecke und Hintergleiswände U-Bahnhof  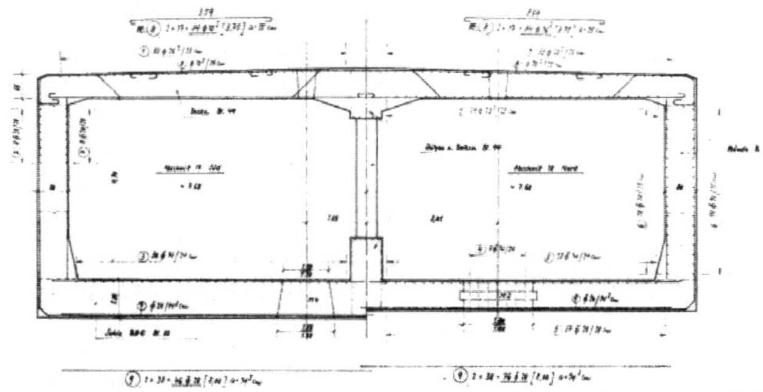	
Leistungsanfrage:	Kontrollbohrungen zur Ermittlung der Bauteildicke ohne Beschädigung der Tunnelabdichtung.	
Prüfaufgabe:	Bestimmung Bauteilstärke zur Definition von Vorgaben für das Setzen von Bohrpackern für die Rissinstandsetzung durch Bauteilinjektion	
Untersuchungs-konzept:	Durchführung von Linienmessungen im Ultraschallverfahren (Reflexionsmethode) an den vorgegebenen Prüfstellen	
Durchführung:	während der Nachtsperrpausen, vom Gerüst aus, z.T. Über-Kopf-Arbeiten	
Messergebnis:	Tunneldecke: d_D = 65 cm 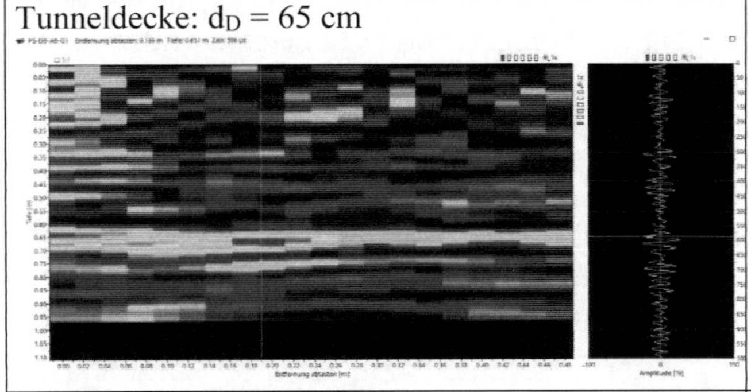	Planlage: d_D= 65 cm 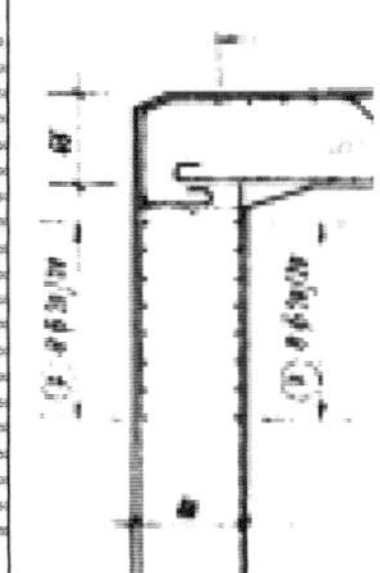
	Wanddicke: d_W = 79 cm 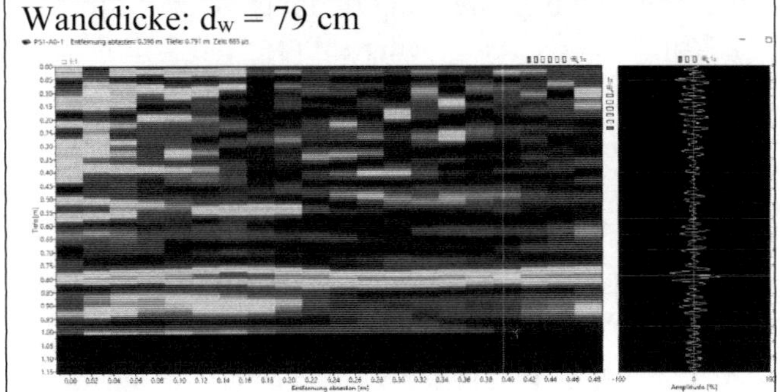	Planlage: d_W= 80 cm 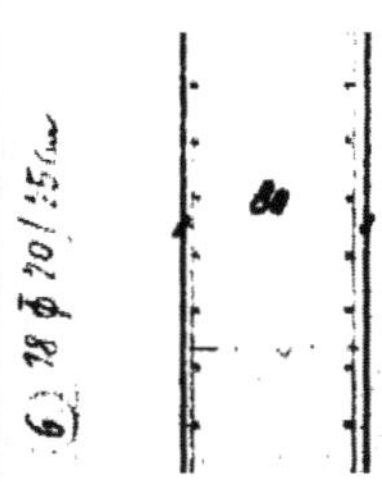
Prüfaussage:	Ergebnisse der Wandstärkenermittlung für alle Prüfstellen im Bereich planmäßig zu erwartender Größenordnung, Kalibrierwerte abhängig von vorhandenen Oberflächenqualitäten an Prüfstellen sowie bauzeitlich typischer Betongüte des jeweiligen Bauteilabschnitts	

3. Ursachenfindung lokal begrenzter Rissbildung an einer Fertigteiltreppe aus Stahlbeton bei Streitfall im Neubauobjekt

Nach Einbau eines Treppenlaufes als Fertigteilelement kam es an der Unterseite zu Rissbildungen im oberen Bereich. Es stellte sich die Entscheidungsfrage zwischen optischem Mangel oder konstruktivem Schaden.

Untersuchungs-objekt:	Stahlbetonfertigteil, Unterseite des Treppenlaufes 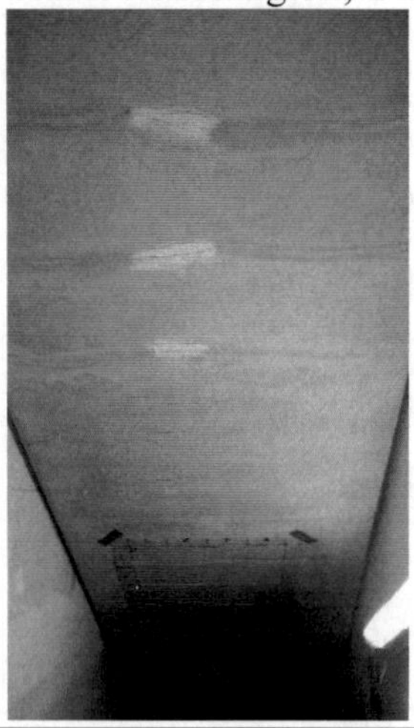 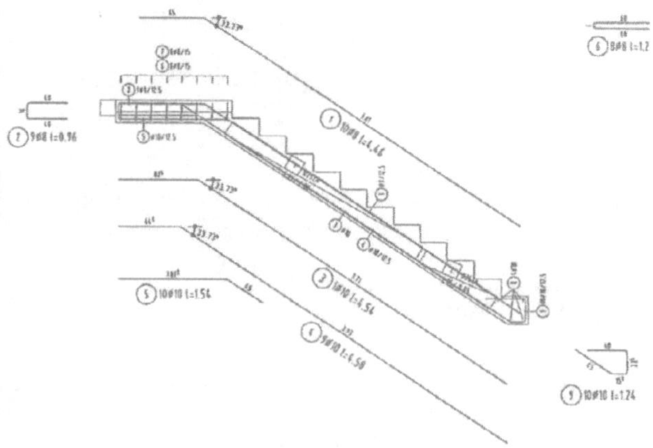
Leistungsanfrage:	Unterstützung bei der Unterscheidung zwischen optischem Mangel oder statisch-konstruktivem Schaden für die aufgetretenen Risse
Prüfaufgabe:	Bestimmung von Bewehrungslagen und Betonüberdeckung
Untersuchungs-konzept:	Durchführung von Linienmessungen im Radarverfahren und magnetischem Wechselfeldverfahren an der Treppenunterseite
Durchführung:	vom Gerüst aus, Über-Kopf-Arbeiten
Messergebnis:	Strukturaufklärung (Radar): Über den Treppenlauf veränderliche Betondeckung deutlich erkennbar, L_T= 4,2 m 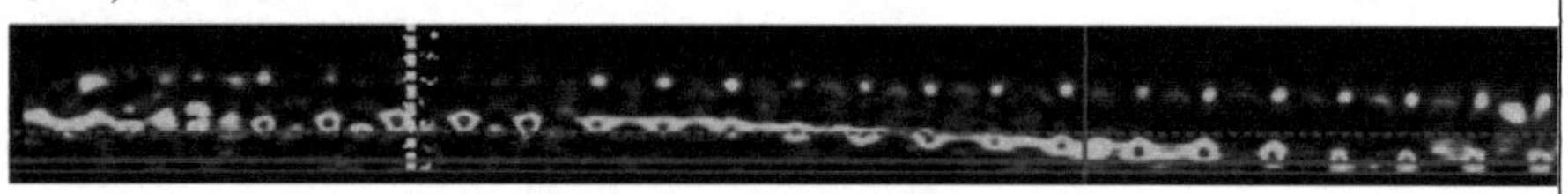 Betondeckungsmessung (magnet. Wechselfeld): Prüfstrecke oberer Drittelspunkt D_{mean}= 7,9 mm Prüfstrecke unterer Drittelspunkt D_{mean}= 2,5 mm 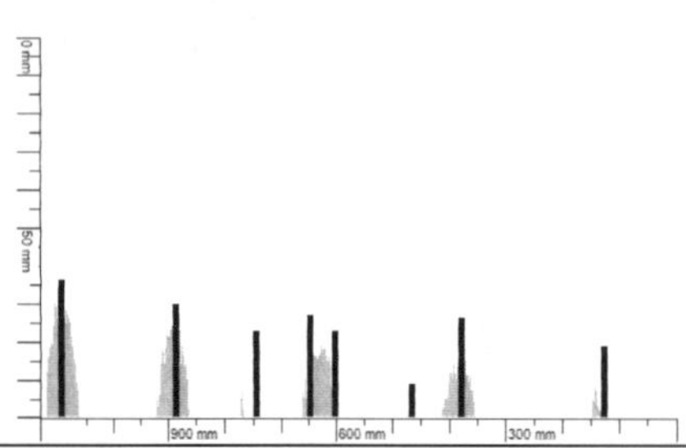 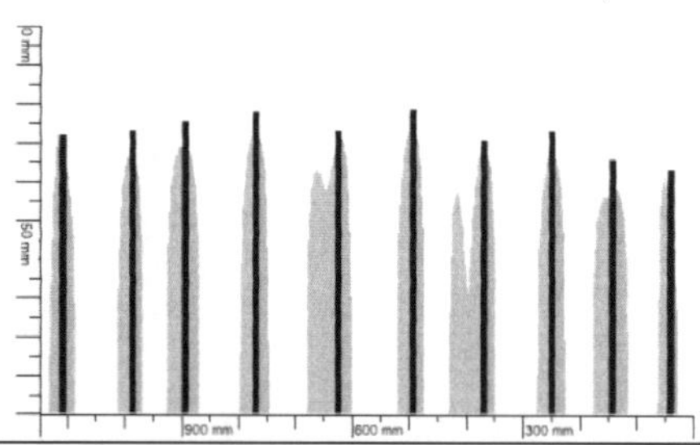
Prüfaussage:	Einbaufehler untere Bewehrungslage, Betondeckung > Zugzone, optischer Mangel bestätigt, tragwerksplanerische Beurteilung erforderlich

4. Ortung von Längsspanngliedern im Hohlkasten einer Brückenkonstruktion im Zuge einer Bauwerksertüchtigung

Im Zuge einer Brückeninstandsetzung sollen im Innenraum der Hohlkastenkonstruktionen zusätzliche Elemente der Längsvorspannung eingebaut werden.
Die Ankerblöcke des externen Spanngliedverlaufs waren an den Hohlkastenstegen ohne Beschädigung der bestehenden Spannglieder zu verdübeln.

<table>
<tr><td>Untersuchungs-objekt:</td><td colspan="2">Spannbetonbrücke, 3-feldriger Durchlaufträger, 3 Hohlkästen
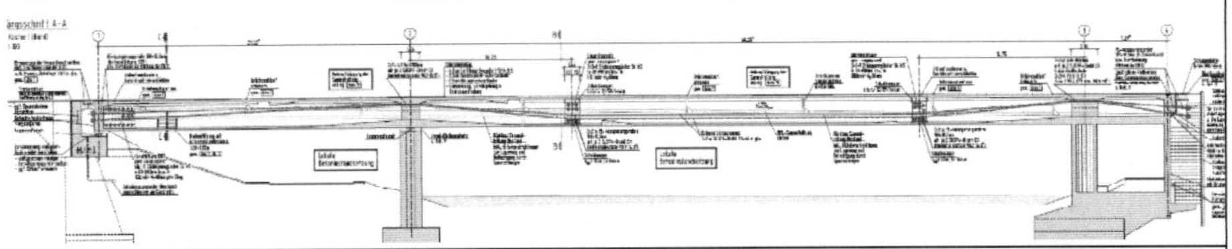</td></tr>
<tr><td>Leistungsanfrage:</td><td colspan="2">Radarscans zur Lagefeststellung Spannstahl mit bildgebenden Verfahren</td></tr>
<tr><td>Prüfaufgabe:</td><td colspan="2">Bestimmung laterale Lage der Bewehrungselemente (Betonstabstahl und Hüllrohre der Längsvorspannung), einschl. Berücksichtigung des Winkelversatzes geneigter Bauteiloberflächen</td></tr>
<tr><td>Untersuchungs-konzept:</td><td colspan="2">Durchführung von Linien- und Flächenmessungen im Radarverfahren an Innen- und Außenseiten der Hohlkastenkonstruktionen</td></tr>
<tr><td>Durchführung:</td><td colspan="2">Im Hohlkasten; von Arbeitsbühne aus, z.T. über Wasser</td></tr>
<tr><td>Messergebnis:</td><td>Strukturaufklärung (Radar):
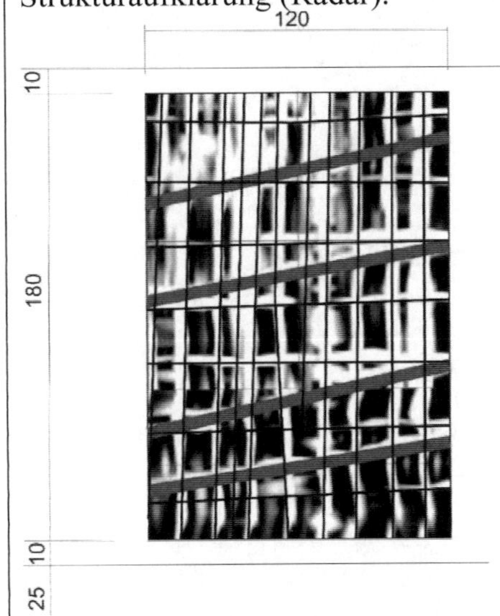
</td><td>stichprobenartige Verifikation durch HDW-Strahlen:
</td></tr>
<tr><td></td><td>Bauteiltiefe ca. 5 cm:
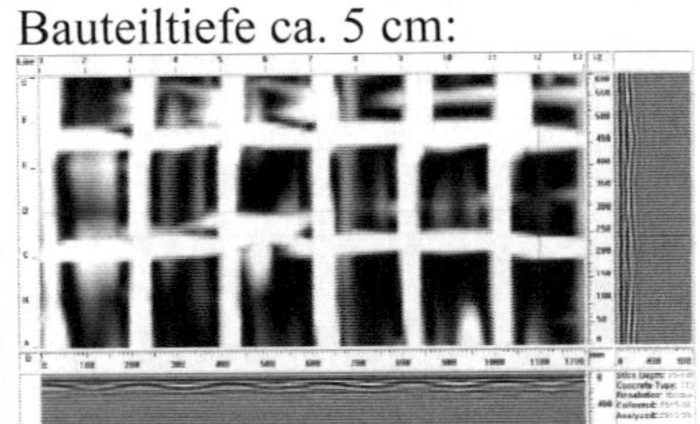</td><td>Bauteiltiefe ca. 15 cm
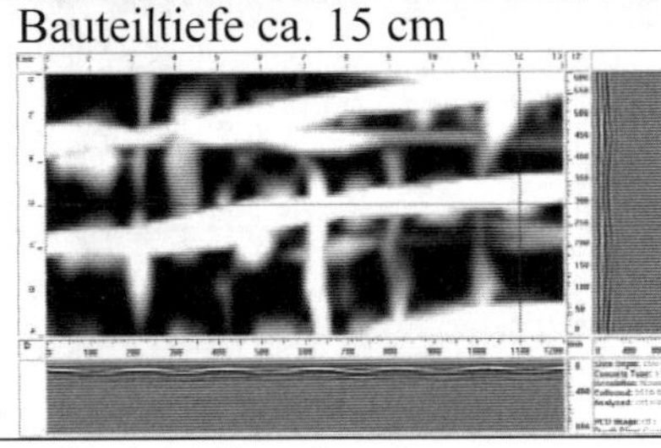</td></tr>
<tr><td>Prüfaussage:</td><td colspan="2">Bestätigung der Lage von Hüllrohren der bestehenden Längsvorspannung zur Festlegung von Bohrpunkten für die Querdübel von Ankerblöcken der externen Vorspannungsertüchtigung</td></tr>
</table>

5. Verifizierung von Gefügestörungen nach Betonage von Teilabschnitten eines Hochhauskerns aus hochfestem Beton an stark bewehrten Bauteilquerschnitten

Nach dem Ausschalen der mit hochfestem Beton erstellten Wandbauteile des zukünftigen Hochhauskerns waren ernstzunehmende optische Mängel vorhanden.
Zur Einschätzung auf ausgedehnte Gefügestörungen mit möglicherweise standsicherheitsrelevanten Auswirkungen waren eingehende sachverständige Beurteilungen erforderlich.

Untersuchungs-objekt:	Stahlbetonbauteile (C 80/95) Untergeschoß Neubau Bürohochhaus 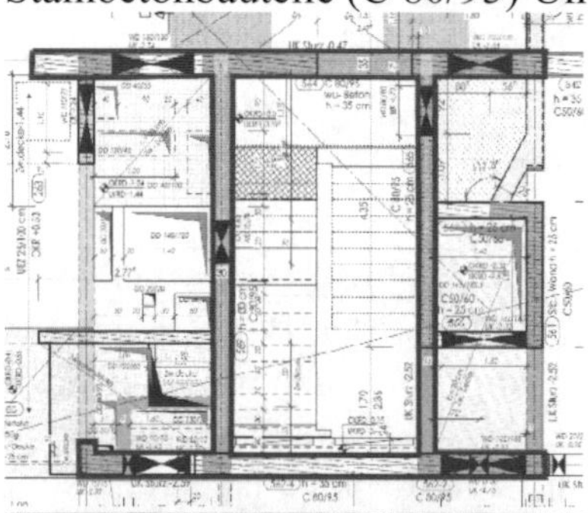   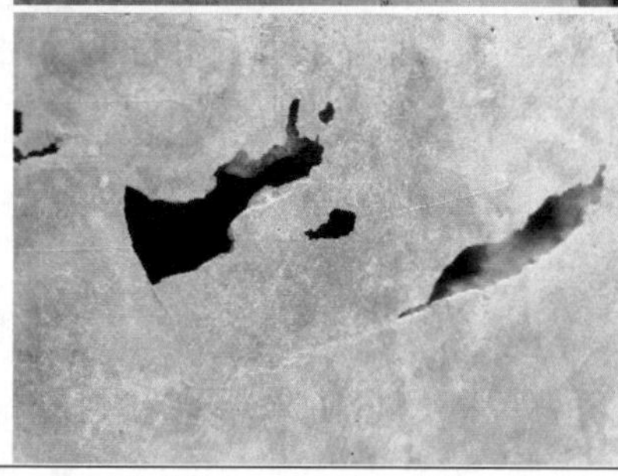
Leistungsanfrage:	Schalluntersuchung zum Ausschluss von Hohlräumen im Wandgefüge
Prüfaufgabe:	Detektion von Störungen des Betongefüges im Wandquerschnitt
Untersuchungs-konzept:	Durchführung von Linienmessungen im Ultraschallverfahren (Reflexionsmethode) an ausgewählten Bauteiloberflächen der Stahlbetonwandkonstruktionen
Durchführung:	von Gerüst aus
Messergebnis:	Wanddicke: d_W = 30 cm 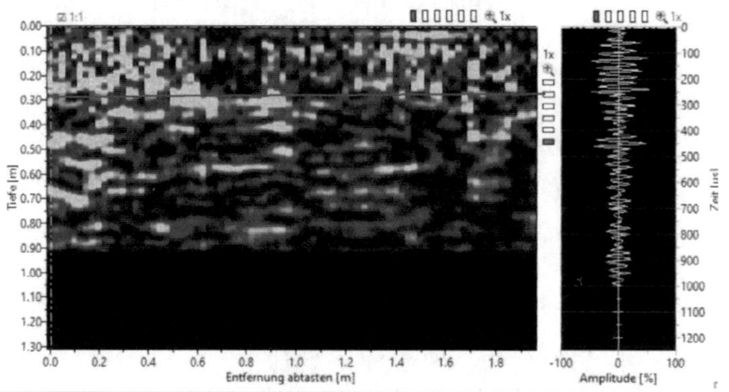 Planlage: 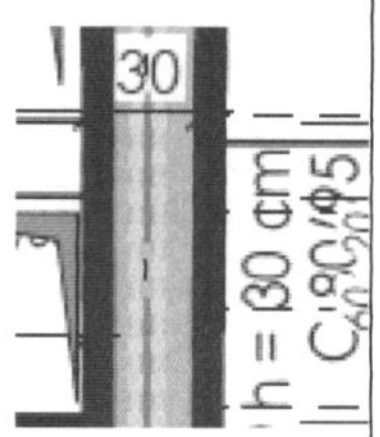
Prüfaussage:	Kein durchgängig detektierbares Rückwandecho sowie deutliche Signalintensitäten im Querschnitt der Prüfstellen; optischer Mangel bestätigt, tragwerksplanerische Beurteilung dringend erforderlich, Instandsetzung notwendig

6. Detektion von Stahlträgerrosten historischer Tragwerkskonstruktionen im Baugrund zur Absicherung von Bauzuständen

Im Verlauf einer Baumaßnahme war zur Überbauung einer historischen Deckenkonstruktion für einen S-Bahn-Tunnel die Abstützung von Baubehelfen auf den Stahlträgerprofilen der Unterfangung erforderlich. Die Trägerprofile sind mit Überdeckungen von ca. 15 cm Teil der Stahlbetonkonstruktion aus den 1930er Jahren.

Untersuchungs-objekt:	Historische Stahlbauteile aus Trägerprofilen in Stahlbeton-Deckenkonstruktion Unterfangung S-Bahn-Tunnel    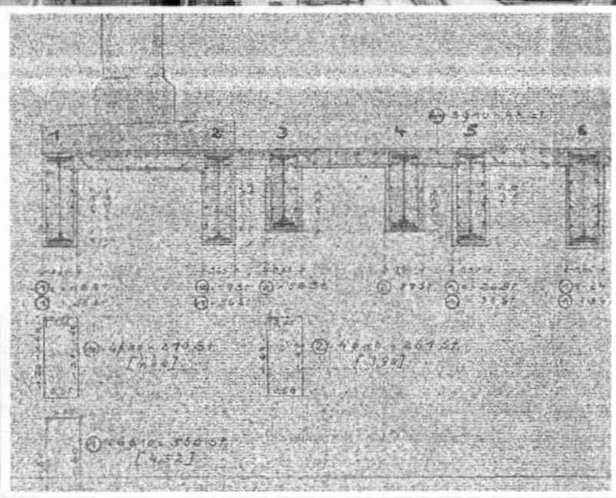
Leistungsanfrage:	Detektion von Stahlträgern in Stahlbetondeckenkonstruktion
Prüfaufgabe:	Strukturaufklärung der Trägerlage aus großformatigen Stahlprofilen u. Markierung vor Ort
Untersuchungs-konzept:	Durchführung von Linienmessungen im Radarverfahren an Oberseite historischer Tunneldeckenkonstruktion
Durchführung:	von begehbarer Oberseite aus
Messergebnis:	Strukturaufklärung (Radar):   Markierung ermittelter Trägerverläufe direkt nach den jeweiligen Messungen
Prüfaussage:	Anzahl der Stahlträger und deren Abstand untereinander entsprechen den historischen Planangaben der bestehenden Deckenkonstruktion des Tunnelbauwerks

7. Spannstahlbruchortung an Fertigteilträgern in Hallendachkonstruktionen zur Gewährleistung von Planungssicherheit bei regelmäßiger Bauwerksprüfung

Im Zuge von Eigentümerwechsel einer Werkstatthalle und Umbaubestrebungen zur Installation einer PV-Anlage auf dem Dach sollen Spannbetonträger mit spannungsrissgefährdeten Spannstahlelementen eingehend untersucht werden.

Untersuchungs- objekt:	Spannbeton-Fertigteilträger Hallendach Werkstattgebäude 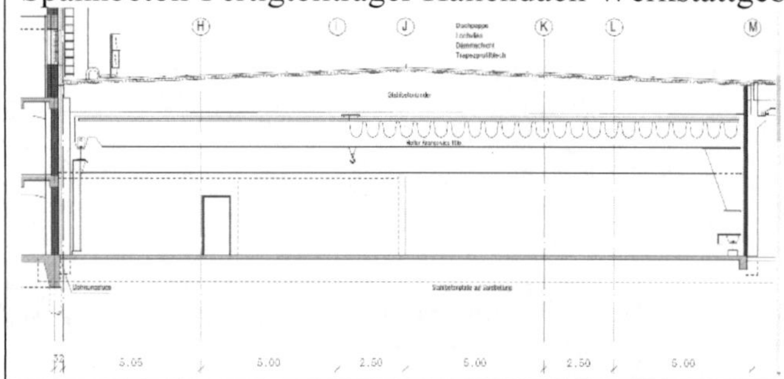
Leistungsanfrage:	Zerstörungsfreie Prüfung Spannbetonfertigteile mit spannungsrisskorrosionsgefährdetem Spannstahl
Prüfaufgabe:	Sichtprüfung auf Schadensbilder und Untersuchung auf Spannstahlbrüche [9]
Untersuchungs- konzept:	Durchführung von Messungen im Radarverfahren zur Ortung der Spanngliedlage, Durchführung von Messungen zur Detektion von Spannstahlbrüchen mittels magnetischer Streufeldmessung in zwei Höhenstufen zur Erfassung der Spannglieder an zugänglichen Prüfstrecken
Durchführung:	von mobiler Arbeitsbühne aus
Messergebnis:	Spannstahlortung (Radarverfahren): 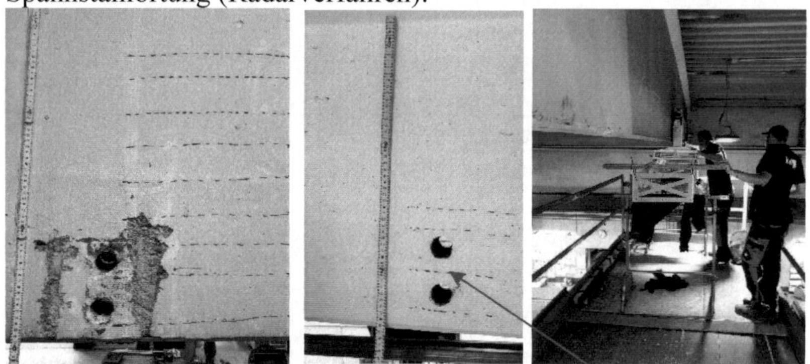
	Spannstahlbruchortung (Streufeldmessung): L_M= 6,95 m 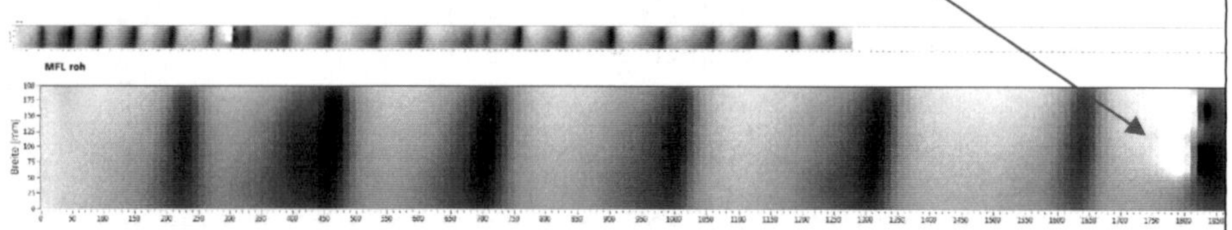 Bügelbewehrung und metallische Hüllrohre der Durchdringungen registriert, Bruchzustände charakterisierende Polwechsel nicht feststellbar
Prüfaussage:	Keine Hinweise auf Bruchzustände der Spannstahlelemente an untersuchten Prüfstrecken der Werkhalle

8. Literaturangaben und Referenzen

[1] Walther, A.; Hasenstab A.; „Zerstörungsfreie Prüfverfahren zur Bestimmung von Materialparametern im Stahl- und Spannbetonbau", Beitrag B2 im Bauphysikkalender 2012, Ernst & Sohn Berlin 2012

[2] Deutscher Beton- und Bautechnik-Verein e.V.: „DBV-Merkblatt Anwendung zerstörungsfreier Prüfverfahren im Bauwesen", 2014, Beuth-Verlag

[3] UA Qualitätssicherung - DGZfP e.V. – FA für zerstörungsfreie Prüfung im Bauwesen: „Quality Assurance and Validation of Nondestructive Testing (NDT) of Concrete Structures in Nuclear Power Plants" – EPRI Conference on Nondestructive Evaluation In Nuclear 2019, Electric Power Research Institute, 2019 Charlotte, USA

[4] DIN EN 12504-2:2012-12, Prüfung von Beton in Bauwerken – Teil 2: Zerstörungsfreie Prüfung – Bestimmung der Rückprallzahl, 2012, Beuth-Verlag

[5] DIN EN 13791:2017-03, Bewertung der Druckfestigkeit von Beton in Bauwerken oder in Bauwerksteilen, 2017, Beuth-Verlag

[6] UA Bewehrungsnachweis: „DGZfP-Merkblatt B2 Betondeckungsmessung und Bewehrungsortung an Stahl- und Spannbetonbauteilen", Deutsche Gesellschaft für zerstörungsfreie Prüfung e.V. – FA für zerstörungsfreie Prüfung im Bauwesen, 2014, Beuth-Verlag

[7] UA Radarverfahren: „DGZfP-Merkblatt B10 Radarverfahren zur zerstörungsfreien Prüfung im Bauwesen" Deutsche Gesellschaft für zerstörungsfreie Prüfung e.V. – FA für zerstörungsfreie Prüfung im Bauwesen

[8] UA Ultraschallverfahren: „DGZfP-Merkblatt B4 Ultraschallverfahren zur zerstörungsfreien Prüfung im Bauwesen" Deutsche Gesellschaft für zerstörungsfreie Prüfung e.V. – FA für zerstörungsfreie Prüfung im Bauwesen

[9] UA Magnetische Verfahren zur Spannstahlbruchortung: „Positionspapier – Magnetische Verfahren zur Spannstahlbruchortung" Deutsche Gesellschaft für zerstörungsfreie Prüfung e.V. – FA für zerstörungsfreie Prüfung im Bauwesen, 2017

[10] Wilcke, M.; N. Brossmann; A. Walther: „Zerstörungsfreies Untersuchen von Spannbetonbauteilen", Der Bausachverständige 6/2017, Fraunhofer IRB Verlag

[11] Wilcke, M.; Heinstein M.; Walther A.: „Zerstörungsfrei Prüfen – Die gelungene Betoninstandsetzung setzt eine qualifizierte Schadensaufnahme voraus", Der Bauschaden Juni/Juli 2014, Forum Verlag

[12] A. Walther, H. Eisenkrein-Kreksch: „Entwicklungsstand neuer zerstörungsfreier Messmethoden in der Bauwerksuntersuchung", Bautechnik 96(9), 2019, Verlag Ernst&Sohn

[13] N. Diersch, T. Kind, A. Taffe, J. Kurz: „Untersuchung vorgespannter Brückeplatten unter Verkehr mit zerstörungsfreien Prüfverfahren", Beton- und Stahlbetonbau, 107(7), 2014, Verlag Ernst&Sohn

Der Blaue Turm: Bauwerksüberwachung zum Erhalt unseres Kulturerbes

Frank LEHMANN
MPA Universität Stuttgart, Stuttgart
Kontakt E-Mail: frank.lehmann@mpa.uni-stuttgart.de

Kurzfassung

Historische Bauwerke sind einzigartige Zeugen der Geschichte. Sie ermöglichen uns einen Zugang zum Verständnis der Lebenswelt und zu einer Vielzahl an Aspekten der Gesellschaft zum Zeitpunkt der Erbauung, und durch fortwährende bauliche Einflüsse auch darüber hinaus. Es obliegt unserer besonderen Verantwortung diese Bauwerke bestmöglich in ihrer Lesbarkeit für nachfolgende Generationen zu verwahren.

Ein herausragendes Beispiel für den Erhalt unseres baulichen Kulturerbes ist der Blaue Turm in Bad Wimpfen. Der in seiner Grundstruktur rund 800 Jahre alte Turm wird derzeit aufwändig strukturell stabilisiert, nachdem sich trotz mehrerer Maßnahmen in den letzten 150 Jahren wiederholt besorgniserregende Risse an der Oberfläche entwickelt haben. Auf der Grundlage von umfangreichen Voruntersuchungen konnten die Ursachen für die auftretenden Schäden identifiziert und ein abgestimmtes Sicherungs- und Sanierungskonzept entwickelt werden[1]. Als ein Teil davon wurde am Blauen Turm ein Monitoringsystem installiert. Die Messdaten dienen der kontinuierlichen Beobachtung des Bauwerks während der Durchführung der Arbeiten, als Informationsquelle für das Projektmanagement und zur Erfolgskontrolle nach Abschluss. Der Betrieb einer solchen instrumentierten Bauwerksüberwachung kann indes nicht als alleinige Maßnahme die Standsicherheit garantieren, insbesondere nicht bei historischen Bauwerken, deren Trag- und Verformungsverhalten im regulären Gebrauchszustand aufgrund notwendiger Idealisierungen von Materialdaten, Strukturen und Rechenmodellen nicht abbildbar ist, ganz zu schweigen beim Versagen einzelner Bauteile.

Die Instrumentierung am Blauen Turm beinhaltet unter anderem eine umlaufende Überwachung der Turmbreiten sowie der Wandstärken an ausgewählten Punkten mit Laserdistanzmessern; eine Überwachung der Kräfte in der Notsicherung zur Identifikation von Kraftumlagerungen und als Grundlage für das Nachspannen der Sicherungselemente; eine Überwachung der Turmneigung und die Erfassung aller relevanten Klimadaten und Bauwerkstemperaturen. Das Messsystem ist für den Betrieb während der Bauzeit und 10 Jahre danach ausgelegt. Die Daten stehen den Beteiligten nahezu in Echtzeit online zur Verfügung, wobei bei der Überschreitung festgelegter Grenzwerte oder beim Auftreten definierter Messwertkombinationen eine Alarmierung eingerichtet ist.

---

[1] Materialprüfungsanstalt Universität Stuttgart (Hrsg.): *Die Instandsetzung des Blauen Turms in Bad Wimpfen. Tagungsband zum Kolloquium am 17. Mai 2019 in Bad Wimpfen*. Fraunhofer IRB Verlag, 2019. ISBN 978-3-7388-0301-3.

Universität Stuttgart
Materialprüfungsanstalt

Der Blaue Turm: Bauwerksüberwachung zum Erhalt unseres Kulturerbes

Dr. Frank Lehmann

Denkmalschutz

Denkmale sind nur dann **Urkunden unserer Geschichte**, wenn sie authentisch und weitgehend **in ihrer Originalsubstanz erhalten** bleiben.[1]

Foto: Landesamt für Denkmalpflege im RPS, 2007

[1] Geor (2011): Denkmalschutz und Klimaschutz – eine Standortbestimmung aus der Sicht von Denkmalschützern. In: Denkmalschutz und Klimaschutz - zwei Seiten derselben Medaille?! Wissenschaftliche Verlagsgesellschaft Stuttgart, Beiträge der Akademie für Natur- und Umweltschutz Baden-Württemberg, Band 51. ISBN 978-3-8047-2873-8.

Denkmalschutz
Plakativ: Macht es einen Unterschied?

Foto: DPA/Andy Rain, www.welt.de, 02.05.2012

Der Blaue Turm
Die Herausforderung

Foto: Pieper/ LAD RPS

Foto: Barthel & Maus Beratende Ingenieure GmbH

Materialprüfungsanstalt Universität Stuttgart (Hrsg.):
Die Instandsetzung des Blauen Turms in Bad Wimpfen.
Fraunhofer IRB Verlag, 2019. ISBN 978-3-7388-0301-3

Foto: Barthel & Maus Beratende Ingenieure GmbH

Bauwerksüberwachung am Blauen Turm
Ziele

- Erfassung von Verformungen des Turms außerhalb des Üblichen
- Erkennen von Kraftumlagerungen die die Notsicherung

- Kontrolle der Vorspannkräfte in der Notsicherung
- Bereitstellen von Mauerwerkstemperaturen für das Projektmanagement

- Analyse der Auswirkungen der Sanierung auf den Turm

Bauwerksüberwachung am Blauen Turm
Instrumentierung – Klima

- Umgebungsklima
- Wandtemperaturen

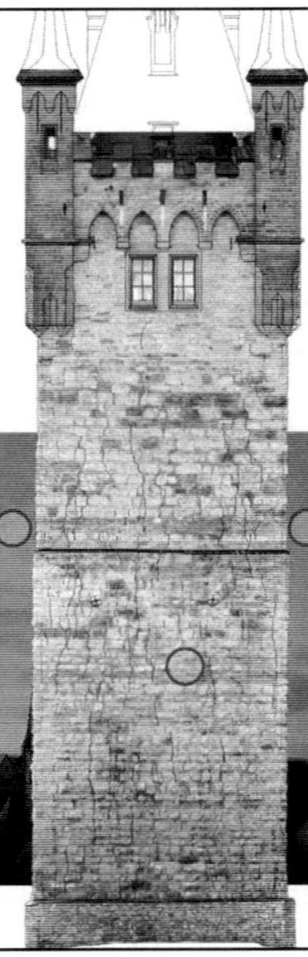

Bauwerksüberwachung am Blauen Turm
Messdaten – Klima

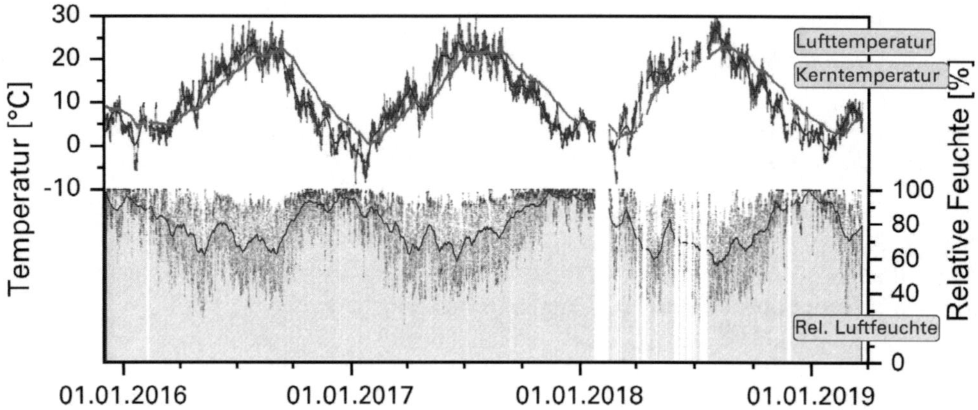

Bauwerksüberwachung am Blauen Turm
Instrumentierung – Neigung

- Turmneigung
  - Triaxialer Neigungssensor

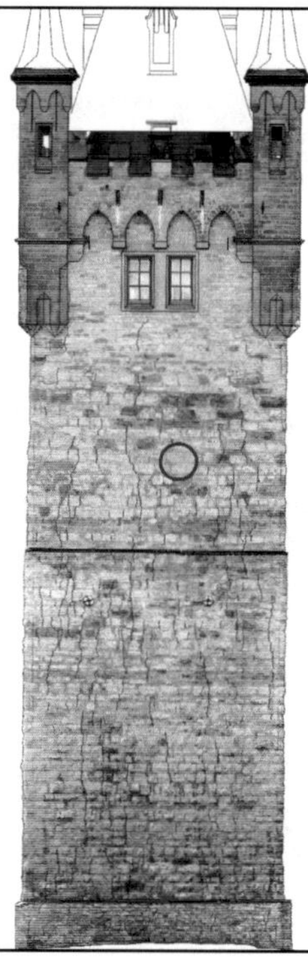

Bauwerksüberwachung am Blauen Turm
Messdaten – Neigung

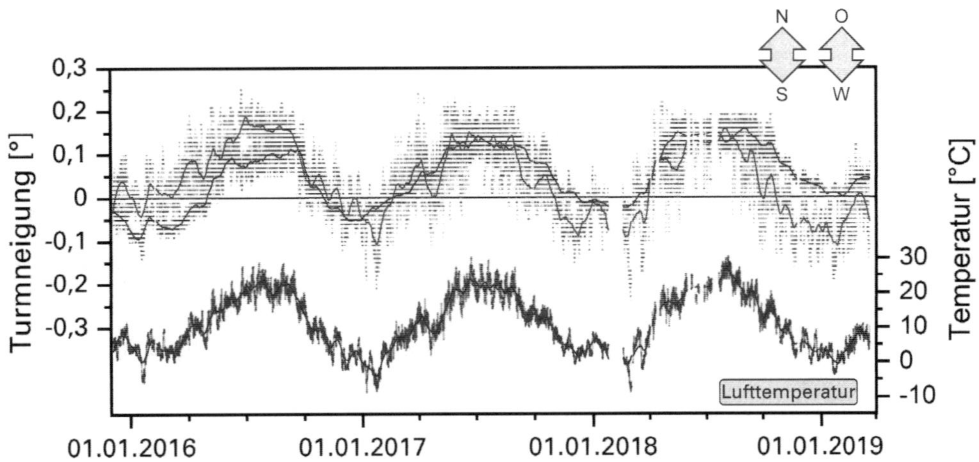

Bauwerksüberwachung am Blauen Turm
Instrumentierung – Wandbreiten

- Wandbreiten und Wandstärken
  - Laserdistanzmessung

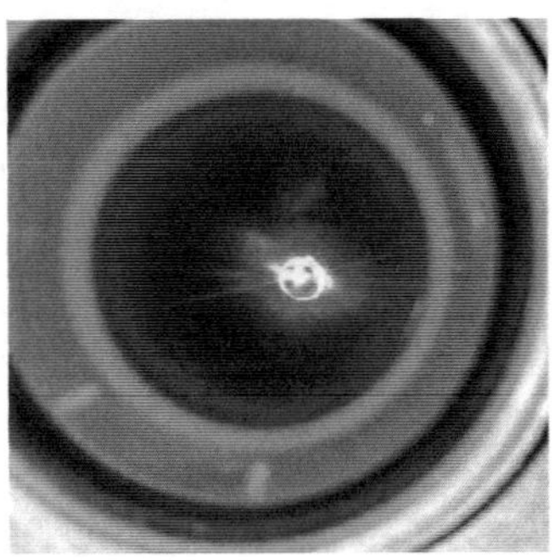
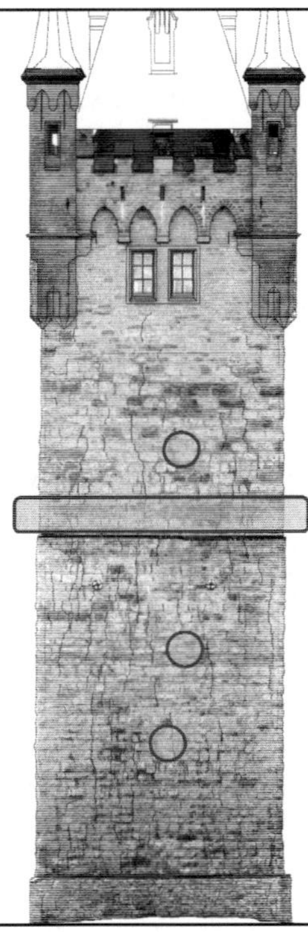

Bauwerksüberwachung am Blauen Turm
Messdaten – Wandbreiten

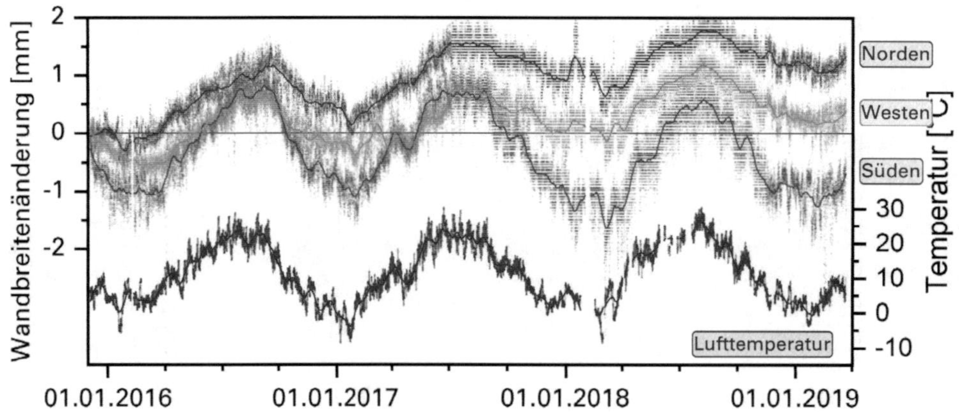

Bauwerksüberwachung am Blauen Turm
Instrumentierung – Vorspannkraft

- Kraft in den Gewindestangen der Notsicherung
  - Kalibrierte Dehnungsmessstreifen

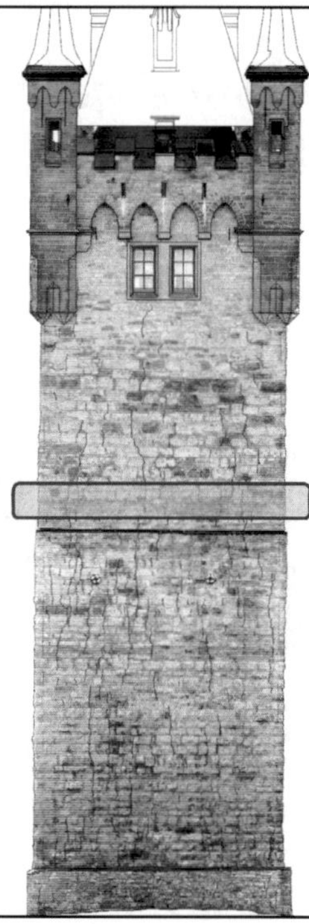

Bauwerksüberwachung am Blauen Turm

Messdaten – Vorspannkraft SW

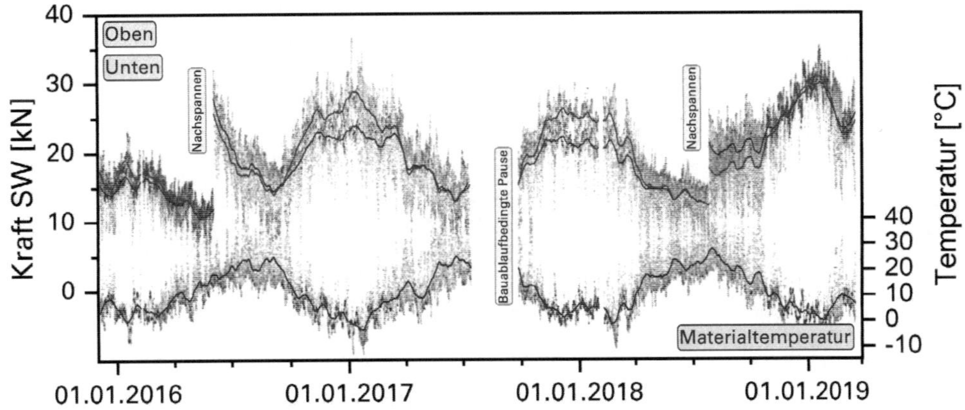

Bauwerksüberwachung am Blauen Turm

Datenanalyse – Vorspannkraft

- Die Vorspannkraft ist abhängig von
  - Anfangskraft und Zeit
    - Der Sollwert von 30 kN wird mit einem Drehmomentschlüssel eingestellt. Turm und Notsicherung bewegen sich mit den klimatischen Schwankungen → Abnahme der Kraft mit der Zeit
  - Temperatur
    - Die Umschnürung mit den Gewindestangen reagiert schneller auf Temperaturänderungen als die Mauer → Abnahme der Kraft bei warmen Temperaturen
  - Relative Luftfeuchte
    - Das Holz der Notsicherung und in geringem Maß auch das Mauerwerk quellen und schwinden in Abhängigkeit der relativen Luftfeuchte → Zunahme der Kraft bei hohen relativen Luftfeuchten

Bauwerksüberwachung am Blauen Turm

Datenanalyse – Vorspannkraft

- Multiple Regressionsanalyse für die Vorspannkraft mit den Parametern
  - Zeit seit dem letzten Nachspannen: $X_1 = \hat{X}_{\text{Temperatur}}$
  - Temperatur: $X_2 = \hat{X}_{\text{rel. Feuchte}}$
  - Relative Luftfeuchte: $X_3 = \hat{X}_{\text{Zeit}}$

$$\hat{F} = \beta_0 + \beta_1 \cdot X_1 + \beta_2 \cdot X_2 + \beta_3 \cdot X_3$$

- Betrachtet wird der Zeitraum vom 02.12.2016 bis 26.07.2018
  - 6 Monate nach dem Nachspannen → Eliminierung des anfänglichen Kriechens
  - Periode von 2,5 Jahren → Eliminierung der jahreszeitlichen Variation

Bauwerksüberwachung am Blauen Turm

Datenanalyse – Vorspannkraft

	Bestimmtheitsmaß	Geschätzte Parameter				Kraftänderung beim Nachspannen	
	R [-]	β_0 [kN]	β_1 [N/K]	β_2 [N/%]	β_3 [N/d]	$\Delta\hat{F}_{\text{berechnet}}$ [kN]	$\Delta F_{\text{gemessen}}$ [kN]
SW oben	0,94	20,7	-332	+42,4	-4,22	6,0	10,9
SW unten	0,95	23,5	-477	+47,5	-3,98	6,7	7,1
SO oben	0,68	17,5	+104	+19,6	+8,21	-6,6	3,4
SO unten	0,75	22,8	-218	+51,5	+6,93	-3,1	3,9
NO oben	0,81	26,2	-244	+60,0	+0,21	2,4	4,7
NO unten	0,94	25,3	-558	+63,4	-1,41	5,7	5,9
NW oben	0,94	21,9	-362	+54,1	-4,85	7,0	10,8
NW unten	0,89	24,9	-435	+49,5	-3,50	6,3	6,1

Bauwerksüberwachung am Blauen Turm

Datenanalyse – Vorspannkraft

	R [-]	$\Delta F_{gemessen}$ [kN]
SW oben	0,94	10,9
SW unten	0,95	7,1
SO oben	0,68	3,4
SO unten	0,75	3,9
NO oben	0,81	4,7
NO unten	0,94	5,9
NW oben	0,94	10,8
NW unten	0,89	6,1

- Bestimmtheitsmaß R
  - Sehr gute Abbildung für SW, NO und NW

    0,81 < R < 0,95
  - Weniger gute Abbildung für SO:

    0,68 < R < 0,75

    → Zusätzlicher Einfluss

Bauwerksüberwachung am Blauen Turm

Datenanalyse – Vorspannkraft

Geschätzte Parameter

	R [-]	β_0 [kN]
SW oben	0,94	20,7
SW unten	0,95	23,5
SO oben	0,68	17,5
SO unten	0,75	22,8
NO oben	0,81	26,2
NO unten	0,94	25,3
NW oben	0,94	21,9
NW unten	0,89	24,9

- Anfangskraft β_0
  - Theoretische Anfangskraft bei 0 °C und 0 % r.F.
- Vergleichsweise geringer Wert für SO oben

Bauwerksüberwachung am Blauen Turm

Datenanalyse – Vorspannkraft

Geschätzte Parameter

	R [-]	β_0 [kN]	β_1 [N/K]
SW oben	0,94	20,7	-332
SW unten	0,95	23,5	-477
SO oben	0,68	17,5	+104
SO unten	0,75	22,8	-218
NO oben	0,81	26,2	-244
NO unten	0,94	25,3	-558
NW oben	0,94	21,9	-362
NW unten	0,89	24,9	-435

- Temperatur β_1
  - Kraftänderung, wenn sich die Temperatur um 1 K erhöht
- Wert sollte negativ sein (Kraft wird kleiner, wenn sich der Stahl erhitzt)
- Positiv für SO oben
- Vergleichsweise gering für SO unten und NO oben

Bauwerksüberwachung am Blauen Turm

Datenanalyse – Vorspannkraft

Geschätzte Parameter

- Relative Feuchte β_2
  - Kraftänderung, wenn sich die relative Feuchte um 1 % erhöht
- Wert sollte positiv sein (Kraft wird größer, wenn das Material quillt)
- Vergleichsweise gering für SO oben

β_2 [N/%]	β_3 [N/d]	$\Delta F_{berechnet}$ [kN]	$\Delta F_{gemessen}$ [kN]
+42,4	-4,22	6,0	10,9
+47,5	-3,98	6,7	7,1
+19,6	+8,21	-6,6	3,4
+51,5	+6,93	-3,1	3,9
+60,0	+0,21	2,4	4,7
+63,4	-1,41	5,7	5,9
+54,1	-4,85	7,0	10,8
+49,5	-3,50	6,3	6,1

Bauwerksüberwachung am Blauen Turm

Datenanalyse – Vorspannkraft

Geschätzte Parameter

- Zeitlicher Einfluss β_3
  - Kraftänderung je Tag seit dem letzten Nachspannen
- Wert sollte negativ sein (Kraft wird mit der Zeit geringer)
- Positiv für SO oben und unten
- Vergleichsweise gering für NO oben und unten

	β_3 [N/d]	$\Delta\hat{F}_{berechnet}$ [kN]	$\Delta F_{gemessen}$ [kN]
SW oben	-4,22	6,0	10,9
SW unten	-3,98	6,7	7,1
SO oben	+8,21	-6,6	3,4
SO unten	+6,93	-3,1	3,9
NO oben	+0,21	2,4	4,7
NO unten	-1,41	5,7	5,9
NW oben	-4,85	7,0	10,8
NW unten	-3,50	6,3	6,1

Bauwerksüberwachung am Blauen Turm

Datenanalyse – Vorspannkraft

- Theoretisch notwendige Nachspannkraft $\Delta\hat{F}_{berechnet}$
- Tatsächlich gemessene Nachspannkraft $\Delta\hat{F}_{gemessen}$
- Ähnliche Werte, aber die gemessene Kraft war immer höher als die (im Nachhinein) als notwendig berechnete
  - Ca. 25 °C beim Nachspannen → geringe Kraft zu diesem Zeitpunkt
  - Kompensiert die Verluste nach dem Nachspannen
  - Im Winter 2018/ 2019 die bisher höchsten Messwerte (bis zu 42 kN)

	$\Delta\hat{F}_{berechnet}$ [kN]	$\Delta F_{gemessen}$ [kN]
SW oben	6,0	10,9
SW unten	6,7	7,1
SO oben	-6,6	3,4
SO unten	-3,1	3,9
NO oben	2,4	4,7
NO unten	5,7	5,9
NW oben	7,0	10,8
NW unten	6,3	6,1

Bauwerksüberwachung am Blauen Turm
Zusammenfassung

- Die Bauwerksüberwachung am Blauen Turm läuft seit mehr als 4 Jahren
- Bisher sind bei den Verformungen nur geringe Abweichungen der Messwerte von der erwarteten Werten zu erkennen
- Die Messwerte der Kräfte in den Gewindestangen an der südöstlichen Ecke (Richtung roter Turm) steigen mit ca. 7 bis 8 Newton je Tag stetig an

Universität Stuttgart
Materialprüfungsanstalt

Vielen Dank!

Dr.-Ing. Frank Lehmann

E-Mail frank.lehmann@mpa.uni-stuttgart.de
Telefon +49 (0) 711 685- 66788
Fax +49 (0) 711 685- 56788

Universität Stuttgart
Materialprüfungsanstalt
Pfaffenwaldring 2b
70569 Stuttgart

Die Gänstorbrücke in Ulm - Von der Nachrechnung über ZfP-gestützte Untersuchungen und Probebelastung zum Dauermonitoring

Christian SODEIKAT [1], Andreas MÜLLER[2]
[1] Ingenieurbüro Schießl Gehlen Sodeikat, München
[2] Konstruktionsgruppe Bauen AG Ingenieurbüro für Bauwesen, Kempten
Kontakt E-Mail: sodeikat@ib-schiessl.de; Mueller@kb-ke.de

Kurzfassung. Die Gänstorbrücke über die Donau in Ulm wurde 1950 errichtet und ist eine der ältesten Spannbetonbrücken in Deutschland. Untersuchungen in den 1980er Jahren und im Jahr 2018 zeigten unvollständig verpresste Spannglied-hüllrohre, korrodierten Spannstahl und lokale Chloridbelastungen. Die Brücken-schäden wurden als standsicherheitsrelevant eingestuft, eine Instandsetzung ist nicht mehr möglich. Um den Verkehr bis zur Fertigstellung eines Ersatzneubaus aufrecht erhalten zu können, wurde eine Probebelastung durchgeführt und ein Monitoring-system installiert, welches den Zustand der Brücke laufend kontrolliert. Es wurden Warn- und Alarmwerte implementiert, welche bei Überschreiten zu Alarmmeldungen und schließlich zu einer automatischen Brückensperrung führen können.

1. Einführung

Die Gänstorbrücke wurde 1950 als Ersatz für die gegen Ende des zweiten Weltkriegs zerstörte Donaubrücke beim Ulmer Gänstor als integrales Spannbetonbauwerk neu errichtet. Da sich bei Brückenuntersuchungen Rissbildungen zeigten, wurden Anfang der 1980er Jahre umfangreiche Untersuchungen zum Bauwerkszustand durchgeführt. Aufgrund der festgestellten Schäden wurde das Bauwerk verstärkt und von der Brückenklasse 45 in die Brückenklasse 30 herabgestuft.

Im Rahmen der nachfolgenden Bauwerksprüfungen wurden zunehmende Schäden und daraus resultierender Handlungsbedarf festgestellt. Um eine Beurteilungsgrundlage zu schaffen, erfolgte zunächst die Nachrechnung der Gänstorbrücke gemäß der Nachrech-nungsrichtlinie [1]. Parallel hierzu erfolgten umfangreiche Bauwerksuntersuchungen, um den Schädigungsfortschritt detailliert zu überprüfen.

Aufgrund von Unsicherheiten bzgl. des tatsächlichen Schädigungsgrades und des Schadensfortschritts wurde ferner das Tragverhalten im Rahmen einer Probebelastung untersucht und ein Brückenmonitoringsystem installiert, mit dem kontinuierliche Messungen und automatische Alarmierungen möglich sind. Die Ergebnisse der Nachrechnung, das Monitoringkonzept, die installierte Messtechnik und ausgewählte Beobachtungen werden in den nachfolgenden Abschnitten erläutert. Weitere Details sind [2] zu entnehmen.

2. Bauwerksbeschreibung und Historie des Schadensverlaufs

Die Gänstorbrücke besteht aus einem gelenklosen Rahmen mit 82,40 m Spannweite und rd. 15 m Höhe, Abb. 1. Die Rahmenstiele sind in Stabdreiecke aufgelöst, bestehend aus dem verlängerten Rahmenriegel, einer lotrechten Druckstütze und einer vorgespannten, schrägen Zugstrebe. Die Brücke besteht aus zwei Teilbauwerken mit je 9,30 m Breite und 96,10 m Länge. Der Überbauquerschnitt besteht aus einem 2-stegigen Plattenbalken, die Konstruktionshöhe variiert zwischen ca. 1,20 m im Scheitel und ca. 4,20 m im Anschlusspunkt zu den Druckstützen. Der Überbau wurde in Längs- und Querrichtung beschränkt vorgespannt. Es wurden Stabspannglieder mit nachträglichem Verbund (Stabdurchmesser jeweils 26 mm bzw. Kernquerschnitt 25 mm im Bereich der Stabenden mit kaltgewalztem Gewinde; Spannstahlgüte St 60/90) verwendet. Je Träger (Steg und Fahrbahnplatte) befinden sich im Scheitel 36 Längsspannglieder, über den Druckstützen 92 und je Zugstrebe 80.

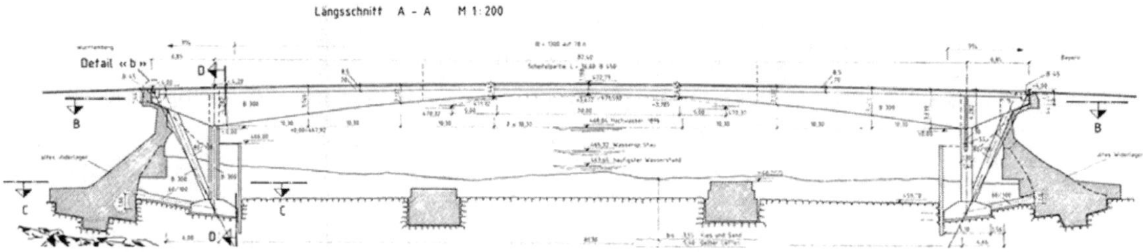

Abb. 1. *Konstruktion der Gänstorbrücke über die Donau zwischen Ulm und Neu-Ulm.*

Im Rahmen der Untersuchungen in den 1980er und 1990er Jahren wurden Biegerisse in den Stegen, Schrägrisse in den Außenstegen und Längsrisse entlang von Spanngliedern festgestellt. Rd. 45 % der Überbauspannglieder waren unvollständig verpresst, 70 % waren korrodiert, 5 % wiesen Rostnarben mit Querschnittsschwächungen bis zu 20 % auf. Bei den Zugstreben waren 70 % unvollständig verpresst, 55 % korrodiert, 4 % zeigten Rostnarben. Chloridgehalte waren örtlich stark erhöht. Sowohl in den 1980er als auch 1990er Jahren wurden lokale Instandsetzungsmaßnahmen durchgeführt, welche letztlich jedoch keinen dauerhaften Instandsetzungserfolg erbrachten.

3. Aktuelle Bauwerksuntersuchungen

Die Prüfung der Spannkräfte der im Jahr 1983 als Verstärkung eingebauten 16 Erdanker ergab eine Reduzierung um bis zu rd. 40 %. Laser-Scan- und ergänzende Ultraschallmessungen ergaben gegenüber den planmäßigen Abmessungen größere charakteristische Werte der Ausbaulasten.

Die Spannstähle der Längsvorspannung wiesen erhebliche Verpressfehler und Korrosionsschäden mit lokalen Querschnittsverlusten von bis zu 30 % infolge von Anfall/Zutritt von bauzeitlichem Wasser, Blutwässern in den Hüllrohren sowie Tauwasserausfall auf. Insbesondere die Ausbildung der Spannglieder, die kleinen Spaltmaße zwischen Spannstab und Hüllrohr, die glatten Hüllrohre und fehlende Entlüftungsöffnungen dürften zu den Verpressfehlern und zum festgestellten Schadensbild beigetragen haben. Infolge von Chlorideintrag und von Verpress- und Betonierfehlern ist erhebliche Korrosion an den Spannköpfen der Längsvorspannung und an den Zugstreben entstanden.

Als Eingangsparameter für die statische Modellierung wurden die Materialparameter im Labor wie folgt bestimmt: Druckfestigkeit: C60/75; E-Modul: rd. 39.000 N/mm²; Wärmedehnzahl: $8{,}65 \cdot 10^{-6}$ 1/K bis $10{,}16 \cdot 10^{-6}$ 1/K.

4. Ergebnisse der Nachrechnung

Eine ausführliche Darstellung der Nachrechnung kann [2] entnommen werden, weshalb hier nur die wichtigsten Ergebnisse dargestellt werden.

Die herkömmliche Nachrechnung der Gänstorbrücke in Stufe 1 und 2 umfasste alle relevanten Nachweise inkl. der inneren und äußeren Standsicherheit der Fundamente. Obwohl bei der Nachrechnung in Stufe 1 und 2 alle planmäßig vorhandenen Bewehrungselemente voll mitwirkend angesetzt wurden, d.h. ohne Schädigungen und mit vollem Verbund zwischen Stahl und Beton, konnten für das Ziellastniveau BK 30/30 wesentliche Nachweise nicht erfolgreich geführt werden. Hierzu zählen z.B. die GZT-Nachweise für Querkraft und Torsion (Brückenlängsrichtung), die Ermüdungsnachweise für die Längsspannglieder und der GZG-Dekompressionsnachweis.

Nach den festgestellten Schädigungen an den Spanngliedern wurden ergänzende Berechnungen unter Berücksichtigung reduzierter Spannstahlflächen durchgeführt. Mit diesen, in [2] näher beschriebenen Schadensszenarien konnte die Biegetragfähigkeit in Längsrichtung nur unter folgenden Annahmen nachgewiesen werden:

- Reduzierte Verkehrslast durch die Sperrung des Fahrstreifens über dem Innensteg (je Überbau); Brückenklasse BK 30 statt BK 30/30
- Erhöhte Betondruckfestigkeiten (mindestens C45/55 in Pfeilern + Überbau)
- Keine Zwangsbeanspruchung aus Temperatur und Setzungen (Hintergrund: Bei Faltwerksberechnungen konnten unter Zugrundelegung eines physikalisch nichtlinearen Materialverhaltens Umlagerungsmöglichkeiten und Gleichgewichtszustände nachgewiesen werden – Fazit: Zwangsbeanspruchungen werden im Grenzzustand der Tragfähigkeit in erheblichem Maß durch Rissbildungen abgebaut.)
- Reduzierter Teilsicherheitsbeiwert für das Konstruktionseigengewicht $\gamma_G = 1{,}20$ auf Grundlage der Messungen zur Bauteilgeometrie und der Betonwichte
- Guter Verbund zwischen Stahl und Beton (bis zum Erreichen der Streckgrenze).

Auf der Grundlage der Nachweise der Biegetragfähigkeit wurde am 28.06.2018 die Teilsperrung der Gänstorbrücke umgesetzt. Seit diesem Tag ist je Teilbauwerk, der jeweils linke Fahrstreifen über dem Innensteg für den Verkehr gesperrt.

Erweiterte statische Berechnungen wurden unter der Annahme des kompletten Ausfalls von Längsspanngliedern durchgeführt. Dabei zeigte sich, dass das Sicherheitsniveau für die Lastfallkombination „maximales Feldmoment in Feldmitte" am kleinsten ist und sich das Versagen im Grenzzustand der Tragfähigkeit durch größere Verformungen in Feldmitte ankündigt. Ohne nennenswerte Spannungszuwächse in den Spanngliedern (bis zur Streckgrenze) können die GZT-Nachweise nicht erfolgreich geführt werden.

Eine Machbarkeitsstudie auf Grundlage der Nachrechnungsergebnisse und der Schadensfeststellungen der Gänstorbrücke ergab keine Aussicht auf eine schnell realisierbare und dauerhafte Verstärkungsmaßnahme. Dies führte letztlich zur Entscheidung, die Gänstorbrücke durch einen Neubau zu ersetzen und den Verkehr bis dahin durch eine verstärkte Überwachung durch ein umfassendes Brückenmonitoring aufrecht zu erhalten.

5. Monitoringkonzept

Überlegungen, Grundsätze und ergänzende Erläuterungen zu den Messsystemen

Trotz großer Querschnittsverluste wurden noch keine Spannstabbrüche festgestellt. Dies lässt darauf schließen, dass der Spannstahl ein vergleichsweise gutmütiges Bruchverhalten aufweist und nicht kerbempfindlich ist. Eine zuverlässige Abschätzung, inwieweit bereits Spannstahlbrüche aufgetreten sind und ob und in welcher Zeit zukünftig mit Spannstahlbrüchen gerechnet werden muss, ist unmittelbar anhand der Untersuchungsergebnisse jedoch nicht möglich. Aufgrund der großen Querschnitte der Spannstähle und der vergleichsweise geringen Anzahl wirken sich Spannstahlbrüche bei diesem Bauwerk prozentual auf die Tragsicherheit deutlich stärker aus als beispielsweise Spanndrahtbrüche an Brücken mit Sigma-Oval-Stählen, bei denen wesentlich mehr Einzeldrähte verbaut sind. Für den fortlaufenden Betrieb der Brücke bis zu einem Ersatzneubau ist es deshalb erforderlich, weitergehende Schädigungen, wie z.B. Spannstahlbrüche und/oder Rissbildung im Brückenquerschnitt, welche letztlich die Tragfähigkeit der Brücke in Frage stellen können, durch ein gesamtheitliches Monitoring dauerhaft und kontinuierlich zu überwachen.

Das Monitoringkonzept umfasst folgende Einzelsysteme, Abb. 3.:

- Schallemission zur Detektion von Spannstabbrüchen: Die Schallemissionsanalyse oder Acoustic Emission ist ein zerstörungsfreies Prüfverfahren zur Detektion der Neubildung von Spanndraht- / Spannstabbrüchen oder Rissbildungen in Betonstrukturen. Die infolge eines Spannstabbruchs freigesetzte Schallenergie wird über Ultraschallprüfköpfe, welche kraftschlüssig bzw. formschlüssig mit der zu untersuchenden Struktur verbunden sind, aufgezeichnet. Bruchereignisse weisen spezifische Schallparameter auf und können somit i.d.R. von anderen Schallereignissen separiert werden. An der Gänstorbrücke wurden 36 piezobasierte Schallemissionssensoren (Typ Vallen VS30-SIC-46dB; Frequenzbereich 25 – 80 kHz), verteilt auf den vier Stegen und acht Zugstreben so angebracht, dass im Falle eines Spannstabbruchereignisses eine zonale Ortung möglich ist.
- Messung der Dehnungen am Spannstahl mittels Dehnmessstreifen (DMS): Zur Erfassung zunehmender Dehnungen und veränderten Schwingbreiten wurden 16 ausgewählten Spannstählen DMS appliziert und in das Überwachungssystem aufgenommen
- Messung der Verformung an der Unterseite der Stege zur Detektion zunehmender Verformungen infolge Spannstabausfall/Systemwechsel: Jeweils in Feldmitte an der Unterseite der vier Stege wurden integral verlängerte Wegaufnehmer montiert. Dabei überträgt ein 2 m langer CFK-Stab, der nur an einer Seite fest mit dem Bauwerk verbunden ist, Bewegungen auf einen induktiven Wegaufnehmer. Dadurch werden über die Länge des Stabes „verschmierte" Dehnungen erfasst.
- Messung der Temperatur mit Temperaturmessfühlern vom Typ PT1000 in definierten Querschnitten zur Durchführung einer Temperaturkompensation der Verformungsmessungen (DMS und Wegesensoren) sowie für die weiteren statischen Berechnungen insbesondere zur Abschätzung der Zwangsbeanspruchung.

Datenerfassung und Alarmkonzept

Alle Systeme laufen kontinuierlich, sind per Mobilfunkmodem fernwartbar und können Alarmereignisse und Rohdaten über gängige Protokolle (z.B. Email, FTP) ins Internet versenden. Wesentliche Daten werden zur graphischen Darstellung auf einer webbasierten Applikation („Dashboard") aufbereitet. Dadurch sind sowohl der jeweilige Status der einzelnen Messsysteme als auch deren Sensormesswerte inklusive Historie über einstellbare Zeitintervalle übersichtlich visualisierbar. Die unmittelbare Verfügbarkeit der Daten erlaubt ein schnelles Eingreifen bei Systemausfällen und eine kontinuierliche Analyse unter Berücksichtigung aller Teilsysteme. So können robuste Alarmkriterien abgeleitet und dank der Fernwartbarkeit wieder auf Einzelsystemen direkt implementiert werden. Im Rahmen des Betriebs des Monitoringsystems werden Spannstabbrüche und übermäßig starke Verformungen vollautomatisch und rund um die Uhr detektiert. Bei den genannten Ereignissen versendet das System Alarmmeldungen per Email und SMS an einen mit den Bauwerksbetreibern und Projektbeteiligten abgestimmten Personenkreis.

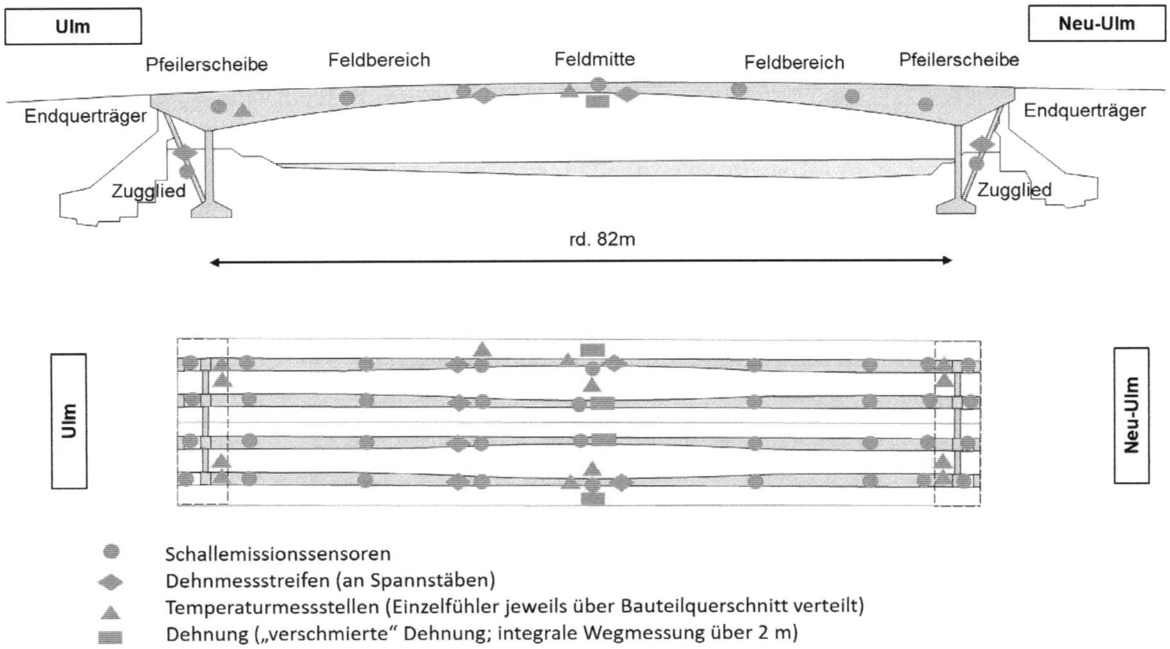

Abb. 3: *Übersicht über die Lage der einzelnen am Bauwerk installierten Sensoren*

Temperaturkompensierte Daten der Verformungsmessungen am Überbau lösen z.B. bei Überschreitung eingestellter Grenzwerte eine Alarmierung per Email aus. Darüber hinaus lösen Dehnungen ab einem gewissen Schwellwert die Speicherung von Bilddaten einer Überwachungskamera auf der Brücke aus (Kontrolle von Gewichtsbeschränkungen). Das Messsystem zur Verformungsmessung am Überbau ist außerdem zur direkten Ansteuerung einer Ampelanlage vorgesehen. Auf dem System wird in Echtzeit ein temperaturbereinigter Abgleich der Sensormesswerte mit Grenzwerten durchgeführt. Dabei wird momentan ein zweistufiges Konzept verwendet: Warnstufe 1 löst die Benachrichtigungen per Email und SMS aus, bei Überschreitung eines höheren Grenzwerts (Warnstufe 2) werden automatisch Maßnahmen (Ampelschaltung) zur Brückensperrung eingeleitet (derzeit in Planung).

Im Warn- bzw. Alarmfall wird unter Berücksichtigung der Daten aller Teilsysteme eine Plausibilitätsprüfung und detaillierte Auswertung der aktuellen Daten durchgeführt. Im Anschluss daran würde eine Bestätigung der Alarmmeldung bzw. eine Aufhebung im Falle von Fehlalarmen erfolgen. Abb. 4 gibt eine Übersicht über das Alarmkonzept und Zusammenspiel aller Teilsysteme wieder:

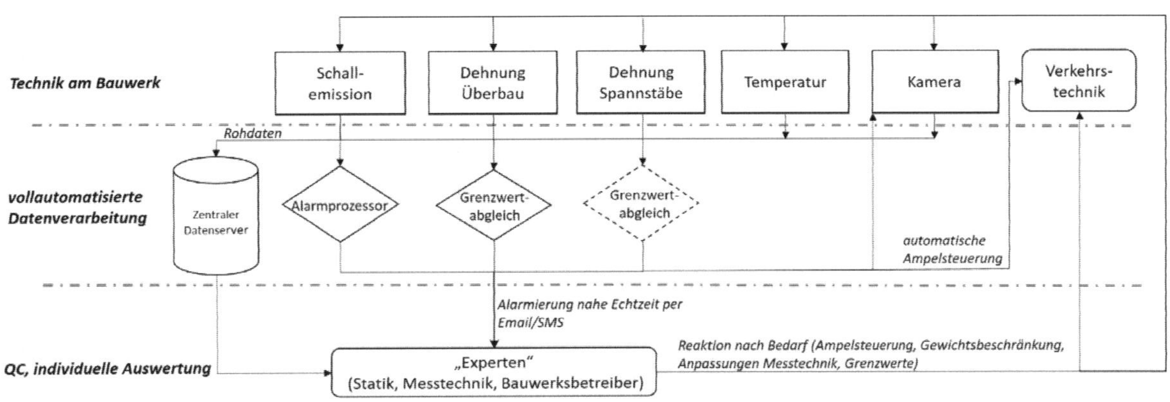

Abb. 4: Übersicht Monitoringsystem, automatisierte Datenverarbeitung, Alarmgenerierung und individuelle Bewertung der Messdaten

6. Probebelastung

Ablauf und Zielsetzung

Aufgabe des Monitoringsystems ist die laufende Kontrolle des Bauwerks und die Generierung von Warn- und Alarmwerten bei der Überschreitung von Grenzwerten. Für die Ermittlung von Grenzwerten war die Probebelastung, d.h. Überfahrten mit Fahrzeugen mit definierten Rad- und Achslasten über ein Teilbauwerk ein wichtiger Baustein. Durch den Vergleich zwischen rechnerischen Dehnungen und Verformungen unter definierten äußeren Beanspruchungen mit Messwerten konnten u.a. folgende Ziele erreicht werden:

- Kalibrierung des Rechenmodells als Grundlage für die Festlegung von Grenzwerten
- Identifikation von systematischen Abweichungen beim Verformungsverhalten zwischen westlichem und östlichem Teilbauwerk
- Überprüfung von Daten für Betriebsfestigkeitsnachweise (Schwingbreiten).

Die Probebelastung wurde so konzipiert, dass sich während der Durchführung für das Haupttragwerk rechnerisch keine ungünstigeren Beanspruchungen ergeben als unter den regulär anzusetzenden Verkehrslasten (inkl. Teilsperrung). Durch entsprechende Verkehrssperrungen sollte sichergestellt werden, dass während der Überfahrt eines Probebelastungsfahrzeuges (Gesamtgewicht zwischen 36t und 48t) je Teilbauwerk keine weiteren Verkehrslasten auftreten. Zusätzlich zu den in Abschnitt 5 beschriebenen Messungen wurden während der Probebelastung die vertikalen Verformungen der beiden Teilbauwerke an insgesamt 16 Stellen mit Hilfe von photogrammetrischen / optischen Verfahren erfasst.

Verformungsverhalten

Die gemessenen Verformungen waren durchwegs kleiner als die berechneten, was u.a. an der statischen Mitwirkung der Brückenkappen liegt. Die eigentlich baugleichen Teilbauwerke wiesen ein unterschiedlich steifes Tragverhalten auf, was durch unterschiedlich eingeprägte Zwangsbeanspruchungen aber auch vorhandene Schädigungen, wie z.B. Spannstabbrüche, verursacht sein kann.

Bleibende Dehnung an einzelnem Spannstab

An einer einzelnen DMS-Messstelle wurde während der Probebelastung eine bleibende Dehnung registriert, Abb. 5. Dies könnte als Hinweis auf eine durch die hohe Belastung ausgelöste Spannungsumlagerung in einem einzelnen Spannstabsystem (Spannstahl, Verpressmörtel, Hüllrohr) interpretiert werden.

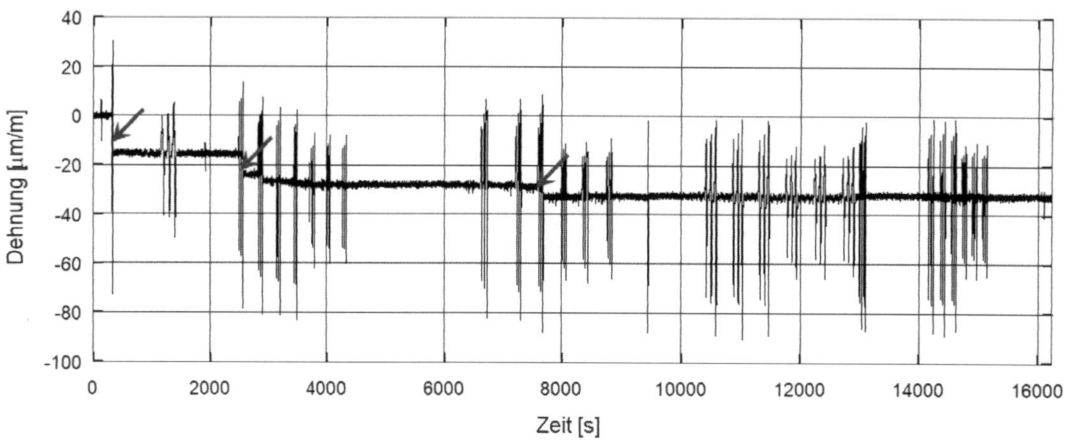

Abb. 5: Dehnungsverlauf an einem DMS, während der Probebelastung. Rote Pfeile markieren Stellen, wo die Dehnmesswerte nach Überfahrt der Mobilkräne nicht wieder auf den Wert vor der Belastung zurückkehrten

Aus Sicht der Autoren ist es wahrscheinlicher, dass die bleibende Dehnung des Spannstahls auf eine Rutschung (Überwindung der Haftreibung am Kontaktpunkt zum Hüllrohr) des Spannstahls innerhalb des über mehrere Meter unverpressten Hüllrohrs zurückzuführen ist. Ähnliche bleibende Verformungen wurden auch bei den Dehnungsmessungen am Überbau in Feldmitte aufgezeichnet.

Schallemissionsaktivität bei Überfahrten

Für die Schallemissionsanalyse konnten anhand der Messungen während der Probebelastung charakteristische Größenordnungen relevanter Parameter abgeleitet werden. Die zeitsynchrone Darstellung, Abb. 6 aufgezeichneter Dehnungen und der Schallemissionsaktivität erlaubt eine Identifikation und quantitative Abschätzung von durch Überfahrten ausgelösten Schallemissionen. Basierend auf einzelnen Parametern der Analyse der AE-Daten wurden für den Routinebetrieb Alarmkriterien definiert, die eine automatische Identifikation von Schallereignissen erlauben, welche mit großer Wahrscheinlichkeit nicht durch Überfahrten, sondern durch andere Quellmechanismen ausgelöst wurden. Als alarmrelevante Parameter werden im laufenden Betrieb des Monitorings die Amplitude, Gesamtenergie und die Lokalisierung (Ortung der Schallquelle) einzelner Schallereignisse permanent aus den Sensorsignalen berechnet und mit Schwellwerten abgeglichen. Im Alarmfall folgen eine individuelle Sichtung der AE-Daten und ein Abgleich mit den anderen Monitoringsystemen (DMS und Dehnungen in Feldmitte).

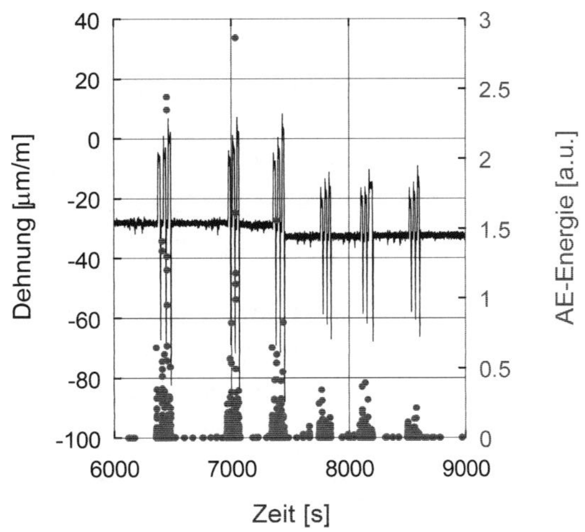

Abb. 6: Ausschnitt aus Dehnungsverlauf während Probebelastung überlagert mit AE-Ereignissen (Parameter Energie)

Schlussfolgerungen aus der Probebelastung

Die Probebelastung ergab, dass sich beide Teilbauwerke „steifer" verhalten als zunächst vermutet und die im Zuge der Nachrechnung ermittelten verkehrslastbedingten Spannstabspannungsschwingbreiten tatsächlich kleiner ausfallen und damit auch das Risiko von ermüdungsbedingten Spannstabbrüchen kleiner ist als zunächst angenommen.

Eine zielsichere Abschätzung des Risikos von ermüdungsbedingten Spannstabbrüchen ist in Anbetracht der vorgefundenen Korrosionsschäden jedoch nicht möglich. Daher ist ein kontinuierliches Monitoring ein essentielles Sicherheitselement für die weitere Nutzung der Gänstorbrücke. Vorläufige Alarmwerte für die „verschmierten" Dehnungen in Feldmitte wurden im Dezember 2018 auf der Grundlage der Ergebnisse der Probebelastung definiert. Seit dem 21.12.2018 ist die erste Stufe des Alarmierungssystem funktionsfähig, bei dem ausgewählte Personen im Falle von Grenzwertüberschreitungen automatisch per SMS- und E-Mail-Nachrichten informiert werden.

7. Ergebnisse des Monitorings

Verformungsmessungen/Temperaturbereinigung/Alarmierungsstufe 1

Bei den Messungen der verschmierten Dehnung an den Stegunterseiten in Feldmitte werden seit dem 21.12.2018 alle 10 Minuten Verformungsmesswerte mit (vorläufigen) Alarmierungsgrenzwerten (Grenzverformungen) verglichen und bei Überschreitungen Alarmierungen ausgelöst (Alarmierungsstufe 1). Die ersten Auswertungen ergaben einen deutlichen Einfluss der Bauteiltemperaturen auf die gemessenen Verformungen. Um die tatsächlich infolge von Verkehrslasten bzw. durch Veränderungen des Tragverhaltens entstehenden Verformungen erfassen zu können, wurde eine Temperaturbereinigung errechnet, welche die gemessenen Verformungen kontinuierlich korrigiert. Aus den je Teilbauwerk an (mindestens) sechs Temperaturmessquerschnitten aufgezeichneten Temperaturen werden hierzu ingenieurmäßig eine Bauwerkstemperatur T_N und ein Temperaturgradient ΔT_M zwischen der Ober- und Unterseite abgeschätzt. Die Auswertung der temperaturbereinigten Verformungswerte ergab bis dato eine tendenziell zunehmende Restverformung, welche durch „noch“ zu ungenauen Rechenansätzen aber auch an tatsächlich verbleibenden bleibenden Verformung durch z.B. zunehmende Öffnung von Biegerissen und/oder „Rutschungen“ zwischen Spannstab und Hüllrohr durch fehlenden Verbund verursacht werden kann. Die zugehörigen Untersuchungen sind noch nicht abgeschlossen. „Bleibende“ Verformungen waren insbesondere bei schweren Überfahrten festzustellen.

Besondere Vorkommnisse im Betrieb des Monitoringsystems - Schwerlastverkehr

Durch die synchrone Aufzeichnung mechanischer Kenngrößen und einer Videoüberwachung des Bauwerks kann das Monitoringsystem auch zur Kontrolle des Verkehrsaufkommens genutzt werden. So wurden im laufenden Betrieb wiederholt unzulässige Überfahrten mit z. T deutlichen Überschreitungen der Gewichtsbeschränkung registriert und anhand der Kamerabilder auch identifiziert, Abb. 7. Abb. 8 zeigt den Verlauf der Längenänderung am Überbau in Feldmitte (oberstromiges Teilbauwerk) über einen Tag an dem ein Schwertransport (Gewicht ca. 77 Tonnen) unerlaubt die Brücke überquert hat [3]. Die hohe Belastung führte zu bleibenden Verformungen am Überbau. Die Analyse der Schallemissionsdaten aus dem Überfahrtszeitraum ergab keine Hinweise auf Spannstabbrüche.

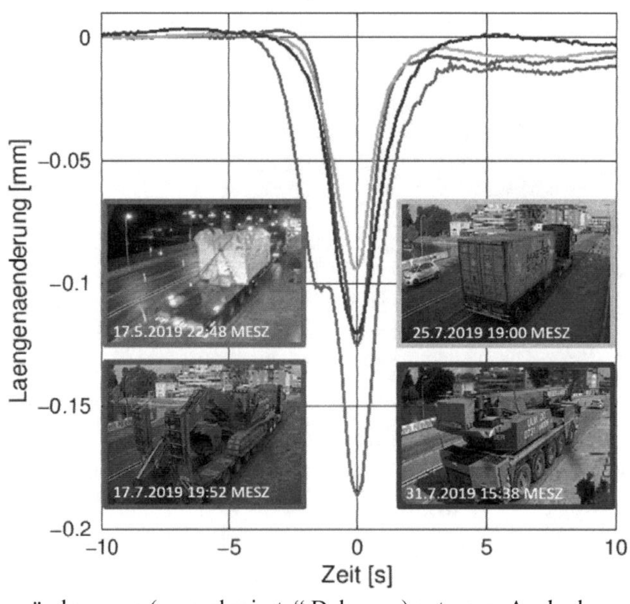

Abb. 7: Relative Längenänderungen („verschmierte“ Dehnung) extremer Auslenkungen durch Schwerverkehr und zugehörige Bilder der mit dem Monitoringsystem verknüpften Videoüberwachung

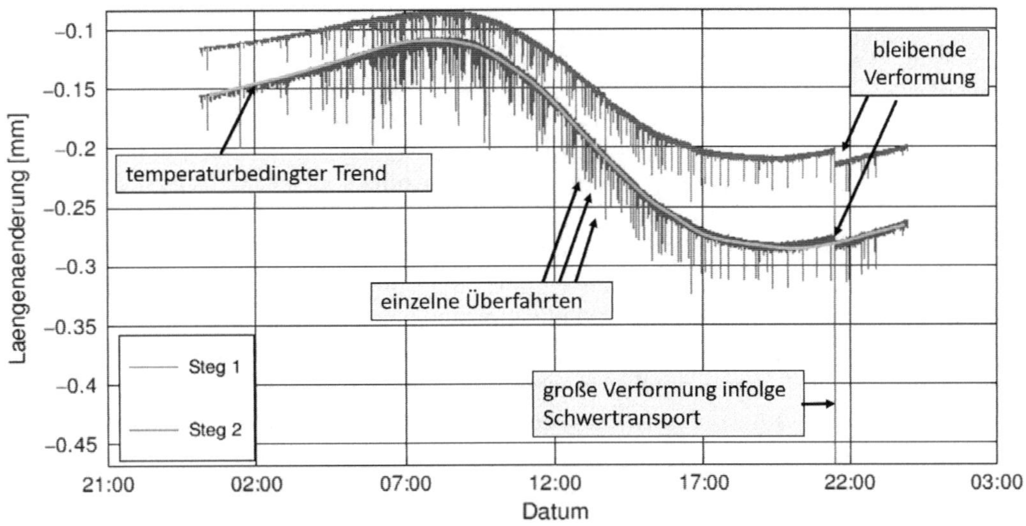

Abb. 8: Verlauf der „verschmierten" Dehnung an zwei Stegen (oberstromiges Teilbauwerk) über einen Tag an dem ein Schwertransport mit 77 t unerlaubt die Brücke überfahren hat

Detektion eines Spannstahlbruchs

Mitte November 2019 erfolgte durch das AE-System eine automatische Alarmmeldung. Die eingehende Analyse bestätigte einen Spannstabbruch in einer Zugstrebe am Widerlager Ulm, Abb. 9. Der Spannstabbruch führte nicht zu einer Rissbildung des Betons der vorgespannten Zugstrebe. Ebenso wenig waren signifikante Veränderungen in den Schwingbreiten und in den weiteren Verformungsmessungen erkennbar. Da je Zugstrebe 80 Spannstäbe vorhanden sind und die Zugstrebe selbst nicht vom Zustand I in den Zustand II übergegangen ist, sind diese Ergebnisse plausibel. Es zeigt jedoch auch, dass durch Verformungs- und Schwingbreitenmessungen alleine kein ausreichend genaues Brückenmonitoring möglich ist.

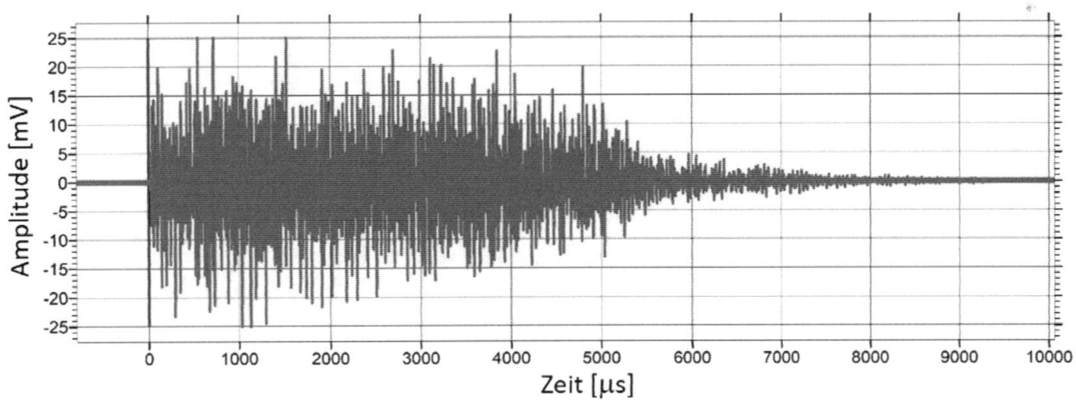

Abb. 9: Schallsignale des Spannstahlbruchs an einer Zugstrebe des Widerlagers Ulm (siehe auch [4])

Ausblick

Es ist geplant, zeitnah eine zweite Alarmierungsstufe zu implementieren, bei der im Falle von Grenzwertüberschreitungen eine Ampelsteuerung eine sofortige Vollsperrung der Gänstorbrücke auslöst. Diese beinhaltet u.a. folgende Aspekte:

- Festlegung von Stufe-2-Grenzwerten und Reaktionszeiten, die ein rechtzeitiges Eingreifen ermöglichen und keine Fehlalarme verursachen

- Festlegung von Handlungsanweisungen, die im Fall von Stufe-2-Alarmierungen zu befolgen sind. Dies betrifft u.a. die Durchführung von zusätzlichen Absperrungs- und Umleitungsmaßnahmen, Anweisungen für Rettungs- und Einsatzkräfte, Vorgaben zur systematischen Überprüfung und Beurteilung von Messwerten.

Die rechnerischen Untersuchungen am kalibrierten Modell stellen bei der Festlegung der Stufe-2-Grenzwerte eine wichtige Grundlage dar. Durch physikalisch nichtlineare Berechnungen können unter Berücksichtigung von Effekten aus der Theorie 2. Ordnung Versagensszenarien simuliert und „GZT"-Verformungen abgeschätzt werden. Zur Vermeidung von Fehlalarmierungen und zu groben Grenzwerten muss die Temperaturbereinigung von Messwerten (Längenänderungen) zuverlässig und möglichst präzise funktionieren.

Im Zuge des weiteren Betriebs des Monitoringsystems werden zusätzliche Analysemethoden erprobt und ggf. routinemäßig angewendet. Durch eine kontinuierliche Analyse der Schwingbreiten können z. B. systematische Änderungen im Tragverhalten abgebildet werden. Dazu werden nach einer Einteilung der Schwingbreiten in feste Klassen (Wertebereiche) die Häufigkeiten von Lastwechseln gezählt (hier verwendetes Verfahren „Rainflow-Counting" [5], Abb. 9).

Wird dieses Verfahren auf verschiedenen Zeitabschnitten der Dehnungsverläufe angewendet, können unter Annahme eines gewissen Lastmodelles (z.B. im Mittel gleichbleibende Verkehrsbelastung) Änderungen im Tragverhalten abgebildet werden. So kann z.B. analysiert werden, ob sich bei variierenden Temperaturverhältnissen Änderungen im Tragverhalten ergeben. Oder aber es können Zeitabschnitte vor und nach einem potenziell schädigenden Ereignis (z. B. Schwertransport) verglichen werden. Dabei ist selbstverständlich auch dem absoluten Verkehrsaufkommen Rechnung zu tragen. Regelmäßige Signale wie z.B. Linienbusüberfahrten können als Referenzereignisse dienen. Die Entwicklung entsprechender, automatisierter Auswertemethoden ist noch nicht abgeschlossen.

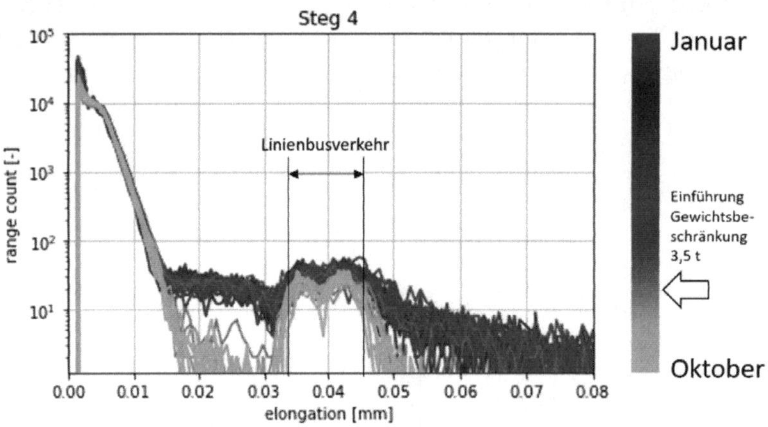

Abb. 9: Ergebnisse des Rainflow-Counting für DMS an einem Spannstab in Feldmitte aus verschiedenen jeweils einwöchigen Zeitabschnitten

Referenzen

[1] BMVI: Richtlinie zur Nachrechnung von Straßenbrücken im Bestand (Nachrechnungsrichtlinie, 05/2011) mit 1. Ergänzung (04/2015)

[2] Müller, A.; Sodeikat, C.; Schänzlin, J.; Knab, F.; Albrecht, L.; Groschup, R.; Obermeier, P.: Die Gänstorbrücke in Ulm – Untersuchung, Probebelastung und Brückenmonitoring. Beton- und Stahlbetonbau 115 (2020), Heft 2,

[3] Kolb, C.: Schwertransport fährt trotz Verbots über Brücke, https://www.swp.de/suedwesten/staedte/ulm /gaenstorbruecke-Schwertransporter-faehrt-illegal-ueber-Bruecke-Schaeden-noch-groesser-31102251.html

[4] Sodeikat, C.; Groschup, R.; Knab, F; Obermeier, P.: Acoustic Emission in der Bauwerksüberwachung zur Feststellung von Spannstahlbrüchen. Beton und Stahlbetonbau 114 (2019), Heft 10., S. 707 – 723.

[5] Downing, S.D; Socie, D.F: Simple rainflow counting algorithms. International Journal of Fatigue. 4 (1); (1982); 31-40.

Überwachung von Bauwerken mit Ultraschall

Ernst NIEDERLEITHINGER [1], Niklas EPPLE [1], Xin WANG [1]
[1] BAM, Berlin

Kontakt E-Mail: ernst.niederleithinger@bam.de

Kurzfassung

Zahlreiche Brücken der europäischen Verkehrsinfrastruktur habe die Grenze ihrer rechnerischen Lebensdauer erreicht. In vielen Fällen ergibt in Deutschland eine Nachrechnung nach heutigen Normen und Lastmodellen die Notwendigkeit von Lastbeschränkungen oder gar Ersatz. Bei hinreichend genauer und aussagekräftiger Überwachung lassen sich etliche Bauwerke jedoch noch eine Wiele betreiben. Hierfür stehen eine ganze Reihe von Methoden zur Verfügung, die jedoch im Wesentlichen entweder nur lokale Werte sehr genau ergeben (z. B. Dehnungsmessstreifen) oder das Bauwerk global bewerten (z. B. Modalanalyse), gegenüber Schäden nur beschränkt sensitiv sind.

Das Monitoring mit Ultraschall hat das Potential diese Lücke zu schließen. Aufgesetzte oder noch besser eingebettete Transducer-Netzwerke mit Sender-Empfänger-Abständen im Dezimeter- bis Meterbereich können kritische Bereiche volumendeckend überwachen, ohne dass ein Transducer genau am Ort der Lasteinwirkung oder des Schadens sein muss. Zur Auswertung wird nicht nur wie bei klassischen Transmissionsmessungen der Ersteinsatz (Laufzeit) registriert, sondern das ganze Signal, insbesondere das Ausklingen („Coda") betrachtet. Sehr sensible Methoden wie die der Erdbebenkunde entnommene Codawelleninterferometrie können kleinste Änderungen im Signal detektieren und quantifizieren und liefern Indikatoren für reversible und irreversible Materialveränderungen im Volumen und lokale Schäden.

Das Potential dieses Verfahren wurde von verschiedenen Forschungsteams bereist im Labor in klein- und großskaligen Versuchen evaluiert. Die BAM hat an der RWTH Aachen im Auftrag der BASt Belastungsversuchen an großformatigen Zweifeldträgern mit der neuen Technik überwacht. Dabei konnte gezeigt werden, dass die aus den Ultraschalldaten abgeleiteten Bilder sowohl mit der Stressverteilung als auch dem späteren Schadensbild korrelieren. Inzwischen wurden auch mehrere Brücken versuchsweise mit der neuen Messtechnik ausgerüstet. Ein erster Belastungsversuch zeigt die Sensibilität der Methode. Eine neu eingerichtete DFG-Forschergruppe (DFG FOR 2825 „CoDA") arbeitet an der Weiterentwicklung des Verfahrens, z. B. Trennung verschiedener Einflussfaktoren und Nutzbarmachung für statische Modelle.

BAM

Bundesanstalt für Materialforschung und -prüfung

Sicherheit in Technik und Chemie

2020-02-13

BAUWERKSÜBERWACHUNG MIT ULTRASCHALL

PD Dr. rer. nat. Ernst Niederleithinger

Leiter Fachbereich 8.2 „ZfP im Bauwesen"

Bundesanstalt für Materialforschung und -prüfung

1

Warum Bauwerksüberwachung?

BAM

Deutschland 2019

IB Schiessl, Gehlen, Sodeikat

13.02.2019 Bauwerksdiagnose Ultraschallmonitoring Niederleithinger 2

2

Inhalt

BAM

- Motivation
- Eingebettete Ultraschall-Transducer
- Codawelleninterferometrie
- Test am Zweifeldträger (Labor)
- Installation in Realbauwerken

3

Ultraschall im Bauwesen: In der Praxis angekommen

BAM

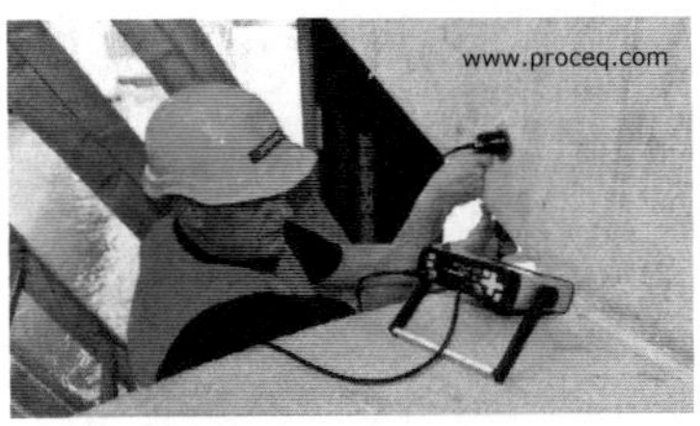

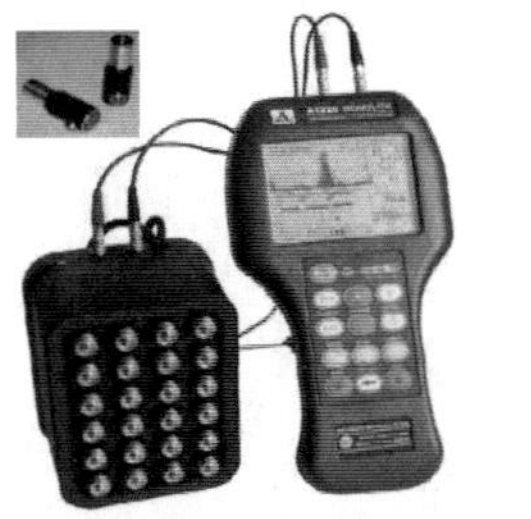

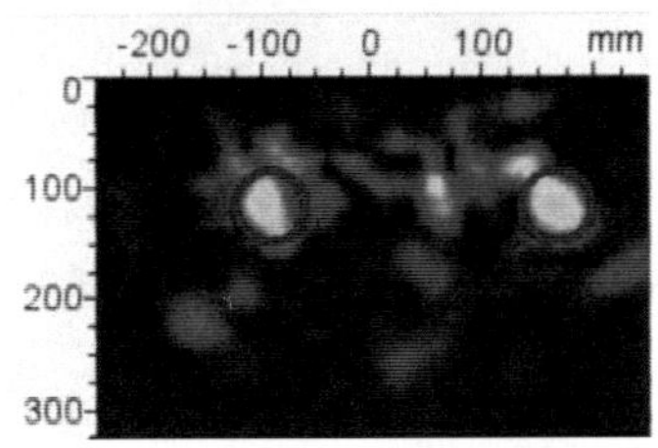

Aber es gibt Grenzen:

- Eindringtiefe
- Abbildung komplexer Strukturen
- Detektion diffuser Schäden
- Detektion „langsamer" Schäden

4

Detektion diffuser Schäden?
Detektion „langsamer" Schäden?

BAM

Monitoring mit Ultraschall im Labor: Nix Neues
Hier: Überwachung von Ermüdung

BAM

E-Modul

Wellengeschwindigkeit (p)

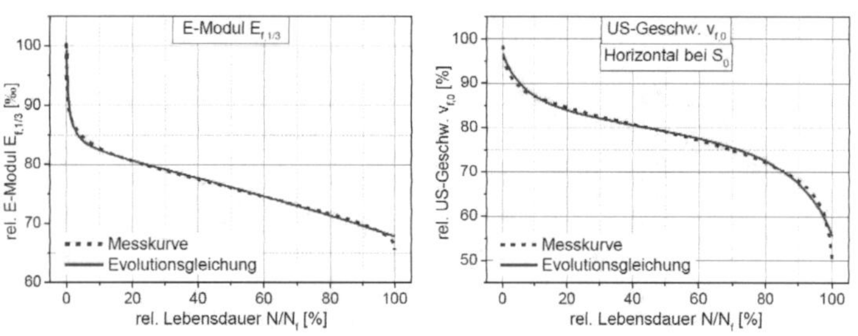

Rel. Lebensdauer

Rel. Lebensdauer

Marc Thiele, Promotionsarbeit 2016

Innovation 1: Eingebettete Transducers

BAM

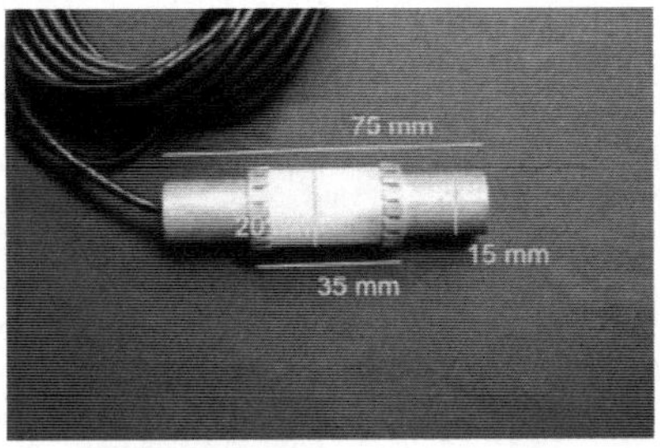

- „Maßgefertigt"
- 60 kHz
- Erzeugen haupts. p-Wellen

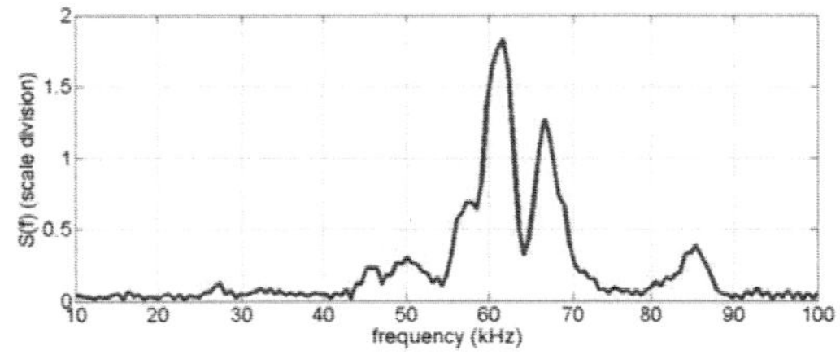

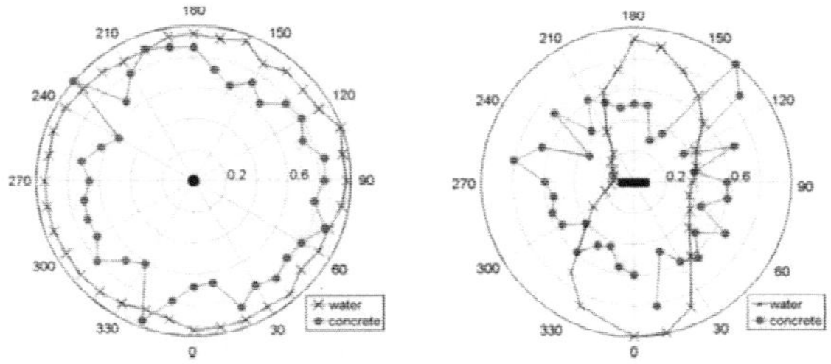

Wolf et al., 2014, Niederleithinger et al., 2015

7

Innovation 2: Seismische Interferometrie

BAM

Reconstruktion von Information mit Hilfe von Kreuzkorrelationen

a) zwischen wiederholten Messungen mit dem gleichen Setup: Detektion kleiner Änderungen

b) Zwischen gleichzeitigen Aufzeichnungen benachbarter Empfänger „Passive Seismics"

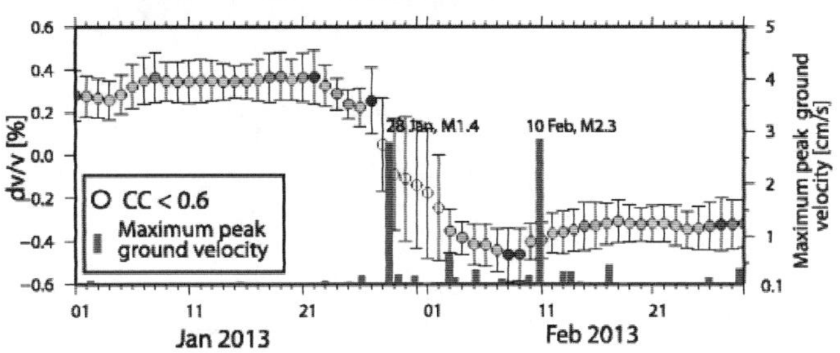

Yukutake et al., Progress in Earth and Planetar Science, 2016

8

Detektion kleiner Änderungen in der „Coda"

BAM

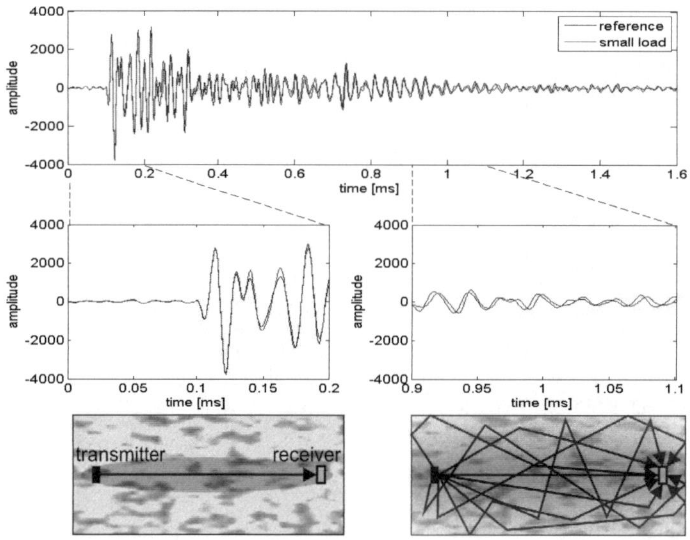

9

Überwachung von Belastungstests Zweifeldrige Brückenträger

BAM

Dr. Müller

bast
Bundesanstalt für Straßenwesen

RWTH AACHEN UNIVERSITY

Prof. Dr. Hegger
Dr. Herbrand

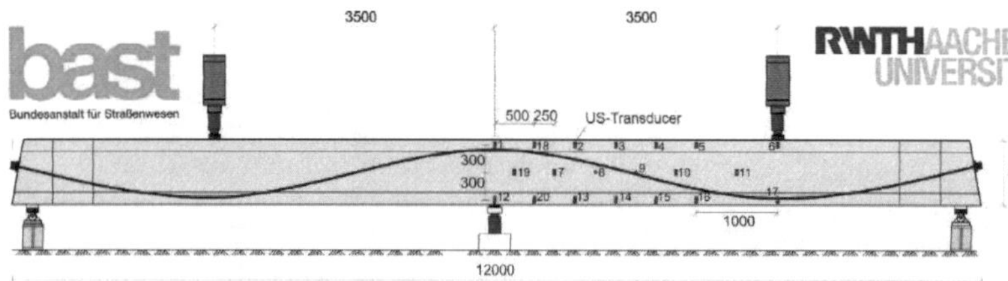

Anja Sophie Bertschat

Vivien Mierschke

Niederleithinger et al., Sensors, 2018

Daniel Casares

Xin Wang

10

Überwachung von Belastungstests: Geschwindigkeitsänderung vs Durchbiegung

BAM

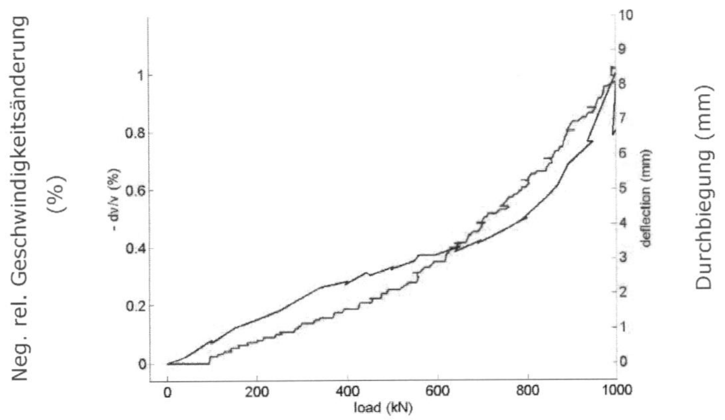

11

Überwachung von Belastungstests: Geschwindigkeitsänderungs vs Dehnung (DMS)

BAM

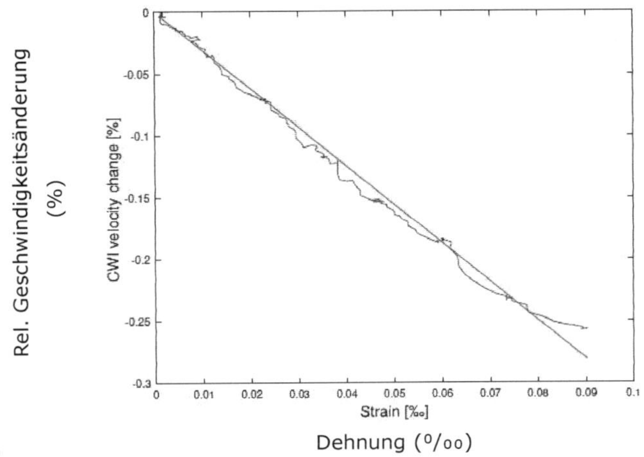

Niklas Epple, master thesis, 2018

12

Überwachung von Belastungstests: Geschwindigkeitsänderung sichtbar machen ...

BAM

250 kN

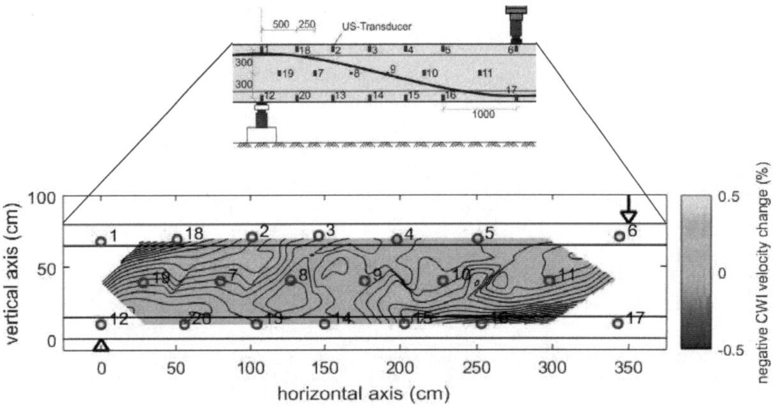

Niederleithinger et al., Sensors, 2018

13

Überwachung von Belastungstests: ... und in Dehnung übersetzen

BAM

250 kN

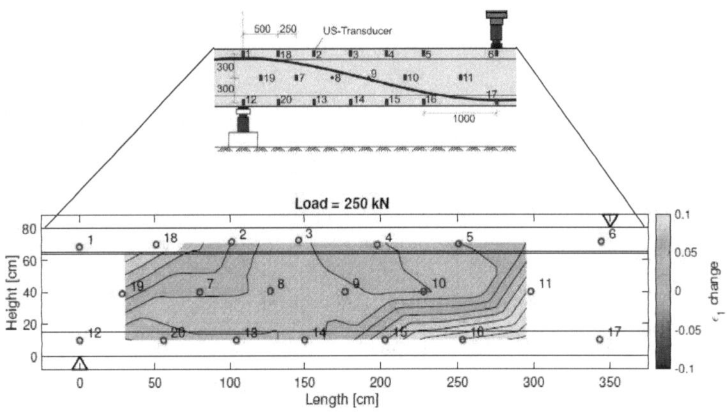

14

Überwachung von Belastungstests: ... und Vergleich mit FE-Simulation

BAM

1250 kN

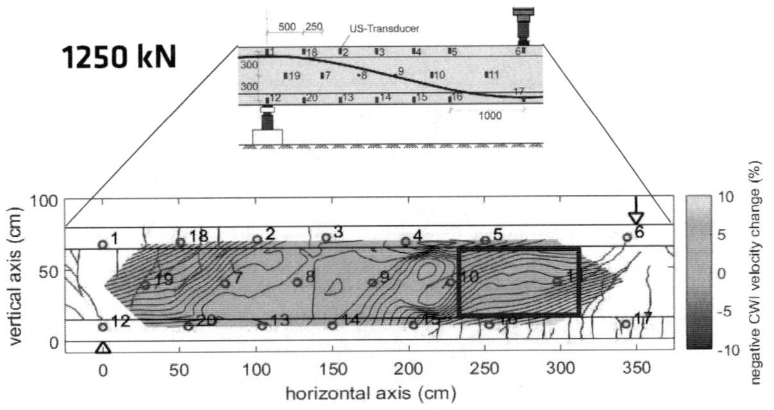

Niederleithinger et al., Sensors, 2018

15

Überwachung von Belastungstests: Geschwindigkeitsänderung sichtbar machen ...

BAM

Pressenkraft 1250 kN

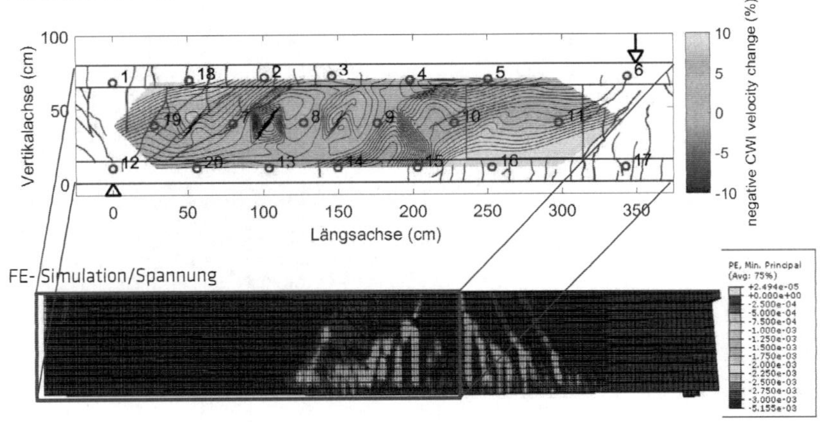

16

Überwachung von Belastungstests: ... und Vergleich mit FE-Simulation

BAM

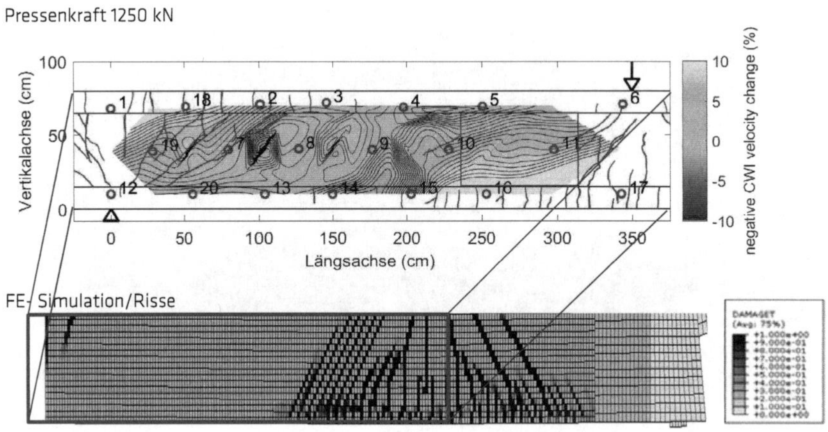

17

Geht das auch in der Realität? Testinstallationen

BAM

- 8 Transducers in einer polnischen Brücke (Kooperation mit neostrain, Krakow)
- Belastungstest vor Inbetriebnahme
-

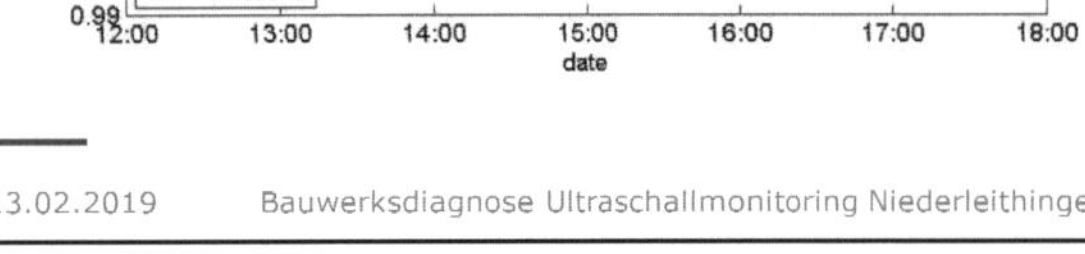

- Last detektierbar
- Auch wenn auf dem Nachbarfeld oder /Nachbarträger

18

Geht das auch in der Realität? Testinstallationen

INFRASTAR | bast – Bundesanstalt für Straßenwesen | Dr. Haardt, Dr. Hindersmann | BAM

- 8 Transducers in der durBASt-Bücke
- Belastungstest LKW (16 t)

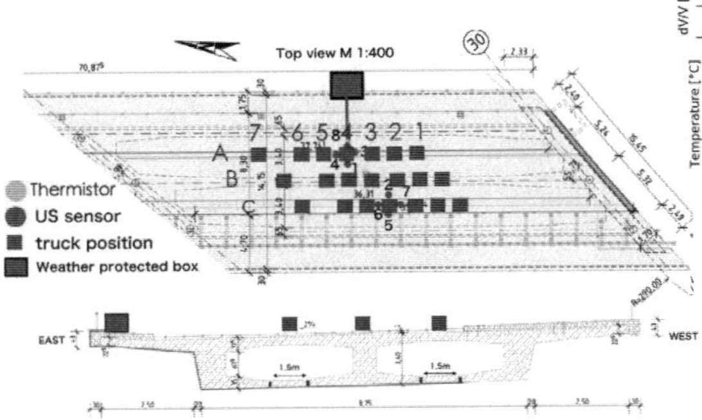

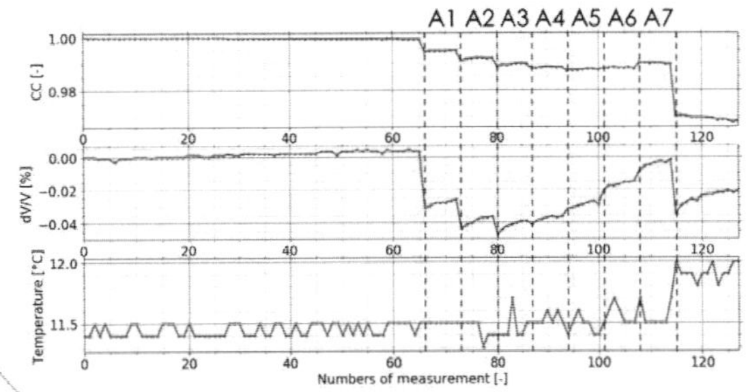

- Last detektierbar, obwohl sehr gering
- Temperatureffekt überlagert

13.02.2019 Bauwerksdiagnose Ultraschallmonitoring Niederleithinger 19

19

Ausblick

BAM

CoDA

Concrete Damage Assessment by CODA Waves

RUB TUM GZB BAM

13.02.2019 Bauwerksdiagnose Ultraschallmonitoring Niederleithinger 20

20

Schlussfolgerungen

BAM

- Ultraschall-Monitoring funktioniert
- Und das am besten mit eingebetteten Sensoren
- Codawelleninterferometrie extrahiert kleinste Veränderungen
- Stress, Temperatur, Feuchte, Schäden, Alterung

- Der Wert wird sich erweisen!

21

Monitoring von Brückenbauwerken – aktuelle BASt-Forschung

Iris HINDERSMANN [1]
[1] Bundesanstalt für Straßenwesen (BASt), Bergisch Gladbach
Kontakt E-Mail: hindersmann@bast.de

Kurzfassung. Die Bundesfernstraßen stehen vor großen Herausforderungen aufgrund des gestiegenen Verkehrsaufkommens und dem Alter der Bauwerke. Ein Ersatz aller Bauwerke ist kurzfristig nicht möglich, der Einsatz von Monitoring bietet die Möglichkeit die Bauwerke kurzfristig weiter im Bestand zu halten. Aktuell wird Monitoring an Straßenbrücken selten eingesetzt. Im Rahmen der Pilotstudie „dura-BASt-Bücke" werden an einer Spannbetonbrücke im Autobahnkreuz Köln-Ost verschiedene Einsatzmöglichkeiten von Monitoring getestet. Die Bestimmung der Dauerhaftigkeit über Feuchte- und Korrosionsmessungen mit verschiedenen Sensoren wird erprobt. Weiterhin werden die Möglichkeiten der Einbindung von Monitoring in BIM untersucht. Zukünftig ist die Erstellung eines Digital Twins geplant. In einem ersten Schritt soll ein Finite-Element-Modell erstellt werden, welches u.a. mit Hilfe der bereits in der Fahrbahn eingebauten Dehnungsmesssensoren mittels Belastungsversuchen kalibriert werden soll.

1. Einführung

Die Bundesfernstraßen umfassen ein Netz von etwa 39.500 Brücken [1]. Ein großer Teil dieser Brücken muss instandgesetzt, ertüchtigt oder erneuert werden. Ursachen sind die Zunahme und Veränderung des Verkehrs, Defizite aufgrund des Alters und der Bauart und die Verschlechterung des Erhaltungszustandes. Der Verkehr auf Bundesfernstraßen ist in den letzten Jahren stark angestiegen und der Güterverkehr hat dabei überproportional an Menge und Gesamtgewicht zugelegt. Die Tragreserven der Brücken sind dadurch teilweise aufgebraucht, da faktisch eine Nutzungsänderung für die Brücken stattgefunden hat. Der Großteil der Brückenbauwerke in Westdeutschland wurde in den 1960er bis 1980er Jahren gebaut. Bedingt durch hohe Materialpreise und geringe Lohnkosten wurde der Materialeinsatz optimiert, dadurch gibt es heute beispielsweise Probleme mit zu geringer Schubbewehrung. Als zusätzliches Problem kommt die Verschlechterung des Erhaltungszustandes der Brücken hinzu, die auf einen Rückstau der Erhaltungsmaßnahmen schließen lässt [1; 2].

Da eine Ertüchtigung und/oder Ersatz aller betroffenen Bauwerke kurzfristig nicht möglich sein wird, ist es notwendig, Konzepte und Verfahren zu entwickeln, um die vorhandenen Brücken bis zur Sanierung oder dem Neubau sicher weiter zu nutzen. Monitoring kann zur Sicherstellung der Verfügbarkeit nutzbringend eingesetzt werden.

2. Monitoring

Eine einheitliche Definition der Begriffe Überwachung und Monitoring liegt nicht vor, in diesem Artikel wird den Definitionen des Merkblatts „Monitoring: Planung, Vergabe und Betrieb“ des Deutschen Beton- und Bautechnik Vereins gefolgt [3]. Monitoring beschreibt darin den Gesamtprozess zur Erfassung, Analyse und Bewertung von Bauwerksreaktionen und/oder der einwirkenden Größen mittels eines Messsystems über einen repräsentativen Zeitraum. Hierbei kann unterschieden werden in Kurzzeitmonitoring (Datenerfassung über Minuten bis Tage, z.B. während Probebelastung), Langzeitmonitoring (Datenerfassung über Wochen bis Jahre, z.B. zur Schadensüberwachung) und Dauermonitoring (permanente Datenerfassung ohne geplantes Ende, z.B. für kath. Korrosionsschutz). Der Begriff Überwachen, beschreibt den Teil des Monitorings, bei dem nach ggf. erforderlicher Umrechnung des Messwerts in einen Überwachungswert ein Vergleich mit Erwartungs- bzw. Grenzwerten erfolgt.

Bislang kommt bei den Brücken im Bundesfernstraßennetz Monitoring einerseits zur Anwendung, wenn eine Brücke geschädigt ist und das Ausmaß der Schädigung beurteilt werden soll. Andererseits wird mit dem Einsatz von unterschiedlichen Messtechniken der Schaden überwacht, damit die Funktionsfähigkeit der Brücke weiter gewährleistet werden kann. Ein Beispiel für diesen Einsatz ist die Überwachung der Koppelfugen der Autobahnbrücke Duisburg-Beeck. Es handelt sich um eine Spannbetonbrücke, die in drei Bauabschnitten je Richtung gebaut wurde. Nach der Fertiggestellung der einzelnen Bauabschnitte wurde an den Arbeitsfugen die Vorspannung über Spanngliedkopplungen übertragen. Infolge von erhöhten Spannungen in diesen Kopplungsfugen, z.B. durch Temperaturgradienten, kommt es zu Rissen. Die Aufweitungen der Risse in Abhängigkeit von Temperaturveränderungen und Verkehrsbelastungen können durch das Anbringen von Wegaufnehmern und Temperatursensoren in gerissenen und ungerissenen Bereichen beobachtet werden. Wenn die Rissöffnungen unter den ermüdungsrelevanten Rissöffnungen liegen, kann die Brücke weiter betrieben werden [4]. Ein weiteres Beispiel für den Einsatz von Monitoring ist die Überprüfung der Feuchtigkeit beispielsweise nach der Abdichtung einer Brückentafel.

Das Konzept der „Intelligenten Brücke“ hat einen anderen Ansatz, durch den Einsatz von innovativer Sensorik an verschiedenen Bauteilen (beispielsweise Fahrbahnübergang) und unter Einbeziehung von Ingenieurmodellen, wird der Zustand und die Zuverlässigkeit der Brücke und ihrer Komponenten sowie die Restlebensdauer bestimmt [5]. Das Konzept der „intelligenten Brücke“ ist modular aufgebaut und kann damit auf verschiedenen Brückentypen angewendet werden. Vornehmlich ist das Konzept für den Neubau entwickelt worden, einzelne Komponenten können aber auch bei Bestandsbrücken zum Einsatz kommen.

3. Pilotstudie „duraBASt“

3.1 duraBASt allgemein

Das Demonstrations-, Untersuchungs- und Referenzareal der Bundesanstalt für Straßenwesen - kurz duraBASt wurde im Jahr 2017 eröffnet (Abb. 1). Das Gelände liegt auf einer bisher ungenutzten Fläche im Autobahnkreuz Köln-Ost (BAB A3/A4) [6].

Abb. 1. Gelände duraBASt [6]

Auf dem Gelände befindet sich eine Brücke, die 1973 erbaut, jedoch nie in Betrieb genommen wurde. Es handelt sich um eine zweifeldrige Hohlkasten-Spannbetonbrücke mit einer Gesamtlänge von 66 m (Abb. 2). Im Zuge des Baus der duraBASt wurde das Bauwerk grundhaft instandgesetzt. Hierbei wurden der Fahrbelag inklusive der Abdichtung und die Brückenkappen erneuert. In den Fahrbahnübergang der Brücke wurde eine Polyflex-Dehnungsfuge eingebaut.

Abb. 2. Brücke auf dem Gelände der duraBASt (links Hindersmann 2018 und rechts Hindersmann 2017)

3.2 Ziele

Das Ziel der geplanten Maßnahmen an der duraBASt-Brücke ist die Realisierung von Teilaspekte der „Intelligenten Brücke". Hierbei ist zum einen das Testen von neuer Sensorik in Hinblick auf Effizienz und Effektivität relevant. Beispielsweise werden Sensoren zur Überwachung der Dauerhaftigkeit eingesetzt. Hiermit wird u.a. das Ziel verfolgt die Erfahrungen hinsichtlich Anwendbarkeit, Handhabung und Verarbeitung realer Daten zu sammeln und auch die Langzeitstabilität der Messtechnik kann unter realen Bedingungen beobachtet und bewertet werden.

Weiterhin werden einzelne Aspekte des Monitorings beleuchtet, wie der Einsatz von ZfP an Bauwerken oder die Entwicklung von Strukturmodellen. Hierbei sollen Erfahrungen zum tatsächlichen Einsatz von wissenschaftlichen Vorgehensweisen und deren Umsetzbarkeit in die Praxis gemacht werden.

3.3 Messtechnik an der duraBASt

3.3.1.Dauerhaftigkeit

Dauerhaftigkeit beschreibt die Widerstandsfähigkeit von Baustoffen und Bauteilen gegenüber äußeren Einflüssen wie Feuchte, Hitze, Kälte, Temperaturwechsel, Frost, Sonneneinstrahlung und chemischem Angriff (z.B. Tausalz). Die Dauerhaftigkeit von Beton- bzw. Stahlbetonbrücken wird insbesondere durch den Einfluss von Feuchte und das Eindringen von Chloriden, welche zur Korrosion führen können, bestimmt. Die Bestimmung der Feuchte ist relevant, da feuchteinduzierte Prozesse neben mechanischen Belastungen die wesentlichen Ursachen für Schäden an Bauwerken sind [7–9].

An der duraBASt wurden bisher drei Arten von Feuchtesensoren installiert: Multiringelektroden und zwei unterschiedliche RFID-Feuchtesensoren (Typ 1 und 2). Die Sensoren wurden an den Abläufen der Fahrbahn, am Fahrbahnübergang und in der Mitte der Fahrbahn in Bohrlöcher und in der Kappe vor der Betonage eingebaut (Abb. 3).

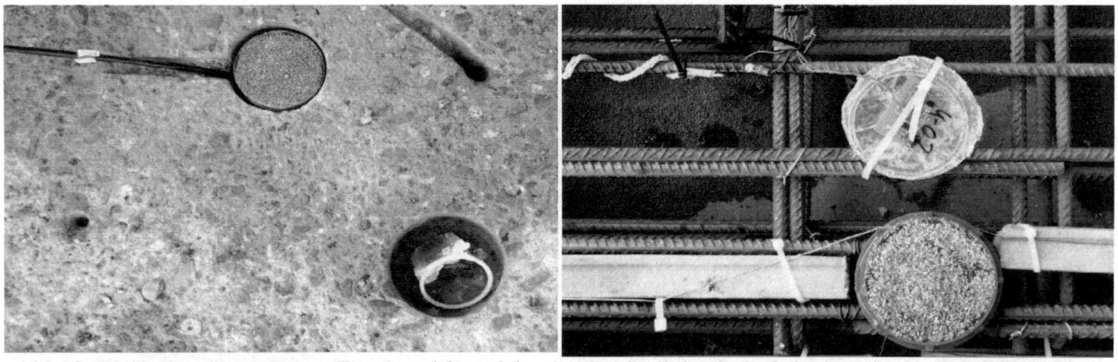

Abb. 3. RFID-Feuchtesensoren (Typ 1 und 2) auf der duraBASt, links: in Bohrlöchern in der Fahrbahn und rechts an der Bewehrung der Kappe vor der Betonage (links: A. Fakhouri 2015 und rechts: A. Fakhouri 2016)

Das Messprinzip des RFID Feuchtesensors Typ 1 und der Multiringelektrode beruht auf der Bestimmung des elektrolytischen Widerstands, welcher anhand von Kalibrierkurven in Masseprozent Feuchte umgerechnet werden [10; 11]. Im RFID-Feuchtesensor Typ 2 ist ein Luftfeuchtesensor, der die relative Luftfeuchte im Hohlraum, in dem der Sensor im Beton eingebaut ist, misst [12].

Die RFID-Sensoren vom Typ 1 werden an den Fahrbahnabläufen eingesetzt, die Entwicklung des Feuchtegehalts zeigt die Abb. 4. Die Daten erstrecken sich über einen Zeitraum von etwas mehr als 3 Jahren von der Installation der Sensoren in der Fahrbahn Ende 2015 bis Ende 2019.

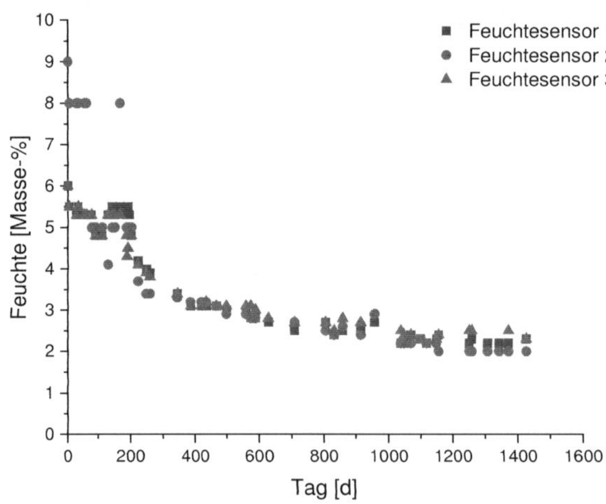

Abb. 4. Feuchtegehalt an den Fahrbahnabläufen

Der Feuchtegehalt an den Fahrbahnabläufen lag zum Installationszeitpunkt zwischen 5 und 6 Masseprozent Feuchte bzw. zwischen 8 und 9 Masseprozent Feuchte bei Sensor 2. Im Laufe der Zeit haben sich die Werte auf einen Bereich zwischen 2 und 3 Masseprozent Feuchte eingependelt. Die hohen Werte zu Beginn sind auf die

Feuchte im Mörtel und die nicht abgedichtete Fahrbahn zurückzuführen. Am Tag 220 wurde die Fahrbahn abgedichtet. Ab diesem Zeitpunkt lässt sich eine deutliche Abnahme der gemessenen Feuchte feststellen.

Die Sensoren in den Brückenkappen zeigen eine ähnliche Entwicklung, nach dem Einbau der Sensoren wiesen diese Feuchtegehalte zwischen 5 und 6 Masseprozent auf. Nach ca. einem halben Jahr haben sich die Werte auf ein Niveau von unter 4 Masseprozent Feuchte eingependelt und liegen Ende 2019 bei ca. 3 Masseprozent Feuchte.

Die Versuche an der duraBASt-Brücke haben gezeigt, dass es durch den Einsatz von Sensoren möglich ist, die Entwicklung der Feuchte in der Brücke nachzuvollziehen. Das Auslesen der Sensoren und die Datenauswertung sind ohne großes Vorwissen möglich. Bei der Einschätzung der gemessenen Werte ist darauf zu achten, dass nicht die absoluten Werte entscheidend sind, sondern deutliche Abweichungen in den gemessenen Werten. Bei einem deutlichen Anstieg der Werte in einem Bereich, besteht die Möglichkeit, dass beispielsweise die Abdichtung beschädigt und Wasser eingedrungen ist. An dieser Stelle sollte dann eine Vorortkontrolle durchgeführt werden, um die Ursache der Abweichung zu untersuchen.

3.3.1 weitere Messtechnik

Im Rahmen der Bauarbeiten an der duraBASt-Brücke wurde bereits Dehnungsmesstechnik in der Mitte der Brückenfelder und oberhalb der Stütze installiert. Es handelt sich hierbei um Ketten mit klassischen Dehnungsmesssensoren, faseroptischen Sensoren und Temperatursensoren, welche zur Kompensation des Temperatureinflusses benötigt werden. Ziel ist es, die Messtechniken in ihrer Anwendbarkeit zu vergleichen und eine Empfehlung für die Praxis zu geben.

Strukturveränderungen in Betonkörpern, beispielsweise verursacht durch Risse oder Feuchte, können über den Einsatz der Codawelleninterferometrie erfasst werden. Der Einsatz dieses Verfahrens erfolgte bislang überwiegend im Labor, an kleinen bis mittelgroßen Objekten. An der duraBASt wurde im Rahmen des EU-Projekts Infrastar von der BAM eingebettete Ultraschallsensoren an der Brücke installiert. Ziel war es, das Verfahren an einem realen Brückenbauwerk zu testen. Hierzu wurden u.a. stationäre Belastungsversuche durchgeführt.

3.4 BIM, Monitoring und ZfP

Building Information Modelling (BIM) beschreibt das digitale Modell eines Bauwerks, das geometrische, topographische und semantische Informationen beinhaltet und für alle Aufgaben im Lebenszyklus (z.B. Betriebsphase) zur Verfügung steht [13]. In der Erhaltungsplanung wird BIM kaum angewendet, obwohl die Vorteile bereits dargelegt wurden [13; 14]. Eine mögliche Ursache ist, das es kaum 3D-Modelle von Bestandsbrücken vorliegen und ein grundsätzlicher Forschungsbedarf besteht.

Um die Möglichkeiten der Digitalisierung von Bestandsbrücken und deren Vor- und Nachteile aufzeigen zu können, wurden von der duraBASt-Brücke anhand verschiedener Verfahren zwei 3D-Modelle erstellt. Die 3D-Modelle dienen als Grundlage zur Erstellung eines BIM-Modells. Zum einen wurde ein parametrisches 3D-Modell auf Grundlage der Bestandunterlagen erstellt (Abb. 5).

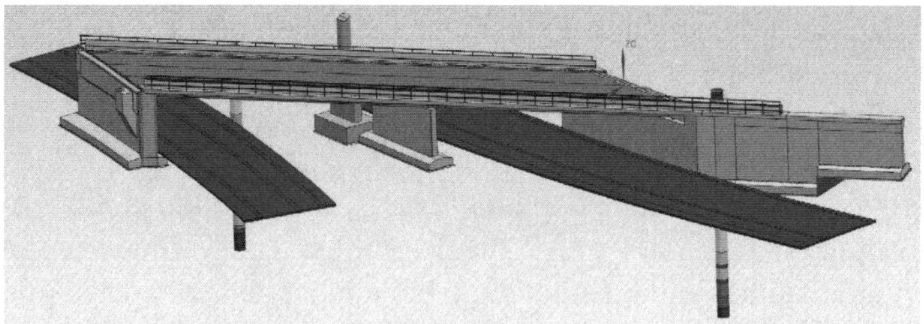

Abb. 5. 3D-Modell duraBASt-Brücke auf Grundlage der Bestandsunterlagen [14]

Zum anderen wurde ein 3D-Modell auf Grundlage eines Laserscans erstellt, hierzu wurde die gesamte Brücke inklusive der Hohlkästen (Abb. 6) gescannt. Aus den einzelnen Scans wurde eine Punktewolke erstellt, aus der dann das 3D-Modell einschließlich der Modellierung des Hohlkastens abgeleitet wurde. Aktuell ist dieses Modell ein reines Volumenmodell, die einzelnen Teile der Brücke, beispielsweise Fahrbahnplatte oder Widerlager, können nicht angesteuert werden. Dadurch ist beispielsweise die Bestimmung des Volumens des Fahrbahnaufbaus nicht möglich.

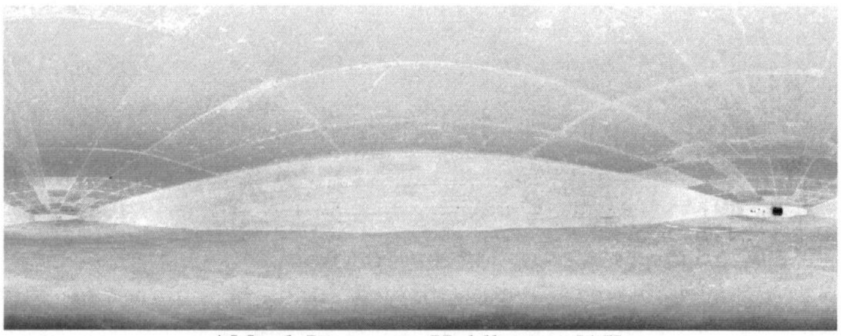

Abb. 6. Laserscan Hohlkasten [15]

Für die Erweiterung der 3D-Modelle zu einem BIM-Modell und die Nutzung des Modells in der Betriebsphase der Brücke ist eine Anreicherung mit semantischen Daten notwendig. Beispielsweise sollten für die Erhaltungsplanung Informationen zu den Bauwerksprüfungen, bislang eingesetzten Materialien und durchgeführten Instandsetzungsmaßnahmen im BIM-Modell verfügbar sein. Die Verknüpfung der Modelle mit Messdaten ist eine weitere Aufgabe im Rahmen der Erhaltungsplanung. Hierzu werden zum einen die Lage der Sensoren mit Information zu Messparameter, Alter, Hersteller usw. verknüpft, aber auch die Messergebnisse könnten im Modell verfügbar gemacht werden. Beispielsweise ist es denkbar, dass die o.g. Feuchtigkeitssensoren im Modell verortet werden und eine Verknüpfung mit den Messdaten hergestellt wird. Bei Überschreitung von vorher festgelegten Grenzwerten, könnten beispielsweise die Überschreitungen im Modell farblich hervorgehoben werden.

Die Ortung der Längsspannglieder erfolgte an zuvor eingemessenen Punkten der Brücke in den Feldern 1 und 2 durch den Einsatz von Radar- und Ultraschallverfahren. Mit dem Radarverfahren wurden die äußeren Längsspannglieder und mit dem Ultraschallverfahren Längsspannglieder bis zu einer Tiefe von 100 cm detektiert. Allerdings konnten nur die außen liegenden Längsspannglieder geortet werden, wie die Abb. 9 zeigt. Die georteten Längsspannglieder liegen teilweise deutlich von der angezeigten Lage im Bewehrungsplan entfernt. An der Seitenfläche am Längsträger 1 im Feld 1 trägt die Solltiefe 10 cm, ermittelt wurden Tiefenlagen von bis zu 23 cm [16].

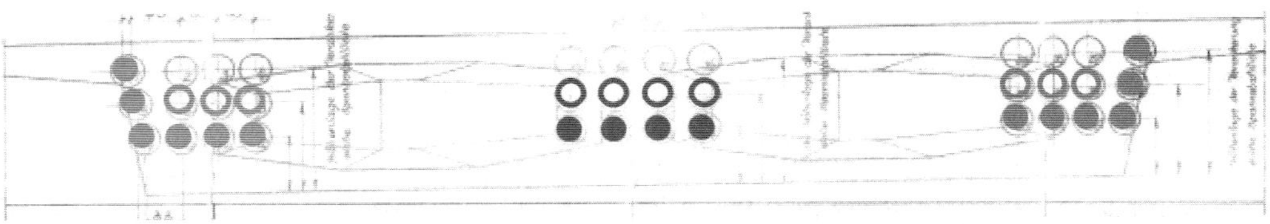

Abb. 8. Vollständig oder teilweise detektierten Längsspannglieder an der nördlichen Endverankerung der duraBASt-Brücke [verändert nach 16]

Die Schichtdicke des Fahrbahnaufbaus auf der duraBASt-Brücke wurde mit Hilfe von Radarmessungen bestimmt [17]. Im Ergebnis zeigt sich eine relativ ungleichmäßige Fahrbahndicke, wie der Abb. 7 entnommen werden kann.

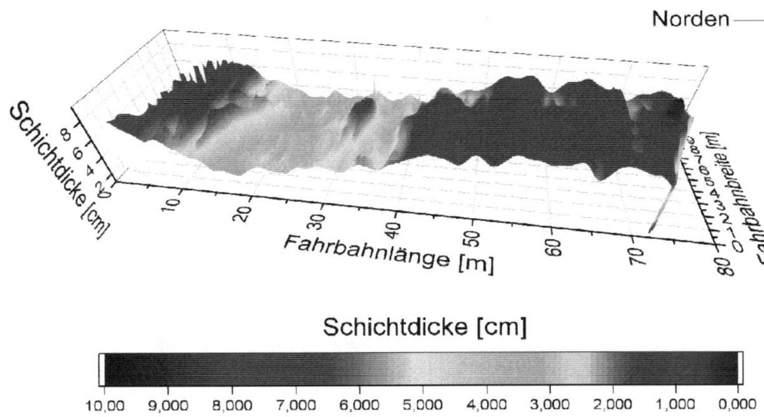

Abb. 7. Schichtdicke des Fahrbahnaufbaus [verändert nach 17]

Die Einbindung von Informationen aus der Bestimmung der Schichtdicke und den Informationen aus der Ortung der Längsspannglieder in das BIM-Modell ist beabsichtigt. Die Vorgehensweise und die Art der Datenverknüpfung stellt allerdings noch eine zukünftige Forschungsaufgabe dar.

3.4 Entwicklung eines „Digital Twin“

Der Digital Twin ist ein digitales Abbild einer Brücke und beschreibt die Eigenschaften und das Verhalten über dessen gesamten Lebenszyklus. Er besteht aus einem virtuellen Bauwerksmodell zur Visualisierung des geometrischen Aufbaus sowie Modellen zur Simulation von funktionalen und physikalischen Eigenschaften sowie dynamischen Prozessen. Ein Teilschritt auf dem Weg zur Entwicklung eines Digital Twins ist die Erstellung eines Finite-Element-Modells. Von der duraBASt-Brücke wird ein Finite-Element-Modell entwickelt. Hierbei handelt es sich um ein Strukturmodell einer Brücke, welches das Tragverhalten der Brücke realitätsnah abbilden soll. Die Möglichkeiten, Herausforderungen und Chancen der Abschätzung der Tragreserven mit kalibrierten Finite-Element-Modellen soll aufgezeigt werden. Die Kalibration wird die Annäherung des Rechenmodells an das gemessene Tragwerksverhalten unter definierter Belastung ermöglichen. Hierzu wird ein Konzept für die erforderlichen Messgrößen, die für die Kalibration des Modells notwendig sind, erstellt.

4. Fazit

Der Einsatz von Monitoring bei Bestandsbrücken ist keine Standardaufgabe, das Monitoring kann aber die Möglichkeit bieten die Brücke weiter zu ertüchtigen und damit die Leistungsfähigkeit der Verkehrsinfrastruktur zu gewährleisten. Im Rahmen der Pilotstudie „duraBASt-Brücke“ werden verschiedene Einsatzmöglichkeiten von Monitoring getestet.

Die Messtechnik ermöglicht den Einsatz an Straßenbrücken, aktuell fehlt aber der Transfer des Wissens von der Forschung und den Herstellern zu den Anwendern. Besonders die Straßenbauverwaltungen sind hier als Anwender zu nennen. Daher stellt die Pilotstudie eine gute Möglichkeit dar, den praktischen Einsatz von Monitoring aufzuzeigen und den Anwenderdialog zu ermöglichen.

Die Möglichkeiten der Nutzung von BIM und Digital Twin in der Erhaltungsplanung und die Einbindung von Monitoring- und ZfP-Daten werden ebenfalls im Rahmen der duraBASt-Brücke untersucht. Die Nutzung dieser Konzepte in der Erhaltungsplanung wird angestrebt, hier sind jedoch noch Forschung- und Abstimmungsarbeiten notwendig. Beispielsweise muss die notwendige Detailtiefe der Modelle für die Erhaltungsplanung geklärt werden. Relevant ist es, die Vorteile für den Bauwerksbetreiber deutlich zu machen.

Referenzen

[1] BMVI (2016): Stand der Ertüchtigung von Straßenbrücken der Bundesfernstraßen.

[2] Marzahn, G.(2016): Instandsetzungsbedarf von Infrastrukturbauten in Deutschland. In: Müller, H. S., Nolting, U., Haist, M. (Hg.): Symposium Baustoffe und Bauwerkserhaltung - Bauwerkserhaltung. Instandsetzung im Beton- und Stahlbetonbau.

[3] DBV(2018): Merkblatt „Monitoring: Planung, Vergabe und Betrieb“.

[4] Schubert, M., Betz, W., Niemeier, E., Ziegler, D., Majka, M., Straub, D., Walther, C. (2019): Wirtschaftlichkeitsuntersuchungen von Monitoringmaßnahmen – Entwicklung eines Konzepts für die Analyse von Nutzen und Kosten von Monitoringmaßnahmen. Abschlussbericht zum Projekt FE 89.0331/2017. Unveröffentlicht.

[5] Haardt, P.(2018): Intelligente Brücke. In: DGZfP (Hg.): Fachtagung Bauwerksdiagnose 2018.

[6] BASt (2017): duraBASt Demonstrations-, Untersuchungs- und Referenzareal der Bundesanstalt für Straßenwesen. Online Verfügbar unter: www.durabast.de. Zugriffsdatum: 28.11.2019.

[7] Kruschwitz, S. (2014): Feuchtemessung im Bauwesen - ein Überblick. In: DGZfP (Hg.): Fachtagung Bauwerksdiagnose 2014.

[8] Mouhasseb, H. (2007): Bestimmung des Wassergehalts bei Beton mittels eines neuen dielektrischen Messverfahrens. Dissertation an der Universität Karlsruhe.

[9] Strangfeld, C., Kruschwitz, S., Hase, F., Nagel, S., Wöstmann, J. (2016): Multimethodische Bestimmung von Feuchtegradienten in Estrich. Poster 11. In: DGZfP (Hg.): Berichtsband Fachtagung Bauwerksdiagnose 2016.

[10] BS2 Sicherheitssysteme GmbH (2019): CorroDec 2G | Feuchte- / Potential- / Korrosionssensoren. Online erreichbar unter http://www.bs2-sicherheitssysteme.de/de/produkte/ corrodec2g-feuchte-potential-korrosions-sensoren. Zugriffsdatum 28.11.2019.

[11] Sensortec (o.J.): Datenblatt - Feuchtesensor „Multiringelektrode. Online verfügbar unter: http://www.sensortec.de/images/pdf/Datenblatt_Multiringelektrode_de.pdf. Zugriffsdatum 28.11.2019.

[12] Strangfeld, C. (2017): Einbettung der RFID basierten Feuchtesensoren in die duraBASt Brücke. Interner Bericht – unveröffentlicht.

[13] Singer, D., Borrmann, A. (2016): Machbarkeitsstudie BIM für Bestandsbrücken. Abschlussbericht zum Projekt FE 89.0309.

[14] Bednorz, J., Hindersmann, I., Duschl, M. (2018): BIM bei Bestandsbrücken – Modellbildung zur Umsetzung der duraBASt-Brücke. Interner Bericht - unveröffentlicht.

[15] Jäger, K. (2018): 3D-Laserscan der duraBASt-Brücke-, sowie Ableitung des 3D-Modells auf der Grundlage der Laserscan-Daten. Interner Bericht - unveröffentlicht.

[16] Willmes, M., Schulze, S. (2019): Prüfbericht Nr. 143-2019 zu Bestimmung der Längsspannglieder der duraBASt-Brücke. Interner Bericht - unveröffentlicht.

[17] KIWA GmbH Bauconsulting (2019): Bestimmung der Schichtdicke des Belags oberhalb der Fahrbahnplatte an der duraBASt-Brücke. Interner Bericht - unveröffentlicht.

Bewertung von Schadensfällen aus gutachterlicher Sicht – Produkthaftungsrelevante Fragen der zerstörenden und zerstörungsfreien Werkstoffprüfung

Franziska AHRENS [1]
[1] MQ Engineering, Rostock
Kontakt E-Mail: info@mq-engineering.com

Kurzfassung

Bei Bauteilschäden, die zu Personen- und /oder zu hohen Sachschäden führen, erfolgt in der Regel zunächst vor einer juristischen Aufarbeitung eine Untersuchung des Schadens durch technische Sachverständige (Gutachter).

Dabei handelt es sich um Spezialisten, die neutral und unparteiisch die technischen Fakten und die Schadensursachen klären und diese an die Juristen weitergeben.

Die Juristen bewerten diese Fakten nach Gesetzen und Grundsatzurteilen.

Wesentlich ist, dass in jedem derartigen Fall ausschließlich der Einzelfall selbst technisch und juristisch geprüft und bewertet wird.

Das beinhaltet auf der Gutachterseite nicht nur die Klärung des Schadensmechanismus selbst, sondern auch die Prüfung der technischen Versäumnisse, die zu dem Schaden geführt haben.

Im Rahmen des Vortrags werden in kurzer Form einige wesentliche Grundsätze für das Handeln der Ingenieure und Techniker im täglichen Praxisalltag angesprochen, deren Einhaltung zur Schadensvorbeugung zwingend erforderlich ist. Die Beachtung dieser Grundsätze ist für den einzelnen Ingenieur und Techniker auch persönlich von Bedeutung, da im Fall eines Produkthaftungsschadens auch einzelne Mitarbeiter, die für den Schaden mitverantwortlich sind, haftbar gemacht werden können.

Bewertung von Schadensfällen aus gutachterlicher Sicht-

Produkthaftungsrelevante Fragen der zerstörungsfreien und zerstörenden Werkstoffprüfung

MQ Engineering GmbH

Dr. Franziska Ahrens

Hansestraße 27
18182 Rostock-Bentwisch
Tel.: 0381/ 12836-0

info@mq-engineering.com

Akkreditierungen/ Öffentliche Bestellungen

Inspektionsstelle Typ A
Kompetenz nach
DIN EN ISO/IEC 17020:2012

Deutsche Akkreditierungsstelle GmbH

Akkreditierung

MQ Engineering GmbH
Hansestraße 27, 18182 Rostock-Bentwisch

Prüflaboratorium
Kompetenz nach
DIN EN ISO/IEC 17025:2018

Deutsche Akkreditierungsstelle GmbH

Akkreditierung

MQ Engineering GmbH
Hansestraße 27, 18182 Rostock-Bentwisch

IHK

BESTELLUNG

Die Industrie- und Handelskammer zu Rostock
bestellte am 08. Dezember 1998

Frau Dr.-Ing. Franziska Ahrens

geb. am 24. März 1960 in Karl-Marx-Stadt

nach erfolgter Vereidigung
zur öffentlich bestellten und vereidigten

**Sachverständigen für
Metallische Werkstoffprüfung
und Schadensanalyse.**

Die Bestellung wird gem. § 2 Abs. 4 der
Sachverständigenordnung vom 10. September 2012

verlängert bis zum 31. Dezember 2023.

Auszug aus dem Leistungsspektrum

- **Schadensanalyse und Erarbeitung von Abhilfemaßnahmen**
- **Technische Unterstützung in Gerichts- und Versicherungsfällen**
- **Materialprüfungen in zahlreichen Industriebranchen u.v.a.m.**

engineering

13.02.2020 © MQ Engineering GmbH 2020 3

1. Einleitung

13.02.2020 © MQ Engineering GmbH 2020 4

Gutachter (Spezialist)

- **Klärt neutral und unparteiisch technische Fakten**

➡ **Weitergabe der Fakten an die Juristen**

Jurist

- **Bewertet die Fakten juristisch (Gesetze und Grundsatzurteile)**

13.02.2020 5

Geprüft und bewertet wird ausschließlich der Einzelfall, d. h. bewertet werden die <u>technischen Versäumnisse</u> im Einzelfall!

13.02.2020 6

„Gefühlter“ Handlungsrahmen ist die wirtschaftliche Situation

- Preisdruck
- Globalisierung
- Verdrängungswettbewerb (Distributionsverluste)
- Kostendruck in allen Prozessen

2. Kurzer Blick auf die Rechtsgrundlagen

Folgen fehlerhafter Produkte

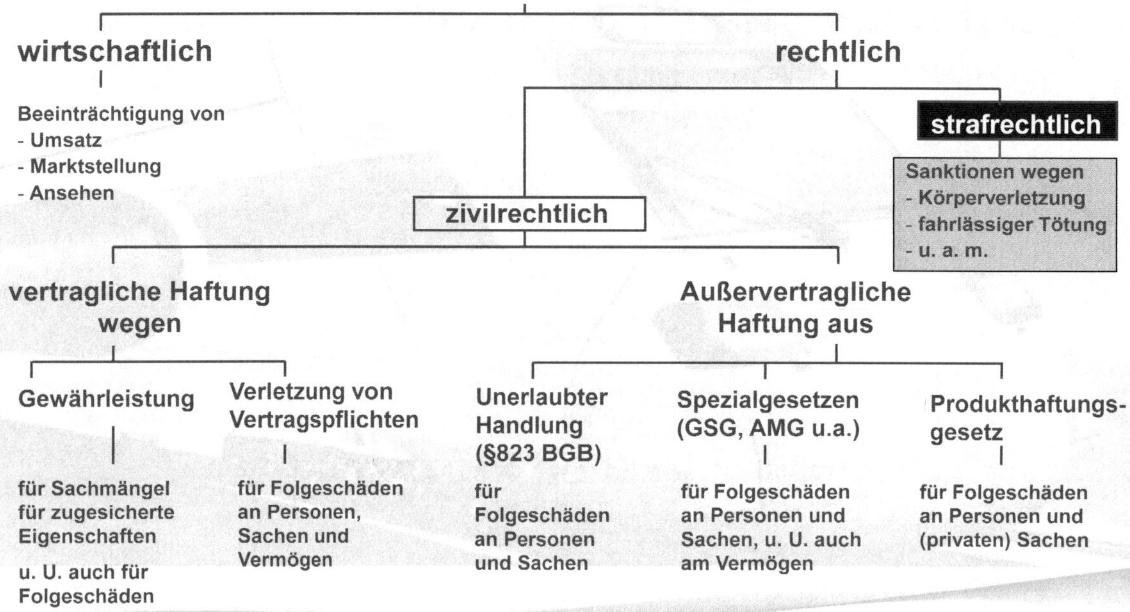

13.02.2020 © MQ Engineering GmbH 2020 9

Folgen fehlerhafter Produkte

strafrechtlich

Sanktionen wegen
- **Körperverletzung**
- **fahrlässiger Tötung**
- **u. a. m.**

13.02.2020 © MQ Engineering GmbH 2020 10

Strafrechtliche Produkthaftung
orientiert sich
an den zivilrechtlichen
Gefahrenabwehrpflichten
im Sinne der
deliktischen Produkthaftung,

d. h. im Sinne der
„unerlaubten Handlung“:

13.02.2020 © MQ Engineering GmbH 2020 11

Grundvoraussetzungen

1. fehlerhaftes Produkt
2. Kausalität zwischen Fehler und Schaden
3. Schuldhaftes Handeln

→ ***entscheidender Punkt für das Handeln des Ingenieurs***

13.02.2020 © MQ Engineering GmbH 2020 12

Sorgfaltspflichtverletzung im strafrechtlichen Sinn:

Die Haftung trifft **natürliche** Personen.

Das **individuell nachweisbare** Fehlverhalten von verantwortlichen Personen führt zu deren **persönlicher** Haftung.

Haftbar sind auch einzelne Mitarbeiter, die den Fehler (mit) zu verantworten haben!

Haftbar sind nicht zwangsweise die Geschäftsführer!

Diese können aber bei „Nichthaftung“ wegen **Aufsichtspflichtverletzung** belangt werden.

Für das **Handeln des Ingenieurs** zur Vermeidung von Personenschäden (und hohen Sachschäden) sind die bereits seit mehr als 100 Jahren geltenden gesetzlichen Regeln anzuwenden, die in adäquater Weise in das seit 1.1.1990 geltende deutsche Produkthaftungsgesetz übernommen wurden.

Die allgemeine Sorgfalts- und Verkehrssicherungspflicht (BGB von 1900 und 1903)

Die Verkehrssicherungspflicht wurde dabei durch die aktuelle Rechtsprechung begrenzt durch die sogenannte **„Verkehrserwartung“**.

<u>Wer</u>

- eine Gefahrenquelle schafft,
- erkennt oder
- hätte erkennen können (!!!!!)

hat die zum Schutze…. notwendigen Maßnahmen zu ergreifen.

13.02.2020 © MQ Engineering GmbH 2020 17

Inhalt und Grenzen der zu ergreifenden Maßnahmen werden durch zwei Rechtsbegriffe gesetzt:

► das technisch Mögliche

und

► das wirtschaftlich Zumutbare

13.02.2020 © MQ Engineering GmbH 2020 18

Wirtschaftlich zumutbar ist alles, was technisch möglich ist!

(bei großer Gefährdung ist wirtschaftlich „alles“ zumutbar)

Auch wenn die Maßnahmen zur **Sicherung der Qualität** gegenüber dem **eventuell geringen Wert** eines sicherheitsrelevanten Bauteils „unangemessen“ hoch (teuer) erscheinen, **sind sie zwingend geboten.**

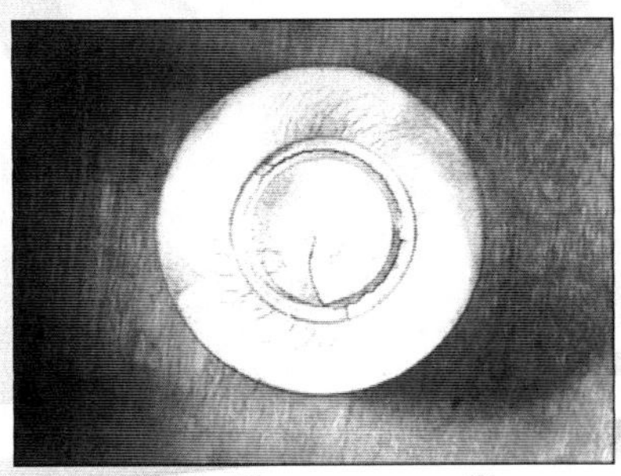

Daraus abgeleitet gibt es

Kardinalspflichten

- **keine Freizeichnung und**
- **keine Abbedingung möglich**

13.02.2020 © MQ Engineering GmbH 2020 21

d. h. die Pflichten aus der allgemeinen
Sorgfalts- und Verkehrssicherungspflicht
in Bezug auf Personenschäden
und Sachschäden können nicht vertraglich auf
andere wie z. B. Zulieferer
verlagert werden

13.02.2020 © MQ Engineering GmbH 2020 22

Stand der Technik:

stellt das technisch Erforderliche dar
(gilt auch für den geregelten Bereich)

enthält das den Fachleuten verfügbare Fachwissen

► wissenschaftlich begründet,
praktisch erprobt und
ausreichend bewährt.

**Das Fachwissen,
das als Stand der Technik gilt,
muss nicht als „Regel“ oder „Norm“ vorliegen.**

**Das Nichtanwenden von Normen
muss begründet werden.**

**Die Anwendung von Normen
gilt im Umkehrschluss
nicht als „Freizeichnung“.**

Wer hat eine „allgemeine Sorgfalts- und Verkehrssicherungs- Pflicht“?

13.02.2020 © MQ Engineering GmbH 2020 25

Der Hersteller/ Betreiber haftet

bei der eigenen Herstellung für

- Konstruktionsfehler
- Fabrikationsfehler
- Instruktionsfehler
- Produktions-beobachtungsfehler
- Organisationsfehler
- Produkt-beobachtungsfehler

bei der Zulieferung für

- Fehlerhafte Auswahl und Kontrolle des Zulieferers
- Unzureichende Prüfung der angelieferten Zulieferteile
- Falsche oder ungenügende Vorgaben an Zulieferer
- Nicht-Befolgen der Hinweise des Zulieferers

13.02.2020 © MQ Engineering GmbH 2020 26

3. Wichtige Punkte für die technische Umsetzung der juristischen Anforderungen

Bauteil- und aufgabenbezogene Durchdringung der nachfolgenden Problemkreise

- Aussagefähigkeit von Prüfbescheinigungen- keine Zertifikate/ Inhalt
- Aussagefähigkeit von Normen
- Aufgaben der ZfP und der zerstörenden Werkstoffprüfungen
- ganzheitliche Betrachtung

Bauteil- und aufgabenbezogene Durchdringung der nachfolgenden Problemkreise

- Nachweisgrenzen von Prüfverfahren- **Physik**
- Aussagefähigkeit und Zuverlässigkeit von Prüfverfahren- **Human-Factors**
- Anforderungen an Personal, Technik, Organisation der Prüfverfahren-
  DIN EN ISO 9712 + 17025

4. FAZIT:

Leitsätze für das Handeln von Ingenieur und Techniker

Technische Prüfungen (ZfP + ZP) erhalten rechtlichen Wert, wenn sie

- ► produktspezifisch

und

- ► für die vorhersehbaren Anwendungen

technisch direkt aussagefähige Werte und Erkenntnisse liefern können.

13.02.2020 © MQ Engineering GmbH 2020 31

- ► **Ausrichtung aller Maßnahmen durchgängig auf den Prozess –**

Entwicklung	Fertigung	Betrieb	Recycling

- ► **produktspezifisch orientiert an der Anwendung**

13.02.2020 © MQ Engineering GmbH 2020 32

Handlungshilfe für den Ingenieur:

Bei **jedem** Bauteil sind zur Sicherung der Qualität des Bauteils/ zur Vermeidung von relevanten Schäden folgende Fragen zu stellen:

1. Was passiert, wenn das Bauteil versagt?
2. Können Personen zu Schaden kommen?
3. Kann hoher Sachschaden eintreten?

13.02.2020 © MQ Engineering GmbH 2020 33

**Für Bauteile,
bei deren Versagen Personenschaden
oder hoher Sachschaden eintreten kann,
ist eine durchgängige Prozesssicherung
zwingend erforderlich, unabhängig
von der Bauteilgröße und vom eventuell
geringen „Wert" des Bauteils!**

13.02.2020 © MQ Engineering GmbH 2020 34

Bauteile,
bei deren Versagen
weder Personenschaden noch
hoher Sachschaden entstehen kann,
erfordern „nur“ Sicherungsmaßnahmen
in Abhängigkeit von der Schadenssumme
(kein Gießkannenprinzip)!

Vielen Dank für Ihre Aufmerksamkeit

und viel Erfolg bei Ihrer verantwortungsvollen Tätigkeit!

A Literaturliste der genutzten Quellen

/1/ Bauer, C.-O. und Fr. Graf von Westphalen:
Das Recht zur Qualität; Springer- Verlag 1996/ ISBN-Nr. 3-540-58679-2

/2/ Bauer, C.-O, und Chr. Hinsch:
Produkthaftung – Herausforderung an Manager und Ingenieure; Springer-Verlag 1994; ISBN-Nr. 3-540-55519-6

/3/ Bauer, O.C.: Notwendiges Wissen vom Recht für Prüfingenieure Aus: ZfP-Zeitung. Ausgaben 66 bis 68, 1999
Literaturdienst der DGZfP

/4/ DVS- Merkblatt 3006: Produkthaftung und Gewährleistung in der Schweißtechnik, ISBN-Nr. 3-87155-198-8

B Literaturliste zum Nachlesen

/5/ Heimann, J.: Produkthaftung – was müssen Qualitäter wissen?;
Input-Referat zur 41.Sitzung des Technikzirkels „Qualitätssicherung"
am 15.09.2005;
http://www.mach1-weiterbildung.de/fileadmin/user_upload/Zirkel/QS/Produkthaftung.pdf

/6/ Rechtsabteilung der Festo AG & Co. (Hrsg.); Leitfaden Produkthaftung
https://www.festo.com/net/SupportPortal/Files/7397/Leitfaden_Produkthaftung.pdf

/7/ Groß, Ch.: Produkthaftung und Produktsicherheit : 3.te Auflage, DIHK, 2008

Nutzung von ZfP-Daten bei der Nachrechnung von Brücken – Beispiel Regenbrücke Roding

Stefan MAACK [1], Stefan KÜTTENBAUM [1]
[1] Bundesanstalt für Materialforschung und -prüfung BAM, Berlin
Kontakt E-Mail: Stefan.maack@bam.de

Kurzfassung

Im Laufe des Lebenszyklus einer Brücke kann es erforderlich sein, diese hinsichtlich der Tragfähigkeit neu zu bewerten. Ursächlich hierfür sind beispielsweise sich ändernde Einwirkungen, wie steigende Verkehrslasten oder auch neuere Erkenntnisse, die beim ursprünglichen Bauwerksentwurf noch nicht berücksichtigt wurden. Die aufgeführten Ursachen treten hierbei meisten nach mehreren Jahrzehnten der Nutzung des Bauwerkes auf. In Deutschland findet eine planmäßige Neubewertung für Brückenbauwerken des Bundes und der Länder auf Basis der im Mai 2011 eingeführten Nachrechnungsrichtline statt. Neben der Neubewertung zur Gewährleistung der Zuverlässigkeit im laufenden Betrieb ist es insbesondere im Rahmen des Abbruches von Bauwerken wichtig Resttragfähigkeiten beurteilen zu können.
Die Zuverlässigkeit der Berechnungsergebnisse hängt insbesondere von der Anzahl und von der Qualität der einbezogenen Informationen ab. Durch die Anwendung von zerstörungsfreien Prüfmethoden können quantitative Informationen gesammelt werden, die für die Beurteilung der Tragwerke sowohl relevant als auch ausreichend genau sind. Die gemessenen Daten können explizit in probabilistische Berechnungsmodelle für die Nachrechnung einer Brücke einfließen. Dadurch wird das Modell sukzessive an die Realität angenähert — in anderen Worten: "zugeschärft". Die Zuverlässigkeit der Ergebnisse der Nachrechnung steigt.
In diesem Beitrag wird an einem konkreten Beispiel der gegenwärtige Stand von Technik und Forschung für ausgewählte Fragstellungen gezeigt. Im Rahmen der erstellten Abbruchstatik einer vorgespannten Brücke aus Beton wurden Ergebnisse der zerstörungsfreien Prüfung verwendet, um Spanngliedlagen für eine Beprobung zu detektieren. Darüber hinaus wurden die Messergebnisse mit wissenschaftlichen Methoden (Phasenauswertung) ausgewertet, um den Zustand der Verpressung der Spannglieder beurteilen zu können. Weiterhin werden die gewonnenen Messdaten der zerstörungsfreien Prüfung verwendet, um den Nachweis zu erbringen, dass auf deren Grundlage eine zuverlässigere Beurteilung der Tragfähigkeit des Bauwerkes erfolgen kann. Hierfür werden die ersten Ergebnisse der Voruntersuchungen für den Biegenachweis der vorgespannten Brücke präsentiert.

BAM
Bundesanstalt für Materialforschung und -prüfung

Sicherheit in Technik und Chemie

14.02.2020

NUTZUNG VON ZFP-DATEN BEI DER NACHRECHNUNG VON BRÜCKEN – BEISPIEL REGENBRÜCKE RODING

Stefan Maack[1] , Stefan Küttenbaum[1]

[1] Bundesanstalt für Materialforschung und –prüfung

www.bam.de

1

Nachrechnung - Abbruchstatik

BAM

2

Nachrechnung – Abbruchstatik (Variante 2)

BAM

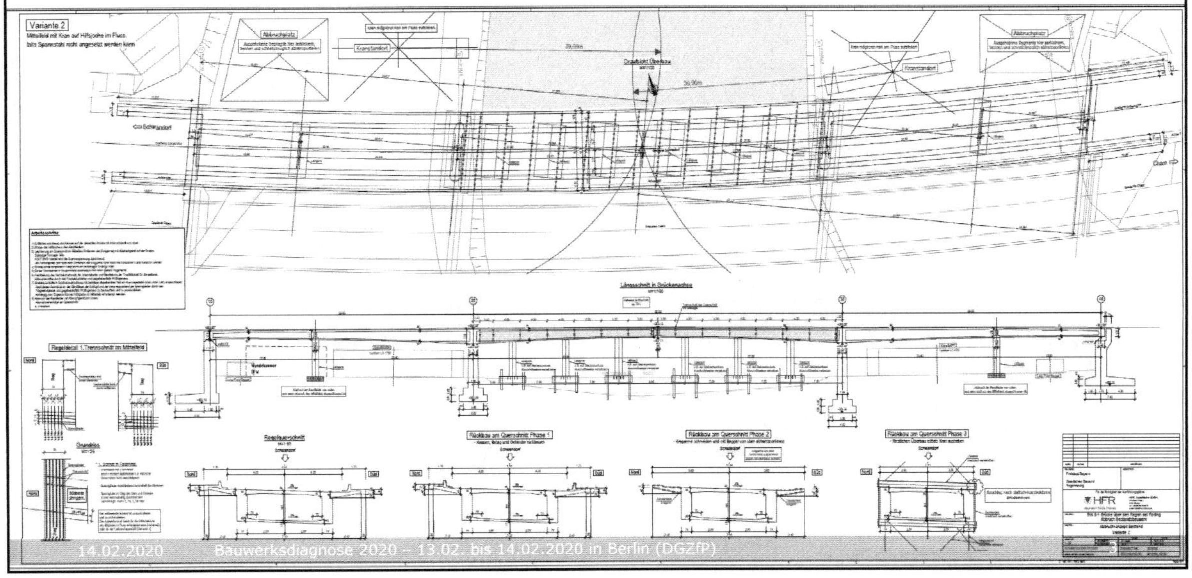

14.02.2020 Bauwerksdiagnose 2020 – 13.02. bis 14.02.2020 in Berlin (DGZfP)

3

Nachrechnung – Abbruchstatik (Variante 1)

BAM

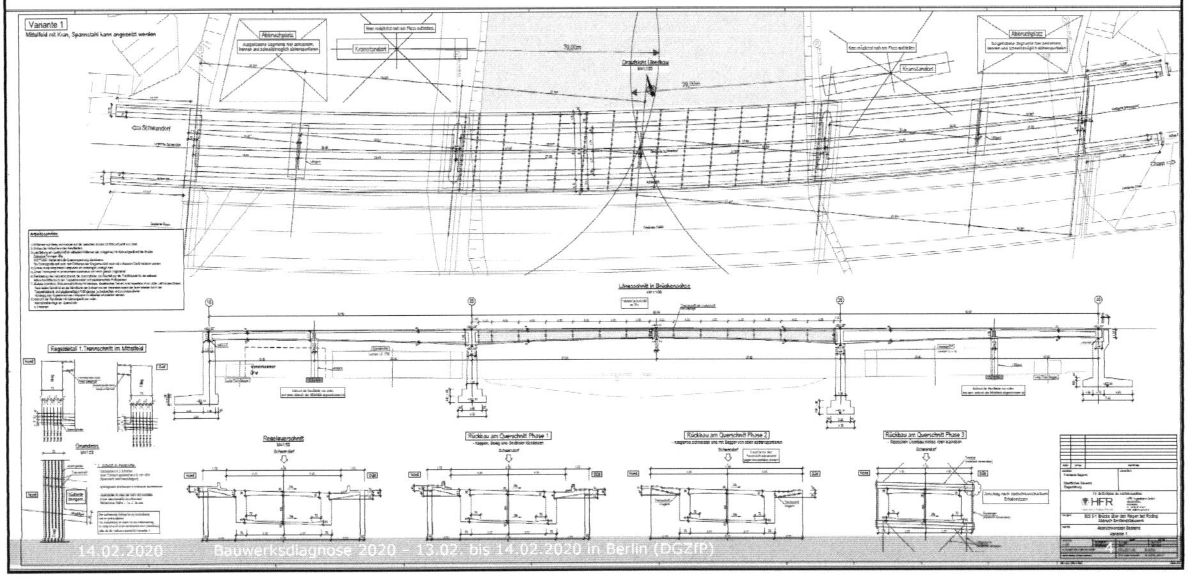

14.02.2020 Bauwerksdiagnose 2020 – 13.02. bis 14.02.2020 in Berlin (DGZfP)

4

Nachrechnung - Abbruchstatik

BAM

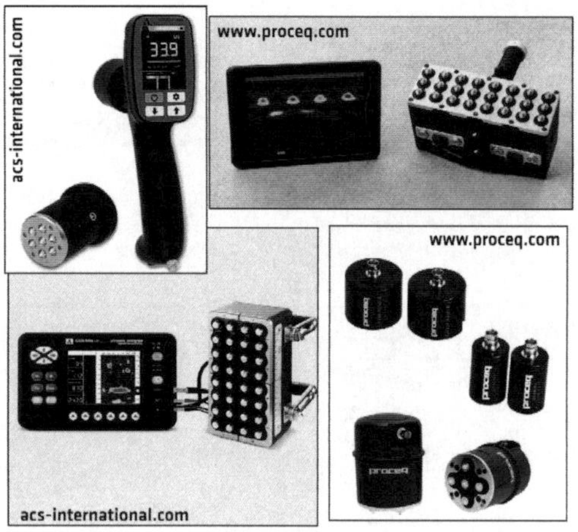

- Nur einseitiger Zugang zum Bauteil notwendig
- Niederfrequente Sensoren mit einem Frequenzspektrum von 35 kHz bis 100 kHz
- Einzelmessköpfe, Gruppenstrahler, Lineararray, Tomographiekopf (siehe Abbildung)
- Longitudinal- / Transversalwellen
- Vorteil Array: Optimierung der Ankopplung
- Materialien: Beton, Asphalt, Holz
- Kommerzielle Ultraschall-Messtechnik an einem automatisierten Messsystem (BAM Entwicklung)
- Art der Auswertung – Phasenauswertung (Stand der Forschung)

5

Nachrechnung - Abbruchstatik

BAM

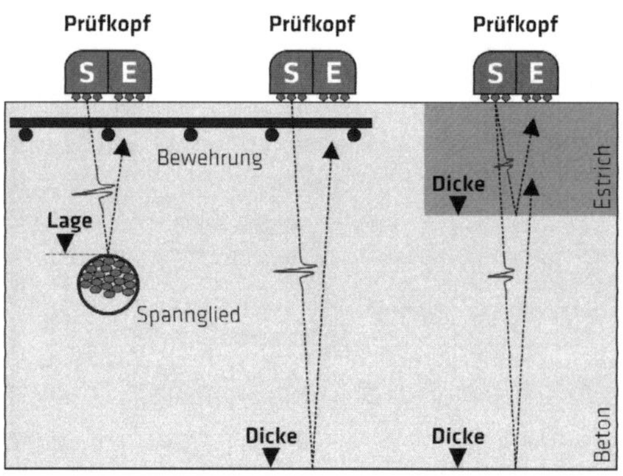

- Nur einseitiger Zugang zum Bauteil notwendig
- Niederfrequente Sensoren mit einem Frequenzspektrum von 35 kHz bis 100 kHz
- Einzelmessköpfe, Gruppenstrahler, Lineararray, Tomographiekopf (siehe Abbildung)
- Longitudinal- / Transversalwellen
- Vorteil Array: Optimierung der Ankopplung
- Materialien: Beton, Asphalt, Holz
- Kommerzielle Ultraschall-Messtechnik an einem automatisierten Messsystem (BAM Entwicklung)
- Art der Auswertung – Phasenauswertung (Stand der Forschung)

6

Nachrechnung - Abbruchstatik

BAM

14.02.2020 Bauwerksdiagnose 2020 – 13.02. bis 14.02.2020 in Berlin (DGZfP) 7

7

Nachrechnung - Abbruchstatik

14.02.2020 Bauwerksdiagnose 2020 – 13.02. bis 14.02.2020 in Berlin (DGZfP) 8

8

Nachrechnung - Abbruchstatik

BAM

Lage der Messfelder der Ultraschallmessungen am Bauwerk

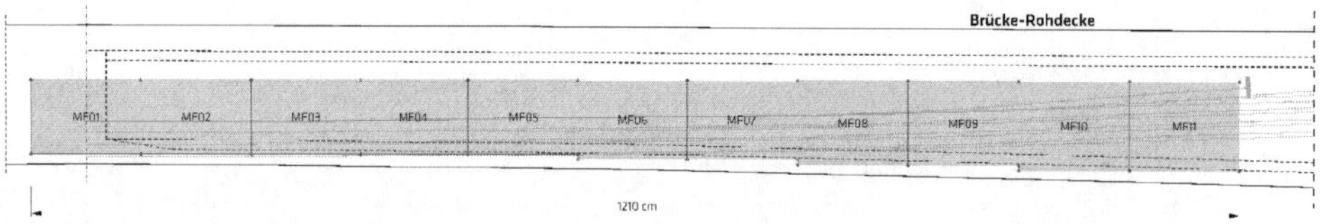

Ergebnis der Ultraschallmessungen (Tiefenbereich 4 cm bis 8 cm)

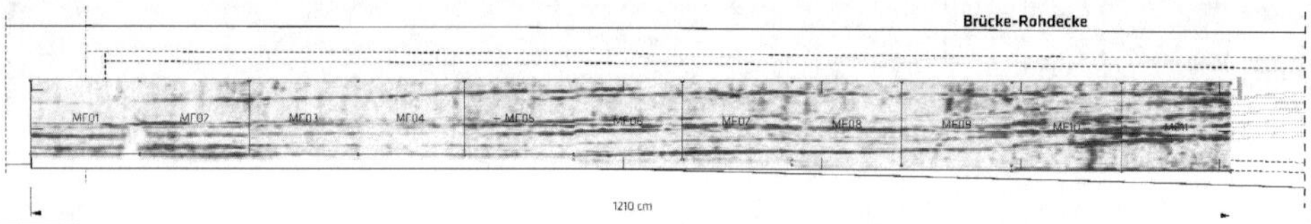

14.02.2020 Bauwerksdiagnose 2020 - 13.02. bis 14.02.2020 in Berlin (DGZfP) 9

9

Nachrechnung - Abbruchstatik

BAM

Ergebnis der Ultraschallmessungen (Tiefenbereich 4 cm bis 8 cm)

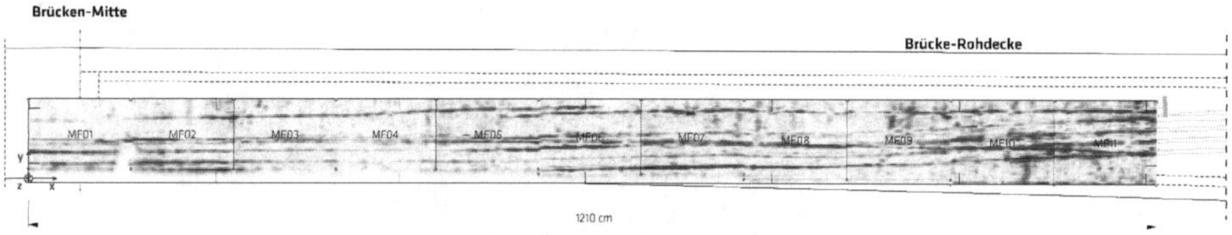

Lage der Beprobungspunkte durch Bohrkernentnahme

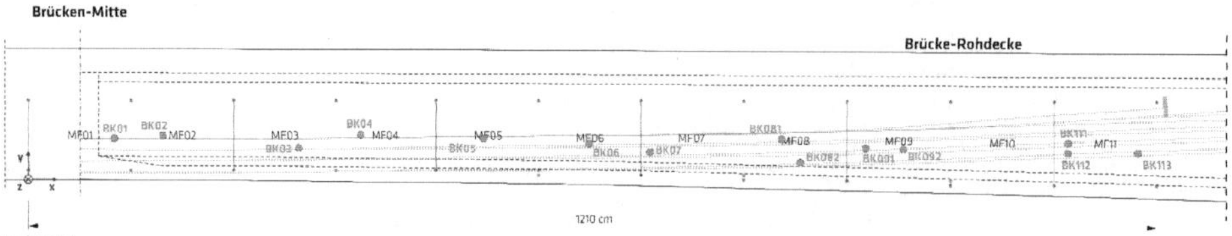

14.02.2020 Bauwerksdiagnose 2020 - 13.02. bis 14.02.2020 in Berlin (DGZfP) 10

10

Nachrechnung - Abbruchstatik

BAM

11

Nachrechnung - Abbruchstatik

BAM

Nr.	Messfeld	x-Achse in cm	y-Achse in cm	US Ergebnis	Bezeichnung Beprobung	Ergebnis Beprobung	Evaluierung ZfPBau
1	MF01	92	44	schallhart	BK01	verpresst	✓
2	MF02	144	47	schallhart	BK02	verpresst	✓
3	MF03	290	34	schallhart	BK03	verpresst	✓
4	MF04	357	48	schallhart	BK04	verpresst	✓
5	MF05	490	44		BK05	verpresst	
6	MF06	604	39	schallhart	BK06	verpresst	✓
7	MF07	670	30		BK07	verpresst	
8	MF08	810	44	schallweich	BK081	verpresst	?
9	MF08	830	19	schallhart	BK082	verpresst	✓
10	MF09	900	34	schallhart	BK091	verpresst	✓
11	MF09	940	34		BK092	verpresst	
12	MF11	1115	30	schallhart	BK112	verpresst	✓
13	MF11	1115	40		BK111	verpresst	
14	MF11	1190	30	schallweich	BK113	verpresst	?

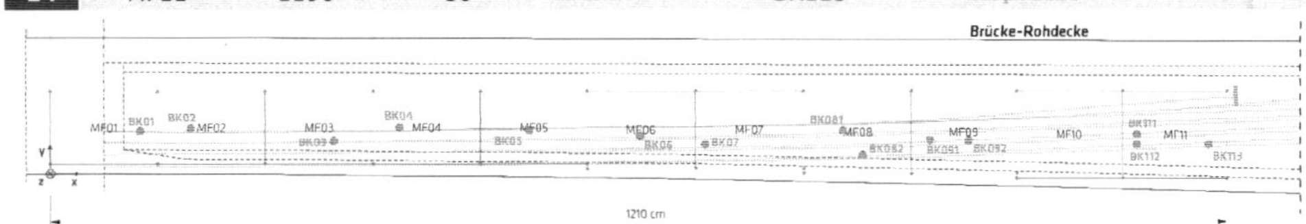

12

Nachrechnung - Abbruchstatik

BAM

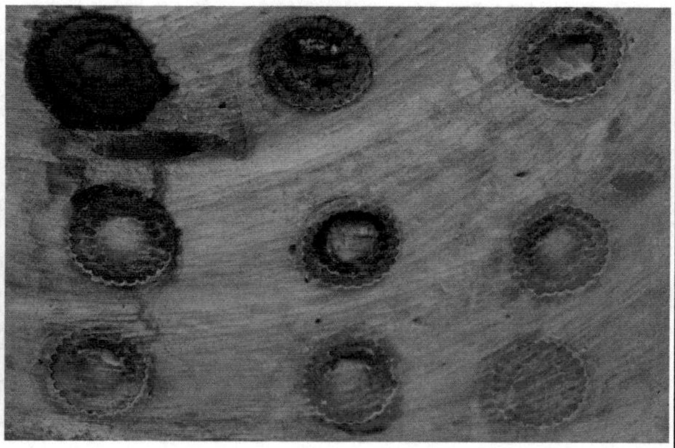

14.02.2020 Bauwerksdiagnose 2020 - 13.02. bis 14.02.2020 in Berlin (DGZfP) 13

13

BAM

VALIDIERUNG VON ZFP-VERFAHREN FÜR DIE BEURTEILUNG VON BESTANDSBAUWERKEN
– BEISPIEL REGENBRÜCKE RODING

Stefan Küttenbaum[1] , Thomas Braml[2] , Alexander Taffe[3] , Stefan Maack[1]

[1] Bundesanstalt für Materialforschung und -prüfung

[2] Universität der Bundeswehr München

[3] HTW Berlin

www.bam.de

14.02.2020 Bauwerksdiagnose 2020 - 13.02. bis 14.02.2020 in Berlin (DGZfP) 14

14

Warum messen?

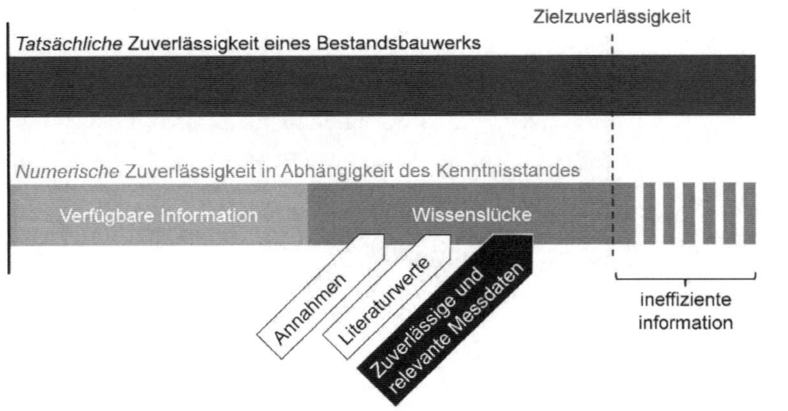

[Küttenbaum et. al. 2019] Bewertung von Bestandsbauwerken mit gemessenen Daten. Teil 1: Konzept, Messungen und Leistungsfähigkeit der ZfP-Verfahren. Beton- und Stahlbetonbau 114 (2019), Heft 6, S. 370–382.

14.02.2020 Bauwerksdiagnose 2020 - 13.02. bis 14.02.2020 in Berlin (DGZfP) 15

15

Konzept - Nachrechnung mit gemessenen Daten

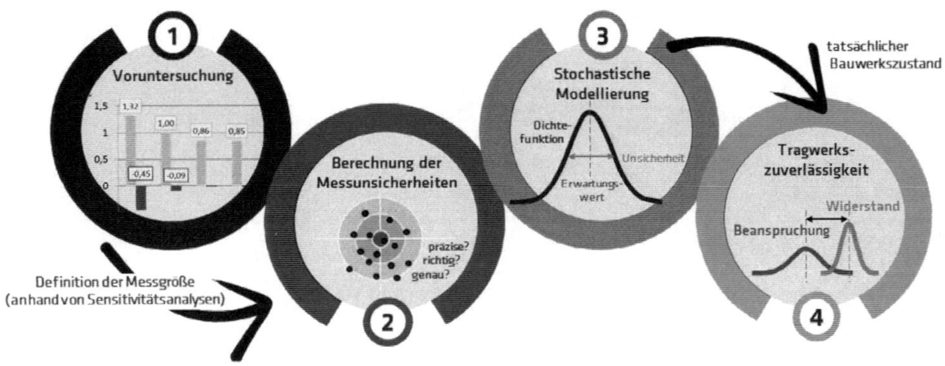

14.02.2020 Bauwerksdiagnose 2020 - 13.02. bis 14.02.2020 in Berlin (DGZfP) 16

16

Konzept - Nachrechnung mit gemessenen Daten
BAM
[Küttenbaum et. al. 2019] Bewertung von Bestandsbauwerken mit gemessenen Daten. Teil 1: Konzept, Messungen und Leistungsfähigkeit der ZfP-Verfahren. Beton- und Stahlbetonbau 114 (2019), Heft 6, S. 370–382.
Ultrasound
Radar
Spannglieder mit Messergebnis (Kap. 5)
Zusätzl. mit ZfP zuverlässig geortete Spanngl.
Erwartete Spannglieder gemäß Bestandsplan
36
26
30
34
25
42
40
33
Laterale Lage
Tiefenlage
Seitliche Messfläche
Untere Messfläche
14.02.2020
Bauwerksdiagnose 2020 - 13.02. bis 14.02.2020 in Berlin (DGZfP)
17

17

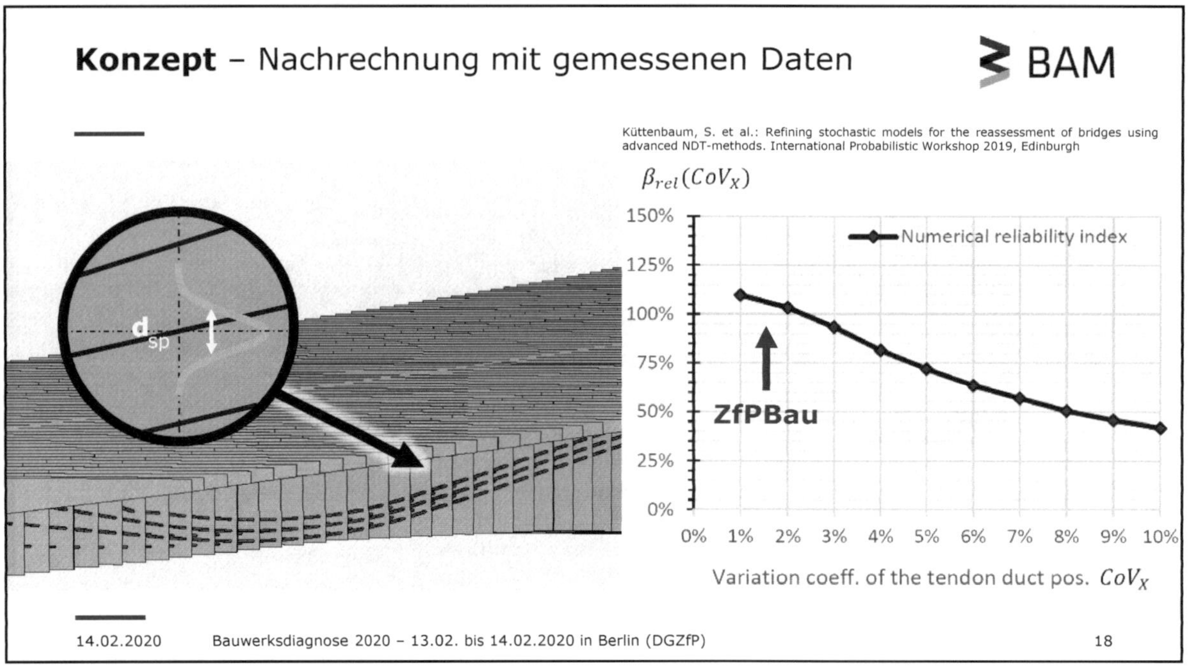

Konzept - Nachrechnung mit gemessenen Daten
BAM
Küttenbaum, S. et al.: Refining stochastic models for the reassessment of bridges using advanced NDT-methods. International Probabilistic Workshop 2019, Edinburgh
d
sp
$\beta_{rel}(CoV_X)$
150%
125%
100%
75%
50%
25%
0%
Numerical reliability index
ZfPBau
0%
1%
2%
3%
4%
5%
6%
7%
8%
9%
10%
Variation coeff. of the tendon duct pos. CoV_X
14.02.2020
Bauwerksdiagnose 2020 - 13.02. bis 14.02.2020 in Berlin (DGZfP)
18

18

Konzept – Nachrechnung mit gemessenen Daten

BAM

14.02.2020 Bauwerksdiagnose 2020 – 13.02. bis 14.02.2020 in Berlin (DGZfP) 19

19

Konzept – Nachrechnung mit gemessenen Daten

BAM

14.02.2020 Bauwerksdiagnose 2020 – 13.02. bis 14.02.2020 in Berlin (DGZfP) 20

20

BAM
Danke für die Aufmerksamkeit
Kontakt:
Stefan Maack
T: +49 30 8104 4246
M: +49 175 743 9111
E: stefan.maack@bam.de
www.bam.de
14.02.2020
Bauwerksdiagnose 2020 – 13.02. bis 14.02.2020 in Berlin (DGZfP)
21

21

Instandsetzung und Monitoring am Spannbetondeckel des Blockes C des U-Bahnhofes Sendlinger Tor in München

Gerd ZIEGENHORN [1], Fabian LÖNS [2]
[1] Zilch + Müller Ingenieure GmbH, München
[2] SWM, München
Kontakt E-Mail: gerd.ziegenhorn@zm-i.de

Kurzfassung. Im Zuge der Modernisierung und Instandsetzung des U-Bahnhofes Sendlinger Tor in München wurde ein unter einer Kreuzung liegender Spannbetondeckel des Bauwerkes ertüchtigt. Da unabhängig von dieser Maßnahme weiterhin ein erhöhtes Schadenspotential für Spanndrahtbrüche besteht, wurde der Deckel mit einem Dauermesssystem auf Basis von Glasfasern ausgestattet. Dieses dient dazu, mögliche Rissbildungen in Zukunft detektieren und frühzeitig Sicherungsmaßnahmen ergreifen zu können.

Einführung

Der 1971 eröffnete und im Jahr 1980 erweiterte U-Bahnhof Sendlinger Tor zählt aufgrund seiner zentralen Lage mit ca. 250.000 Personen pro Tag zu den am stärksten frequentierten Zugangs- und Umsteigebahnhöfen im Münchner U-Bahn-Netz. Pro Tag finden circa 1.600 U-Bahn-Abfahrten statt, das entspricht in etwa einer Abfahrt pro Minute. Aus dem Alter des Bahnhofes, dem erhöhten Fahrgastaufkommen und den höheren Anforderungen an Sicherheit, Brandschutz und Technik ergibt sich der Handlungsbedarf, den kompletten Bahnhof zu sanieren und modernisieren. Des Weiteren wird der Bahnhof um zwei neue Zugangsbauwerke erweitert. Die gesamten Baumaßnahmen finden unter laufendem U-Bahn-Betrieb statt.

1. Deckel Block C

1.1 Konstruktion

Einen zentralen Bereich des Sperrengeschosses (Verteilerebene) stellt der Block C dar. Der Deckel dieses Bereichs wurde als Spannbetonkonstruktion ausgeführt. Direkt oberhalb des Spannbetondeckels liegt die vielbefahrene (ca. 100.000 Fahrzeuge pro Tag) Kreuzung Lindwurmstraße/Sonnenstraße des Münchner Altstadtrings. Als Besonderheit weist der Spannbetondeckel neben den tragenden Spanngliedern in Nord-Süd-Richtung leere Hüllrohre in Ost-West-Richtung auf. Während des Baus der U-Bahn-Station war geplant, den gesamten Münchner Altstadtring zu untertunneln. Dieser hätte dann direkt durch das Sperrengeschoss (Block C) des U-Bahnhofes geführt, wofür die Spannrichtung des Deckels geändert worden wäre. Nachdem diese Pläne verworfen wurden, verblieben die leeren Hüllrohre ohne Verwendung im Bauteil.

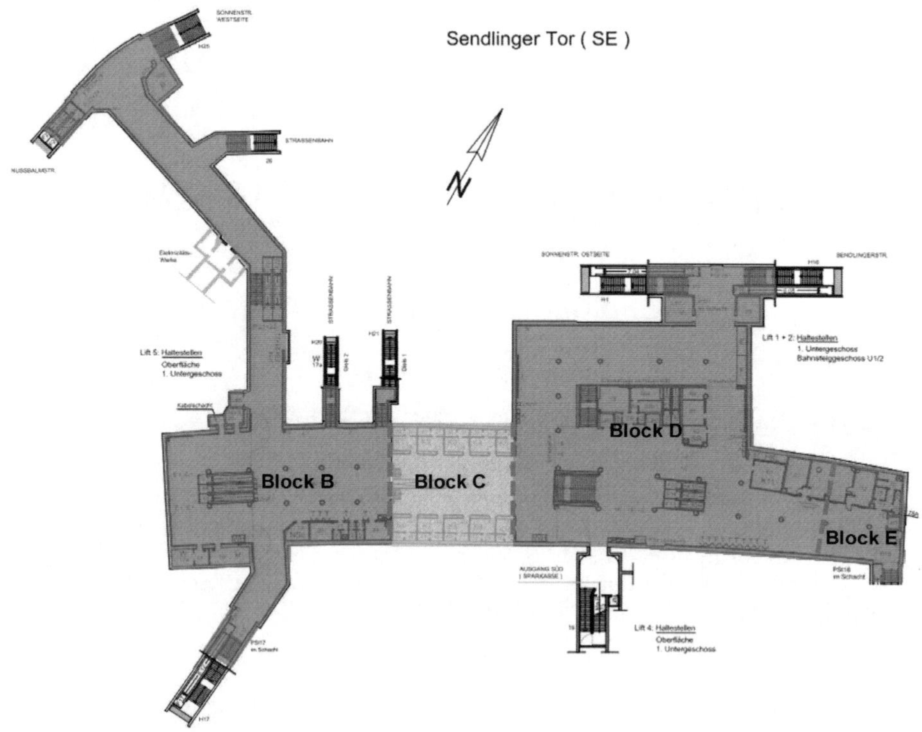

Abb. 1. Grundriss Sperrengeschoss U-Bahnhof Sendlinger Tor, München

Der Deckel hat eine annähernd quadratische Grundfläche (23,20 m in Spannrichtung und 21,60 m in Querrichtung) und weist eine Dicke von 1,40 m auf. In der aktiven Spannrichtung ist der Deckel an der Ober- und Unterseite vorgespannt. Der verwendete Spannstahl ist kein Sigma-Oval-Stahl und somit nicht gefährdet für Spannungsrisskorrosion. Verwendet wurden nachträglich verpresste Spannglieder mit jeweils 12 Drähten Ø 12,2 mm St 125/140 je Spannglied. Die leeren Hüllrohre liegen oberhalb der aktiven Spannglieder.

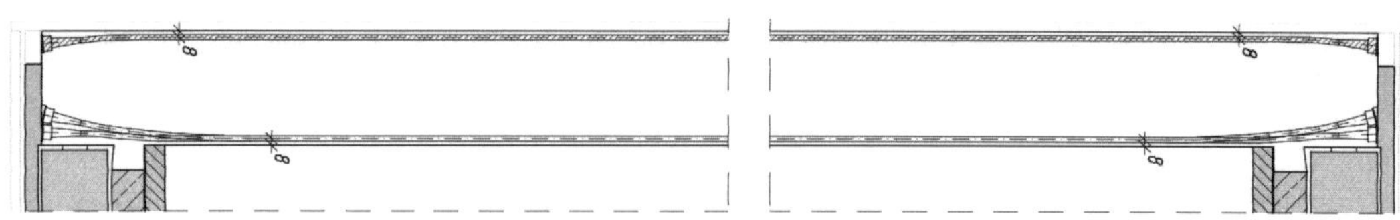

Abb. 2. Aktive Spanngliedlage im Deckelquerschnitt (Nord-Süd-Richtung)

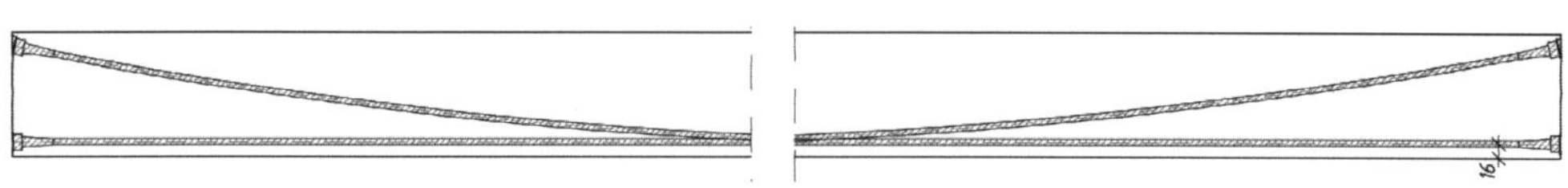

Abb. 3. Lage der leeren Hüllrohre über der aktiven Spanngliedlage (Ost-West-Richtung)

1.2 Auffälligkeiten

An der Unterseite des Deckels sind in der Vergangenheit mehrere Auffälligkeiten und Schäden festgestellt worden. Dazu gehören:

- Betonabplatzungen und korrodierte Bewehrung
- Feuchteeintritt an den Deckelrändern/-übergängen zu den Deckeln B und D
- Salzausblühungen
- Wasseraustritt aus dem Deckel
- Erhöhte Chloridkonzentrationen an der Unterseite des Deckels
- Verpressrückstände und Bohrpacker

Der Schadensverlauf für die innerhalb der Fläche liegenden Auffälligkeiten lässt sich relativ eindeutig rekonstruieren. In die ungenutzten Hüllrohre ist chloridhaltiges Wasser von der Oberfläche eingetreten. In den parabelförmig verlaufenden Hüllrohren hat sich das Wasser im Tiefpunkt in Feldmitte des Deckels gesammelt und dort zur Korrosion der Hüllrohre geführt. Auf diese Weise konnten die Chloride in das Bauteilinnere eintreten. Infolge der Lage der leeren Hüllrohre über den aktiven Spanngliedern führte die erhöhte Chloridkonzentration zwangsläufig zur Depassivierung der schlaffen und vorgespannten Bewehrung. Lokale Korrosion mit teilweise hohen Querschnittsverlusten war die Folge.

2. Bauwerksuntersuchungen

Der Deckel vom Block C wurde in der Vergangenheit im Rahmen von Bauwerksuntersuchungen im gesamten U-Bahnhof umfassend untersucht (2007 bis 2011). Aufgrund der Auffälligkeiten am Deckel des Blockes C wurde im Vorfeld der Instandsetzungsplanung ein Untersuchungskonzept entwickelt, um die Ursachen der Auffälligkeiten zu ermitteln und ein passendes Konzept für die Instandsetzung zu entwickeln. Diese Untersuchungen liefen ab 2012.

2.1 Probeöffnungen an der Oberseite

Aufgrund der erheblichen Auffälligkeiten am Deckel des Blockes C wurden Sondierungsöffnungen auf der Oberfläche in den Deckelrandbereichen erstellt. Dabei wurden neben dem Zustand der Abdichtung auch der Aufbau und die Konstruktion erkundet. Bei diesen Sondierungen wurde festgestellt, dass die leeren Hüllrohre nur mit grob zugeschnittenen eckigen Holzstopfen verschlossen waren. Kamerabefahrungen der zugänglichen Hüllrohre in Ost-West-Richtung ergaben erhebliche Wassermengen in diesen. Die aktiven Spanngliedköpfe in Nord-Süd-Richtung wiesen einen geschützten und guten Zustand auf.

2.2 Spanndrahtbruchortung

Im Winter 2014 wurde eine erste Spanndrahtbruchortung mit dem magnetischen Streufeldverfahren in dem damals zugänglichen Mittelbereich an der Unterseite des Spannbetondeckels durchgeführt. Mit diesem zerstörungsfreien Verfahren können Brüche von Spanngliedern in einer Tiefe bis ca. 20 cm lokalisiert werden. Die Untersuchung von verdeckt liegenden Spanngliedern ist nicht möglich. Zu diesem Zeitpunkt wurden in diesem Bereich keine Brüche detektiert.

Während der Bauausführung wurden Einbauten aus dem Bereich unterhalb des Deckels entfernt, so dass im Sommer 2018 eine weitere Messung im magnetischen

Streufeldverfahren über die gesamte Unterseite des Deckels (mit Ausnahme der Randbereiche) durchgeführt werden konnte. Durch die Untersuchung konnten mehrere Spanndrahtbrüche detektiert werden. Die zerstörungsfreie Bruchortung konnte durch Freilegen der Bereiche mit HDW-Strahlen verifiziert werden.

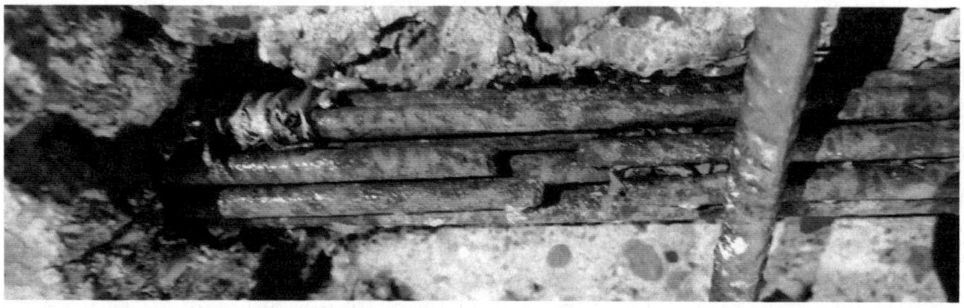

Abb. 4. Spanndrahtbruch und Chloridkorrosionsnarben

2.3 Bohrmehlproben und Potentialfeldmessungen

Bereits bei den Voruntersuchungen wurden an der Unterseite Bohrmehlproben zur Bestimmung des Chloridgehaltes entnommen. Diese wiesen bereits deutlich erhöhte Werte auf. Infolge der Ergebnisse der Spannbruchortung sollten zusätzliche Proben entnommen werden, um den Instandsetzungsumfang und -bereich festlegen zu können. Um hier gezielt vorgehen zu können, wurde an der Unterseite des Deckels eine Potentialfeldmessung durchgeführt.

Mit Hilfe dieser Messung konnte das Schädigungsmuster bestätigt (Tiefpunkt der parabelförmig verlaufenden leeren Hüllrohre) und potentiell gefährdete Bereiche definiert werden. In diesen und in unauffälligen Kontrollbereichen wurden Bohrmehlproben entnommen, um den Schädigungsgrad festzustellen und die Abtragstiefe für die Betoninstandsetzung festzulegen. Die Festlegung des bauwerksspezifischen korrosionsauslösenden Chloridgehaltes erfolgte anhand von Sondierungsöffnungen.

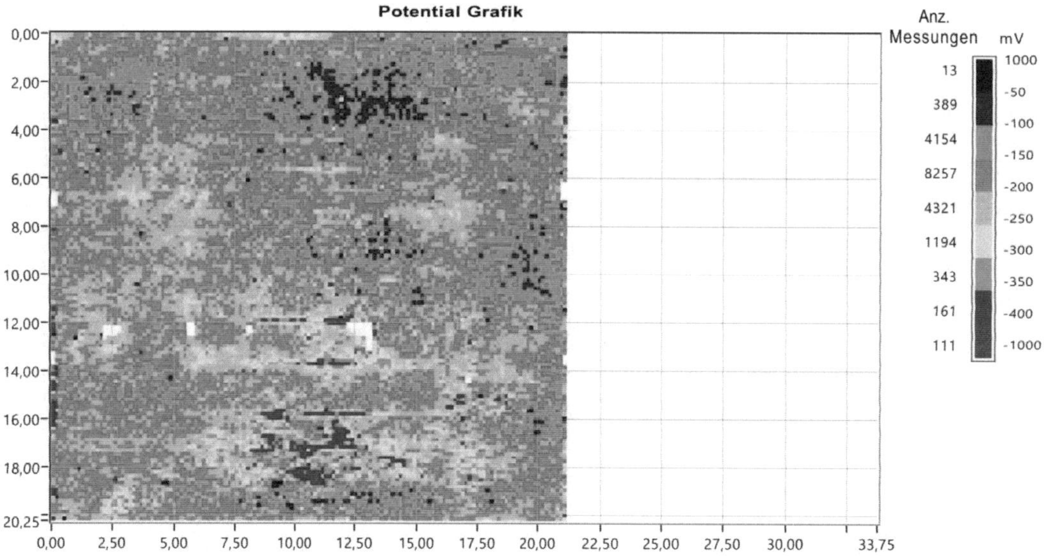

Abb. 5. Ergebnis der Potentialfeldmessung

3. Nachrechnung

Die obere aktive Spanngliedlage in der Nord-Süd-Richtung (Tragrichtung) hat eine planmäßige Betondeckung von ca. 4 cm. Zur weiteren Beurteilung der Gefährdung der Dauerhaftigkeit und Tragfähigkeit, durch eine möglicherweise undichte Deckelabdichtung, wurde eine rechnerische Ausfallbetrachtung durchgeführt. Im Ergebnis konnte nachgewiesen werden, dass ein Versagen der oberen Spanngliedlage kein Standsicherheitsproblem des Bauteils darstellt und ein Versagen des Bauteils nach sich ziehen würde. Im Rahmen der Instandsetzungsarbeiten wurde entschieden die Abdichtung zu erneuern um das Versagensrisiko zu reduzieren.

In weiteren Nachrechnungen wurde das Ankündigungsverhalten der Spannbetondecke beim sukzessiven Ausfall der unteren aktiven Spannglieder in Nord-Süd-Richtung (Tragrichtung) betrachtet. Das Ankündigungsverhalten des Deckels (Riss-vor-Bruch Kriterium) konnte unter alleinigem Ansatz der Spannbewehrung nicht nachgewiesen werden. Für eine ausreichende Resttragfähigkeit und zur Herstellung eines Ankündigungsverhaltens wurde daher eine Ertüchtigungsmaßnahme an der Deckelunterseite geplant.

4. Instandsetzungs- und Ertüchtigungsmaßnahmen

Auf Basis der Ergebnisse der Bauwerksuntersuchungen und Nachrechnungen sind an der Unterseite die folgenden Maßnahmen schrittweise umgesetzt worden:

- Betonabtrag und Reprofilierung in den chloridbeaufschlagten Bereichen im Pilgerschrittverfahren (nach Nachweis der Tragfähigkeit im Bauzustand)
- Freilegen des Korngerüstes auf der gesamten Unterseite des Deckels (Untergrundvorbereitung für die Spritzbetonarbeiten)
- Anzeichnen der Spanngliedlagen mittels Radarmessungen
- Einbau der Schubverankerungen
- Einbau der 1. Bewehrungslage der Ertüchtigung (inklusive Glasfaserkabel, vgl. Kap. 5)
- Einspritzen der 1. Bewehrungslage
- Einbau der 2. Bewehrungslage der Ertüchtigung
- Einspritzen der 2. Bewehrungslage
- Auftrag eines Kratzspachtels zur besseren Sichtbarkeit möglicher zukünftiger Risse

Im Zuge der Erstellung der Ertüchtigungsmaßnahmen wurde das im folgenden Kapitel beschriebene Monitoringsystem mit eingebaut. Dies erfolgte in enger Abstimmung zwischen den ausführenden Firmen und unter Berücksichtigung von Maßnahmen zur Vermeidung von Beschädigungen an den Glasfasern.

Abb. 6 und 7. 1. Bewehrungslage und Spritzbetonarbeiten an der Ertüchtigungsmaßnahme

5. Monitoringsystem

Bei dem Spannbetondeckel handelt es sich um ein Bauwerk, welches gemäß den Bauwerksuntersuchungen ein erhöhtes Schadenspotential aufweist. Es wurde daher, um die Sicherheit des Bauwerkes zu erhöhen, entschieden ein Monitoringsystem zu installieren. Ziel ist eine Dauerüberwachung des Deckels auf Risse, welche bei sukzessiven Spanndrahtbrüchen und aufgrund des durch die Spritzbetonschicht hergestellten Ankündigungsverhaltens auf der Deckenunterseite entstehen können. Wenn sich, aufgrund von Spanndrahtbrüchen, Risse bilden, soll die im Bauteil liegende Messtechnik eine frühzeitige Detektion und anschließende Lokalisierung der Risse ermöglichen.

5.1 Messtechnik

Die Messaufgabe wird mit einem Messsystem durchgeführt, das auf Glasfasersensorik basiert. Aufgrund der großen Fläche, die überwacht werden soll (> 400 m²), wurde eine ortsverteilte Glasfasermessung eingesetzt, bei der das gesamte Glasfaserkabel den Sensor darstellt. Das Glasfaserkabel wurde schlaufenförmig an der zu überwachenden Spannbetondecke aufgebracht.

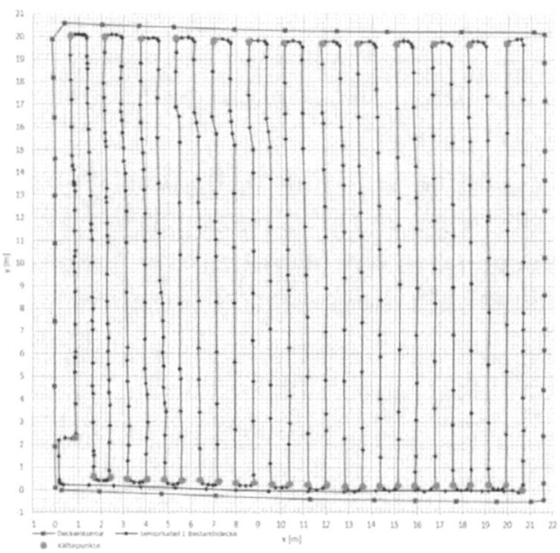

Abb. 8 und 9. Erste Glasfaserlage und schlaufenförmige Verlegung an der Deckenunterseite

Das Messprinzip der verteilten Brillouin-Messung beruht auf der Rückstreuung des Lichts an Dichteschwankungen im Glas. Die Ortsauflösung dieses Verfahrens beträgt unter den hier gegebenen Randbedingungen 0,5 m. Die Messunsicherheit des Systems (LWL-Kabel + Gerät) ist kleiner ± 50 µm/m, wodurch die eventuell auftretenden Risse an der Plattenunterseite der Spannbetonplatte erkannt werden können.

Diese innovative Messtechnik hat gegenüber der konventionellen Methode – optische Rissaufnahme mittels Rissschablone und/oder Risslupe – folgende Vorteile:

- Eine subjektive Rissbeurteilung durch einen Menschen entfällt. Die Resultate der Dehnungsmessung sind für jeden Dritten als objektive Messdaten sichtbar.
- Durch die aufgebrachte Spritzbetonschicht sind die Risse an der Altbetonoberfläche optisch nicht direkt erkennbar. Durch Glasfaser-Sensoren, die vor der Spritzbetonschicht auf die Altbetondecke aufgebracht werden, sind die Risse direkt erkennbar.

- Durch die Arbeitsbedingungen im später mit Geschäften ausgebauten Bahnhofsbereich (schlechte Lichtverhältnisse, nur lokale Zugänglichkeit über Begehungsstege) könnten Risse bei einer rein optischen Überwachung übersehen werden. Wenn die Glasfaser-Sensoren einen ausreichend geringen Abstand aufweisen, ist ein „Übersehen“ von Rissen nahezu ausgeschlossen.

Die Glasfaser-Technologie gilt als sehr langlebig und sollte, sofern keine mechanische Beschädigung der Faser erfolgt, die Nutzungsphase des Spannbetondeckels überdauern.
Als Glasfaserkabel wird ein BRUsens strain V9 Glasfaserkabel der Firma Brugg Kabel AG verwendet.

Die Dauerüberwachung der Gesamtdehnung in den Glasfaserkabeln erfolgt durch das Glasfaserextensometer Pulsar 1400 der Firma GGB mbH. Bei Überschreitung einer vorher festgelegten Grenzdehnung für die Gesamtlänge der jeweiligen Messfaser erfolgt eine automatische Benachrichtigung (Alarmsystem per E-Mail). Die Gesamtdehnung aus dem „Pulsar“ kann zu jeder Zeit über das Einwählen aus dem Internet überwacht werden.

5.2 Installation der Messtechnik

Die Glasfaserkabel wurden in zwei Ebenen installiert. Die 1. Lage soll Risse im nicht mehr zugänglichen Bestandsdeckel ankündigen, während die 2. Lage bei Rissen in der Spritzbetonertüchtigung anspringt. Das Kabel der ersten Lage wurde direkt auf die Bestandsunterseite des Spannbetondeckels appliziert und mit Textilgewebe bewehrt (2K EP-Klebstoff). Durch diese Laminierung der Fasern wird der kraftschlüssige Verbund zwischen der Messfaser und der Deckenunterseite gewährleistet, sowie ein mechanischer Schutz der Glasfaser während des Spritzvorgangs hergestellt. Das Glasfaserkabel der 2. Lage wurde an der 1. Bewehrungslage der Ertüchtigungsmaßnahme installiert. Zum Schutz der Fasern beim Betonieren wurden Glasfaserkabel mit einem Kunststoff-Mantel verwendet.

Um eine Temperaturkompensation der Dehnungsmessung durchführen zu können, wurde unmittelbar neben jedem Glasfaserkabel ein Temperaturkompensationskabel aus Kupfer verlegt.

Abb. 10. Fertig installiertes System mit Markierungen an der Deckenunterseite

Die Glasfaserkabel sind in einem Abstand von 0,80 m am Spannbetondeckel (erste Lage) und 1,60 m in der Spritzbetonschicht (zweite Lage) über die Deckelbreite verlegt. Um die Glasfasern vor einer Beschädigung der nachfolgenden Gewerke zu schützen, wurden diese oberhalb eines jeweiligen Bewehrungsstabes der Ertüchtigungsmaßnahme verlegt. Zusätzlich wurde das tatsächliche Verlegungsraster der Glasfasern auf der Spritzbetondecke und auf den angrenzenden Wänden angezeichnet. In diesen Bereichen besteht ein Installations- / Bohrverbot für Ausbaugewerke.

5.3 Überwachungskonzept

Die Gesamtdehnung der beiden Glasfaserlagen wird kontinuierlich durch die zwei Glasfaserextensometer gemessen. Bei der Überschreitung des festgelegten Grenzwertes der Gesamtdehnung erfolgt eine Alarmmeldung.

Direkt nach dem Einbau wurde eine Nullmessung (Brillouin-Messung) durchgeführt. Durch die zweite Glasfaserlage im Spritzbeton können die Schwindverformungen genauer betrachtet werden. Diese müssen, um Fehlmeldungen zu vermeiden, herausgefiltert werden. Nach Abklingen der zeitabhängigen Verformungen des Spritzbetons der Ertüchtigungsmaßnahme wird ein geeigneter Grenzwert definiert. Ab diesem Zeitpunkt laufen die Messungen weitgehend automatisch. Die Zeitabstände für die regelmäßige Durchführung der Brillouin-Messungen kann dann deutlich vergrößert werden. Bei der Festlegung des Grenzwertes sind auch Einflüsse aus Verkehrsbelastungen zu berücksichtigen.

Grundsätzlich können aufgrund der Verlegungsrichtung des Glasfaserkabels nur Risse quer zur Spannrichtung detektiert werden. Eine Rissbildung an der Altbetondecke oder dem nachträglich aufgebrachten Spritzbeton wird sich durch eine überproportionale Dehnungszunahme in dem Glasfaserkabel auswirken. Diese Dehnungszunahme führt zu einer Überschreitung des Grenzwertes und somit zu einer Alarmmeldung. Mittels einer nachfolgend durchgeführten Brillouin-Messung vor Ort kann die Dehnungszunahme lokalisiert werden und die jeweilige Stelle (bzw. Stellen, wenn mehrere Risse aufgetreten sind) kann genauer untersucht werden.

Eine Auswertung und Bewertung der ortsverteilten Dehnungsmessung erfolgt anschließend unter Berücksichtigung der statischen und konstruktiven Aspekte. Wenn es zu einer Rissbildung (ggf. Spanndrahtbrüche) kommt, sind die betroffenen Bereiche genauer zu untersuchen und eventuell notwendige Maßnahmen können frühzeitig eingeleitet werden.

6. Zusammenfassung

Der Spannbetondeckel des U-Bahnhofes Sendlinger Tor in München wurde im Rahmen der Modernisierung des U-Bahnhofes instandgesetzt und ertüchtigt. Begleitend wurde ein Glasfasermonitoringsystem installiert, um frühzeitig auf eventuell auftretende Risse reagieren zu können. Mit dem gesamten Paket aus baulichen und messtechnischen Maßnahmen wurde eine sichere und wirtschaftliche Lösung für den Erhalt des Deckels gefunden und umgesetzt.

Einsatz von Radar und Ultraschallecho im Zuge von Brückenverstärkungen

Michael WILLMES [1], Anja MÜLLER [1]
[1] Implenia Construction GmbH, Mannheim
Kontakt E-Mail: michael.willmes@implenia.com

Kurzfassung. Durch Bauwerksverstärkung mit externer Vorspannung kann die Restnutzungsdauer von Bestandsbrücken erhöht werden. Bei der externen Vorspannung sind jedoch umfangreiche Eingriffe in die bestehende Bausubstanz in Form von Kernbohrungen und Verankerungsbohrungen für Verbunddübel erforderlich. Das Radarverfahren und das Ultraschallecho-Verfahren ermöglichen eine zuverlässige Spannglied- und Bewehrungsortung vor Ausführung von Kern- und Verankerungsbohrungen.

Im vorliegenden Beitrag wird über die Erfahrungen in der Anwendung der zerstörungsfreien Prüfverfahren aus mehr als 20 Brückenverstärkungen berichtet. Es werden die verschiedenen Aufgabenstellungen dargestellt und geeignete Herangehensweisen beschrieben. Weiterhin werden mögliche Formen der Dokumentation vorgestellt und die bei der endgültigen Festlegung der Bohrstellen zu beachtenden Toleranzen aufgezeigt. Abschließend werden Beispiele zur Ausschreibung von zerstörungsfreien Prüfungen gegeben.

1. Einführung

Das Verkehrsaufkommen ist in Deutschland in den letzten Jahren stetig angestiegen, insbesondere der Anteil an Schwerlastverkehr hat hierbei überproportional zugenommen. Den veränderten Einwirkungen auf die Brücken wurde zwar durch eine Anpassung der Bemessungslasten für Neubauten Rechnung getragen, jedoch sind viele Bestandsbauwerke den zukünftigen Beanspruchungen nicht mehr in ausreichendem Maße gewachsen. Eine Möglichkeit bestehende Traglastdefizite von Bestandsbrücken zu kompensieren und somit die Restnutzungsdauer zu erhöhen, ist die Bauwerksverstärkung mit externer Vorspannung. Hierbei werden Spannglieder seitlich, außerhalb des Bestandsquerschnitts angeordnet. Bei der Ausführung sind Eingriffe in den Bestand, in Form von Verankerungs- und Kernbohrungen erforderlich, bei denen die internen Spannglieder nicht beschädigt werden dürfen und die Beeinträchtigung der schlaffen Bewehrung minimiert werden sollte.

Durch den gezielten Einsatz zerstörungsfreier Prüfverfahren auf Radar- und Ultraschallbasis können die internen Spannglieder und Bewehrungseisen vor der Ausführung von Bohrungen geortet werden und ermöglichen somit eine substanzschonende Durchführung von Verstärkungsmaßnahmen.

2. Messverfahren

Bei der Anwendung des **Radarverfahrens** im Bauwesen werden elektromagnetische Wellen in das Bauteil eingeleitet und der zeitliche Verlauf der Reflexionsamplitude aufgezeichnet. Hierzu wird üblicherweise eine Messapparatur (Antenne) kontinuierlich entlang der Betonoberfläche geführt. Bei sprunghafter Änderung der **Permittivität** (= relative Durchlässigkeit eines Mediums gegenüber elektrischen Feldern) wird ein Teil der Radarwellen reflektiert und von der Radarantenne aufgezeichnet. Metallische Objekte lassen sich mit dem Radarverfahren besonders gut orten, da an deren Oberfläche eine Totalreflexion der Radarwellen stattfindet. Die Radarmessungen erfolgen im Regelfall im Abstand von wenigen Millimetern, quasi kontinuierlich entlang von Messlinien. Die Ergebnisdarstellung erfolgt üblicherweise als Radargramm (Schnitt durch das Bauteil entlang des Messweges) wie in der Abbildung 1, rechts dargestellt. In der linken Hälfte der Abbildung 1 ist die Messung mit der GSSI 2 GHz-Palmantenne zu sehen.

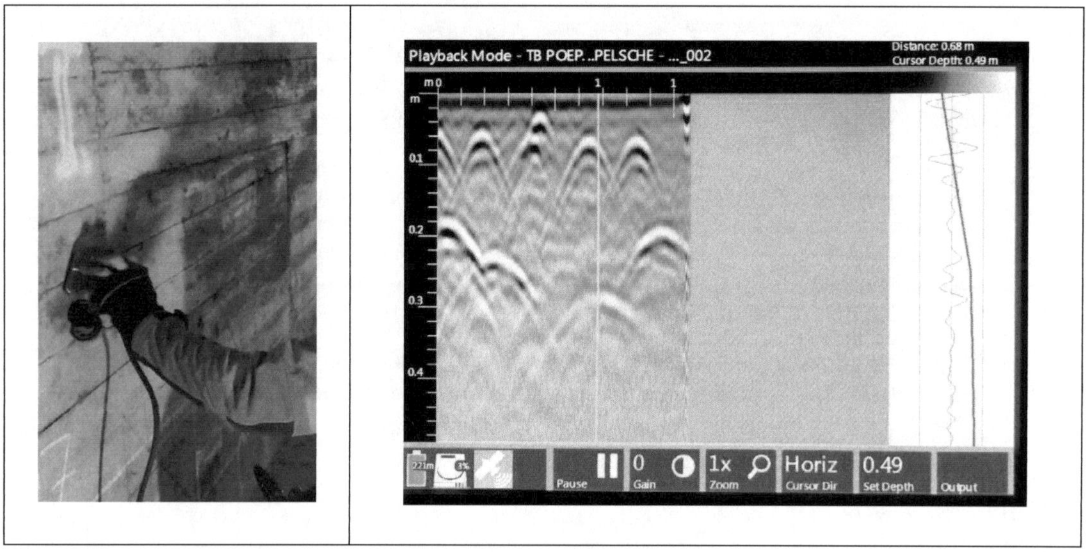

Abbildung 1: Ortung mit GSSI 2 GHz Antenne, links; Ergebnisdarstellung am Gerätemonitor der GSSI SIR 4000, rechts

In den ersten 10 cm sind in der Abbildung 1 rechts die Reflexionshyperbeln der schlaffen Bewehrung zu sehen und zwischen 17 und 28 cm Tiefe die Reflexionshyperbeln von vier Längsspanngliedern.

Das **Ultraschallecho-Verfahren** basiert auf der Analyse reflektierter Schallwellen. Bei der Anwendung des Verfahrens im Bauwesen haben sich in den letzten Jahren Prüfkopfarrays mit Transversalwellenprüfköpfen etabliert. Die Punktkontaktsensoren des Prüfkopfarrays generieren hierbei die hochfrequenten Transversalwellen. Die Schallwellen breiten sich im Untersuchungsobjekt aus und werden an Grenzflächen zweier Materialien mit unterschiedlicher **akustischer Impedanz** (z.B. Übergang Beton zu Luft, oder Beton zu Stahl) reflektiert. Die Schwingungen, die durch die reflektierten Wellen an der Oberfläche entstehen, werden erfasst. Die Auswertung erfolgt beim Ultraschallecho-Verfahren üblicherweise im Zeitbereich, häufig unter Zuhilfenahme sogenannter B-Bilder. Moderne Ultraschallecho-Geräte verfügen über eine online SAFT-Rekonstruktion, wodurch die Ergebnisse unmittelbar nach der Messung fokussiert dargestellt werden. Die Messungen erfolgen diskontinuierlich entlang von Messlinien im Abstand von 5-20 cm - je nach Prüfaufgabe.

In der Abbildung 2 ist in dem linken Teil die Messung mit dem Prüfkopfarray des ACS MIRALITE zu sehen und rechts die Ergebnisdarstellung am Gerätemonitor. Dort zeigt sich in ca. 40 cm Tiefe die Reflexion eines Spannglieds und in ca. 65 cm ist die Rückwandreflexion des Bauteils zu erkennen.

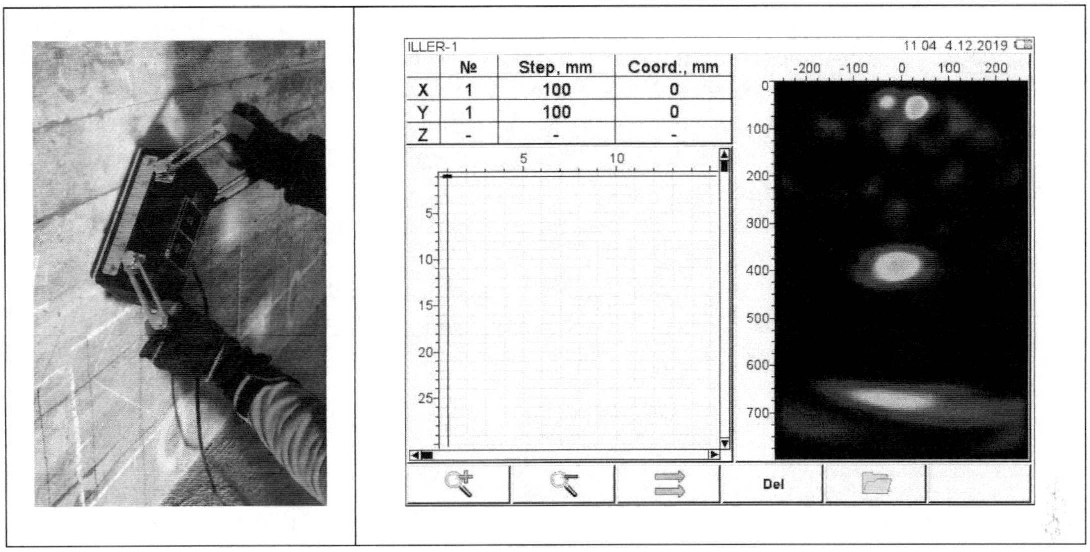

Abbildung 2: Ultraschallgerät ACS MIRA LITE, links; Ergebnisdarstellung am Gerätemonitor, rechts

3. Typische Ortungsbeispiele bei Brückenverstärkungen

3.1 Ankerblöcke

Die Vorspannkräfte der externen Längsvorspannung werden über eine sogenannte verzahnte Bauwerksfuge in das Bestandsbauwerk eingeleitet. Hierzu werden Ankerblöcke ausgeführt, in denen die externen Längsspannglieder verankert sind und die mittels Querspannstäben mit dem Bestandsbauwerk verbunden werden. Vor der Ausführung der Kernbohrungen für die Querspannstäbe müssen die internen Längsspannglieder und die vertikale Schubbewehrung zerstörungsfrei geortet werden.

Abbildung 3: Längsträger einer Brücke nach Ausführung der Kernbohrungen für die Querspannstäbe im Bereich der Kontaktfläche zum neu zu erstellenden Ankerblock

In der Abbildung 3 ist ein Teil eines Brückenlängsträgers zu sehen, an dem die Kernbohrungen für die Querspannstäbe des neu zu erstellenden Ankerblocks nach erfolgter Spannglied- und Bewehrungsortung schadensfrei ausgeführt wurden.

Im dargestellten Beispiel erfolgte zunächst die Bewehrungsortung mit Radar durch Anordnung von vertikalen und horizontalen Messlinien im Abstand von ca. 50 cm zueinander. Die geortete Bewehrung wurde direkt auf dem Bauwerk markiert. Anschließend wurden die Längsspannglieder jeweils zwischen den vertikalen Bewehrungsstäben geortet und ebenfalls markiert. Zur Überprüfung der Ortungsergebnisse des Radarverfahrens erfolgten abschließend noch Messungen mit einem Ultraschallecho-Tomografen, jeweils mittig auf dem zuvor mit Radar georteten Spannglied, oberhalb und unterhalb der planmäßigen Kernbohrstelle.

Im Ergebnis der Ortungen an beiden Ansichtsflächen des Brückenlängsträgers mussten die Kernbohrungen der unteren Reihe ca. 2-3 cm nach unten verschoben werden, um eine Beschädigung der Längsspannglieder zu vermeiden. Weiterhin wurden einzelne Kernbohrungen darüber hinaus seitlich verschoben, um die Beschädigung der vertikalen Schubbewehrung zu minimieren.

3.2 Querträgerdurchdringungen

Insbesondere bei der Verstärkung von Hohlkastenquerschnitten, aber auch zum Teil bei Plattenbalkenquerschnitten ist es notwendig die externen Längsspannglieder durch die Stützquerträger hindurch zu führen. Hierzu sind üblicherweise Kernbohrungen mit einem Durchmesser von 150-200 mm erforderlich. Nicht selten weisen Querträger Bauteildicken von 1 m und mehr auf. Die Abbildung 4 zeigt links einen Planausschnitt mit der Ansicht eines Querträgers, an dem die Kernbohrung „S2" auszuführen ist. Im rechten Teil der Abbildung ist das Ergebnis der Spannglied- und Bewehrungsortung zu sehen.

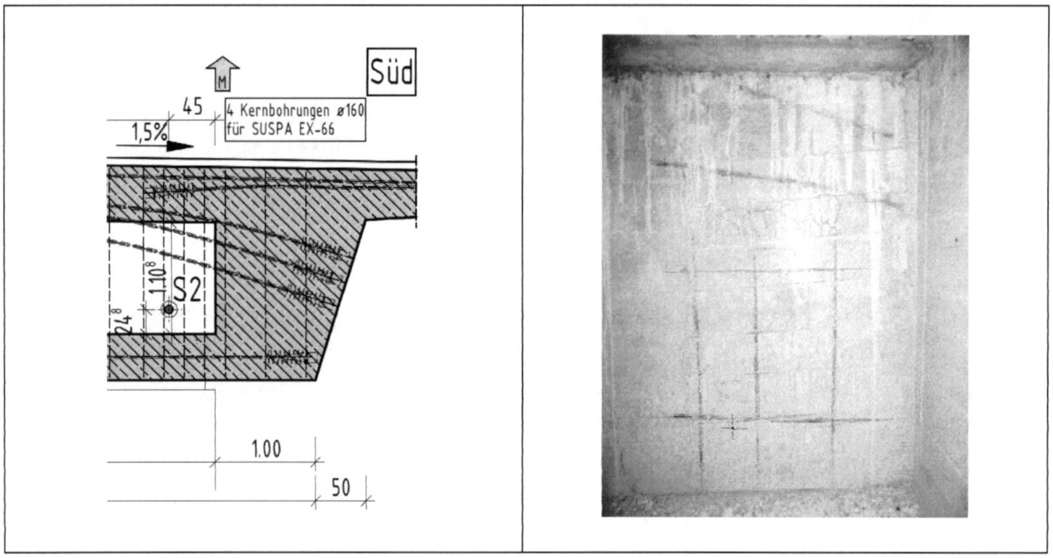

Abbildung 4: Ansicht eines Stützquerträgers mit internen Querspanngliedern als Planausschnitt (links) und nach Bewehrungs- und Spanngliedortung vor Ort im Bereich der Kernbohrstelle S2 (rechts)

Mit dem Radarverfahren kann an Querträgern im Regelfall die erste Lage der Querspannglieder bis in eine Tiefe von ca. 30-35 cm geortet werden. Bei mehrlagiger Anordnung der Spannglieder sind diese auf Montagebügeln hintereinander angeordnet. Daher ist es im Regelfall ausreichend die jeweils erste Lage der Spannglieder von beiden Seiten des Bauteils aus zu orten. Mit leistungsfähigen Ultraschallecho-Tomografen ist eine

Ortung bis in ca. 60-80 cm Tiefe möglich, hierbei kann häufig auch noch die zweite Lage der Querspannglieder erkannt werden.

Da eine Verschiebung von Kernbohrungen an den Querträgern zwangsläufig Einfluss auf den Verlauf der externen Längsspannglieder und somit auch einen Einfluss auf die Statik hat, sind die Möglichkeiten die schlaffe Bewehrung nicht zu beschädigen – nicht zuletzt auch durch den relativ großen Kernbohrdurchmesser – sehr begrenzt. Häufig versucht man durch Kernbohrung mittig auf georteten Bewehrungseisen zumindest die Nachbareisen nicht zu beschädigen.

3.3 Umlenkstellen / Schwingungsdämpfer

Bei Plattenbalkenquerschnitten ohne Querträger und bei Hohlkastenquerschnitten an den Außenseiten müssen die externen Längsspannglieder durch Stahlkonstruktionen im Stützenbereich und teilweise auch im Feldbereich fixiert werden. Diese Stahlkonstruktionen werden mit Verbundankern am Bestandsbauwerk verankert. Die Verankerungsbohrungen werden hierzu mehrere Dezimeter in das Bestandsbauwerk abgeteuft und erreichen somit zwangsläufig auch die erste Spanngliedlage, wie in der Abbildung 5 im linken Planausschnitt zu sehen ist.

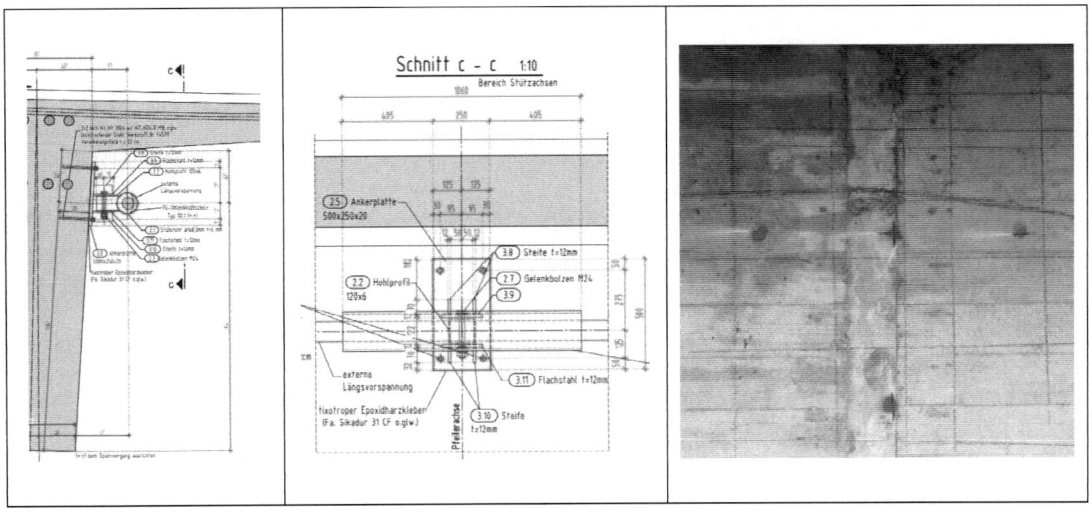

Abbildung 5: Querschnitt und Ansicht einer Umlenkkonstruktion als Planausschnitte (links und mitte) und nach Bewehrungs- und Spanngliedortung (rechts)

Üblicherweise wird die Achse des externen Spannglieds, wie in der Abbildung 5 im Foto rechts zu sehen ist, als Fadenkreuz am Bauwerk markiert. Da im Bereich der Grundplatte der Umlenkkonstruktion am Beton eine Untergrundvorbereitung erfolgt, kann die exakte Positionierung anschließend anhand der äußeren vier Markierungen erfolgen. Mit einer Bohrschablone kann dann überprüft werden, ob ein ausreichender Abstand der Verankerungsbohrungen zu den internen Spanngliedern gegeben ist. Hinsichtlich der Beschädigung der schlaffen Bewehrung gelten die Ausführungen im vorherigen Abschnitt analog. Vom Tragwerksplaner werden üblicherweise nur geringe Verschiebungen der Umlenkkonstruktionen toleriert, da ansonsten ein zu großer Eingriff in die Statik erfolgt.

3.4 Montageöffnungen / Lasthaken / Schalungsanker

Die externen Längsspannglieder weisen häufig Einzellängen von 150 - 200 m auf und müssen bei geschlossenen Querschnitten anhand von Montageöffnungen in den Hohlkasten transportiert werden. Die Bodenplatten von Hohlkastenquerschnitten sind im Regelfall nicht vorgespannt, sodass dort keine Spanngliedortung erforderlich ist. Ggfs. sind nach dem Herstellen der Öffnungen Bewehrungsortungen erforderlich, um rings um die Montageöffnung herum Überzüge verankern zu können.

Sofern das Bauwerk mehrgleisige Bahnstrecken überführt, müssen die Montageöffnungen häufig von oben durch die vorgespannte Fahrbahnplatte ausgeführt werden. Dort sind Spanngliedortungen unumgänglich. Mittig oberhalb der Montageöffnungen in Bodenplatten von Hohlkästen sind zudem Lasthaken für Winden an der vorgespannten Fahrbahnplatte anzubringen. Auch dort ist eine vorherige Spanngliedortung nötig.

Aufgrund der dynamischen Bewegungen des Bauwerks können die Lasten der Schalungen, der Bewehrung und des Frischbetons für die Ankerblöcke nicht direkt in den Baugrund abgeleitet werden. Es sind Verankerungen in die Kragarme bzw. die Fahrbahnplatte erforderlich, was auch dort eine vorherige Ortung der Querspannglieder erfordert.

4. Dokumentation, Toleranzen

Die Spannglied- und Bewehrungsortung im Zuge von Brückenverstärkungen erfolgte in den letzten Jahren bei nahezu allen Projekten baubegleitend. Somit orientierten sich die notwendigen Dokumentationen der Ortungsergebnisse im Regelfall an den auszuführenden Bohrarbeiten bzw. wurden derart gestaltet, dass eine zuverlässige Ausführung, oder eine kurzfristige Umplanung derselben möglich war. Hierbei haben sich die nachfolgend aufgeführten generellen Herangehensweisen bewährt:

- Planung der externen Vorspannung auf Basis der tatsächlichen Bauwerksgeometrie (3D Laserscan)
- Vermessungstechnisches Abstecken und Markieren der planmäßigen Bohrstellen am Bauwerk
- Durchführung der Spannglied- und Bewehrungsortung vor der Ausführung der Untergrundvorbereitung. Markierung der Ortungsergebnisse am Bauwerk und Aufmaß der georteten Objekte auf die planmäßigen Bohrstellen (s. Abbildung 6)
- Festlegung der einzuhaltenden Mindestabstände unter Berücksichtigung der Ortungs- und Bohrtoleranzen
- Freigabe / Verschiebung / Umplanung der Bohrstellen und anschließende Ausführung der Kernbohrungen und Fixierung der Verankerungsbohrungen (Bohrung bis in 3-5 cm Tiefe)
- Durchführung der Untergrundvorbereitung
- Ausführung der Verankerungsbohrungen bis zur erforderlichen Tiefe
- Schalen, Bewehren und Betonieren von Ankerblöcken etc., Anbringen von Umlenkstellen / Schwingungsdämpfern, Ausführung der Vorspannarbeiten

Projekt: Brücke A-Dorf		Ankerblöcke Achse 100		Längsträger Achse 2	
Ansichtsfläche Süd	Neigungen: BA 0° FL 87°	Ansichtsfläche Nord	Neigungen: BA 0° FL 90°		

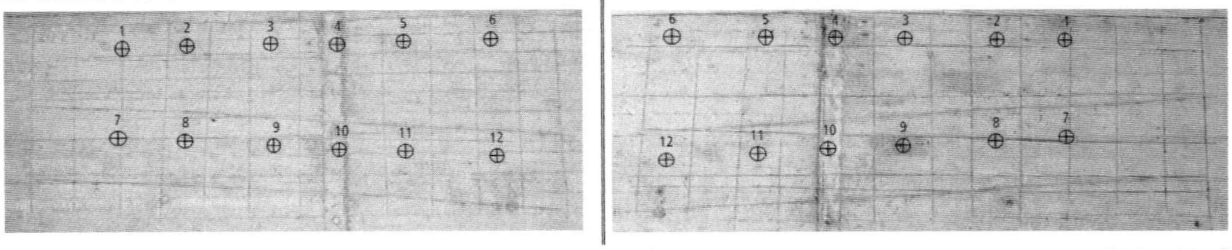

Widerlager Achse 100 — Stütze Achse 200 — Widerlager Achse 100

		Abstand Achse planmäßige Kernbohrstelle zur Achse Bewehrungsstab bzw. Spannglied im mm														
		1	2	3	4	5	6	7	8	9	10	11	12			
Süd	Bew. Rechts	17	118	133	30	131	125	17	98	118	23	110	110			
	Bew. Links	210	72	93	167	90	68	205	96	106	177	97	80			
	SG oben	-	-	-	-	-	-	145	149	136	130	128	122			
	SG unten	-	-	-	-	-	-	220	218	222	220	225	240			
	Achsabstand SG							*365*	*367*	*358*	*350*	*353*	*362*			
Nord	Bew. Links	186	104	125	40	73	100	192	97	112	28	85	109			
	Bew. Rechts	32	115	122	175	88	112	17	110	135	188	88	107			
	SG oben	-	-	-	-	-	-	140	145	139	134	134	133			
	SG unten	-	-	-	-	-	-	220	225	235	237	234	236			
	Achsabstand SG							*360*	*370*	*374*	*371*	*368*	*369*			

Abbildung 6: Dokumentation der Ortungsergebnisse an einem Ankerblock

In der Dokumentation der Abbildung 6 sind die zwei gegenüberliegenden Kontaktflächen von Ankerblöcken an einem Längsträger einer Brücke dargestellt. Es wurden je planmäßiger Kernbohrstelle die Achsabstände zu den vertikalen Schubbügeln links und rechts, sowie die Achsabstände zu den Spanngliedern oben und unten gemessen und dokumentiert. An den in der Tabelle der Abbildung 6 farbig hinterlegten Zellen wurden die erforderlichen Mindestabstände zwischen Kernbohrung und Spannglied bzw. Bewehrungsstab nicht eingehalten. Die Ortung erfolgt stets senkrecht zur Bauteiloberfläche. Daher müssen die Neigungen der Bauteilflächen, an denen die Ortung durchgeführt wurde, und die Neigungen der geplanten Bohrungen dokumentiert und berücksichtigt werden.

Um die erforderlichen Mindestabstände festlegen zu können, müssen die Durchmesser der auszuführenden Kernbohrung, der internen Spannglieder und Bewehrung, sowie die Ortungs- und Bohrtoleranzen berücksichtigt werden. In der Abbildung 7 ist ein Beispiel für die Ermittlung des erforderlichen Mindestabstandes zwischen der Achse eines georteten Längsspannglieds und der Achse einer handgeführten Bohrung dargestellt.

Halber Hüllrohrdurchmesser		40 mm
Toleranz Ortung		± 20 mm
Halber Bohrdurchmesser		10 mm
Toleranz Bohrung [4]		± 40 mm
Sicherheitsabstand		20 mm
Mindestabstand zur Markierung		130 mm

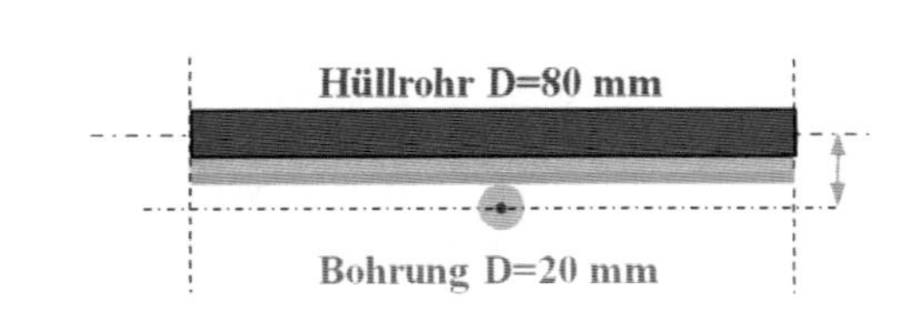

Abbildung 7: Festlegung eines erforderlichen Mindestabstandes zwischen einer Verankerungsbohrung und einem Längsspannglied

Die Genauigkeit von Radargeräten wird von Herstellern teilweise mit ±10 mm angegeben. Die Herstellerangaben beziehen sich im Regelfall auf die sogenannte Wiederholpräzision des Messgerätes. Es wird daher empfohlen mindestens ±15 mm für die Ortungstoleranz anzunehmen, um z.B. Unwägbarkeiten aus unebenen Bauteilflächen oder Schalkanten mit zu berücksichtigen. Zudem nimmt die Ortungsgenauigkeit im Regelfall mit zunehmender Betondeckung des Objektes ab. Im dargestellten Beispiel der Abbildung 7 wurde daher für ein Spannglied mit ca. 20 cm Betondeckung eine Ortungsgenauigkeit von ±20 mm zugrunde gelegt. Die zu erwartenden Toleranzen für Kernbohrungen können dem Regelwerk Fachverband Betonbohren und –sägen Deutschland e.V. [4] entnommen werden. Im vorliegenden Beispiel ergeben sich in Anlehnung an [4] für eine handgeführte Verankerungsbohrung bis in 40 cm Tiefe zu erwartende Abweichungen von bis zu ± 40 mm. Ob- und in welcher Höhe zusätzlich noch ein Sicherheitsabstand berücksichtigt werden sollte, ist im Einzelfall mit den Beteiligten zu vereinbaren.

5. Ausschreibung

Die Ausschreibung der Ortungsarbeiten erfolgt häufig als Pauschalleistung: *„Ortung der Spannglieder und Bewehrung in allen Bereichen in denen Eingriffe wie Bohrungen in den Bestand stattfinden“.* Dies führt zwangsläufig dazu, dass bei der Kalkulation unterschiedliche Leistungsumfänge von den Bietern angenommen werden und somit keine Vergleichbarkeit der Angebote gegeben ist. Da der Bieter durch die Pauschalierung das Massenrisiko übernimmt, liegen die Angebote zudem häufig auf der sicheren Seite. Nachfolgend daher einige Hinweise und Beispiele zur Ausschreibung, die zu etwas mehr Transparenz und wirtschaftlicheren Angeboten führen können:

Die Zugänglichkeit der Untersuchungsbereiche muss durch Stand- oder Hängegerüste, Untersichtgeräte oder Arbeitsbühnen möglich sein. Diese Leistungen müssen über separate Positionen ausgeschrieben werden. Generell sollte im Positionstext der Ortungsposition angegeben werden, welche Objekte geortet werden müssen (z.B. Längsspannglieder, Querspannglieder, diagonale Schubspannglieder, vertikale Bewehrung usw.).

Bei Endverankerung der externen Längsspannglieder durch **Ankerblöcke** sollten die Ortungsarbeiten je Kontaktfläche zwischen Ankerblock und Bestandsbauwerk ausgeschrieben werden. Angaben zur Größe der Kontaktfläche, Tiefenlage der zu ortenden Spannglieder und evtl. Angaben zur vorhandenen Bewehrung sollten gemacht werden. Weiterhin sollte die Art der Dokumentation beschreiben werden. Angaben wie „Prüfprotokoll erstellen“ sind nicht ausreichend. Wichtig ist, dass die Ortung vor der Ausführung der Untergrundvorbereitung erfolgt.

Tabelle 1: Beispiel für die Ausschreibung von Ortungsarbeiten im Bereich der Ankerblöcke

Menge	Einheit	Art der Leistung
8	Stk.	**Spannglied- und Bewehrungsortung, Kontaktflächen Ankerblöcke** Spannglied- und Bewehrungsortung im Bereich der Kontaktflächen zwischen den neu herzustellenden Ankerblöcken und dem Bestand durchführen. Abmessungen und Lage der Ankerblöcke gem. Ausführungsplan xyz. Ortung vor der Ausführung der Untergrundvorbereitung. Ortung der oberflächennahen, vertikalen Schubbewehrung und der ersten Lage der internen Längsspannglieder in bis zu 30 cm Tiefe. Weitere Angaben können dem Bestandsplan 123 entnommen werden. Ortungsergebnisse unter Berücksichtigung der Neigungen der Bauteilflächen und der auszuführenden Kernbohrungen am Bauteil markieren, auf die planmäßigen Kernbohrstellen aufmessen und Aufmaßblätter dem AG übergeben. Die Spanngliedortung muss mit zwei voneinander unabhängigen zerstörungsfreien Prüfverfahren (z.B. Radarverfahren und Ultraschallecho-Verfahren) erfolgen. Die Abrechnung erfolgt je bearbeiteter Kontaktfläche.

Bei Kernbohrungen durch **Querträger** ist es oftmals ausreichend die internen Querspannglieder zu orten, da die schlaffe Bewehrung aufgrund des Kernbohrdurchmessers von 150-200 mm und der nur geringfügigen Verschubmaße ohnehin durchtrennt werden muss. Es sollten Angaben zur Tiefenlage der Spannglieder, zur Größe der zu untersuchenden Fläche und zur geforderten Dokumentation gemacht werden.

Tabelle 2: Beispiel für die Ausschreibung von Ortungsarbeiten im Bereich der Kernbohrungen durch Querträger

Menge	Einheit	Art der Leistung
12	Stk.	**Spanngliedortung, Kernbohrungen Querträger** Spanngliedortung im Umfeld der Kernbohrungen durch die Querträger auf einer Fläche von je ca. 70 x 70 cm beidseitig der Querträger durchführen. Ortung der ersten Lage der internen Querspannglieder in bis zu 25 cm Tiefe. Weitere Angaben können dem Bestandsplan 123 entnommen werden. Es ist sowohl die Kernbohransatzstelle, als auch die Kernbohraustrittsstelle zu untersuchen. Ortungsergebnisse unter Berücksichtigung der Neigungen der Bauteilfläche und der auszuführenden Kernbohrungen am Bauteil markieren, auf die planmäßigen Kernbohrstellen aufmessen und Aufmaßblätter dem AG übergeben. Die Spanngliedortung muss mit zwei unabhängigen zerstörungsfreien Prüfverfahren (z.B. Radarverfahren und Ultraschallecho-Verfahren) erfolgen. Die Abrechnung erfolgt je bearbeiteter Kernbohrung.

Im Bereich der **Umlenkstellen** und/oder Schwingungsdämpfer ist üblicherweise die Ortung der Längsspannglieder und der vertikalen Schubbewehrung erforderlich. Die Ausschreibung kann nach „Stück“ analog zu den Ankerblöcken erfolgen. Im Regelfall ist es ausreichend die Ortungsergebnisse am Bauwerk zu markieren, da anschließend anhand von Bohrschablonen örtlich die genaue Lage der Bohrstellen festgelegt wird. Ein Aufmaß und eine Dokumentation sind im Regelfall nicht erforderlich, es müssen jedoch die einzuhaltenden Mindestabstände zu Spanngliedern und Bewehrung angegeben werden. Das gilt auch für linienhafte Ortungsarbeiten z.B. für Verbundankerbohrungen der Ankerblockschalung, oder bei Verlegung der Längsentwässerung. Ein Beispiel für die Ausschreibung von **linienhaften Ortungsarbeiten** ist in der Tabelle 3 dargestellt.

Tabelle 3: Beispiel für die Ausschreibung von linienhaften Ortungsarbeiten

Menge	Einheit	Art der Leistung
56	m	**Spanngliedortung, Verbundanker** Spanngliedortung im Bereich der Verbundankerbohrungen für die Schalung der Ankerblöcke und die Längsentwässerung durchführen. Ortung der internen Querspannglieder in bis zu 20 cm Tiefe an der Untersicht der Kragarme und der Fahrbahnplatte. Weitere Angaben können dem Bestandsplan 123 entnommen werden. Lage der georteten Querspannglieder an den Bauteilflächen im Bereich der Bohrachsen markieren. Verfahren nach Wahl des AN (z.B. Radarverfahren, Ultraschallecho-Verfahren oder gleichwertig). Die Abrechnung erfolgt je Laufmeter georteter Querspannglieder.

6. Zusammenfassung

Die Bauwerksverstärkung mit externer Vorspannung hat sich in den vergangenen 10 Jahren als eine Möglichkeit zur Erhöhung der Restnutzungsdauer von Bestandsbrücken etabliert.

Das Radarverfahren und das Ultraschallecho-Verfahren ermöglichen bei der Brückenverstärkung mit externer Vorspannung eine zuverlässige Spannglied- und Bewehrungsortung vor Ausführung von Kern- und Verankerungsbohrungen. Hierbei hat das Radarverfahren gegenüber dem Ultraschallecho-Verfahren den Vorteil, dass große Flächen deutlich schneller bearbeitet werden können. Das Ultraschallecho-Verfahren kann dann ergänzend, punktuell an neuralgischen Punkten, z.B. in der Nähe von Kernbohrungen eingesetzt werden, um die Ortungsergebnisse des Radarverfahrens zu überprüfen. Wenn Spannglieder tiefer als 40 cm oder hinter dichter Bewehrung liegen, stößt das Radarverfahren an seine Grenzen. Hier kann das Ultraschallecho-Verfahren bis zu Betondeckungen der Spannglieder von 60-80 cm zuverlässig zur Ortung eingesetzt werden.

Ohne die Anwendung zerstörungsfreier Prüfverfahren wäre die Verstärkung von Brücken durch externe Vorspannung nicht, bzw. nur mit deutlich höherem Aufwand und stärkeren Eingriffen in die bestehende Bausubstanz ausführbar!

Referenzen

[1] DBV-Merkblatt „Anwendung zerstörungsfreier Prüfverfahren im Bauwesen", Fassung Januar 2014, Deutscher Beton- und Bautechnik-Verein e.V., Berlin

[2] Merkblatt über das Radarverfahren zur zerstörungsfreien Prüfung im Bauwesen, Merkblatt B 10, Deutsche Gesellschaft für zerstörungsfreie Prüfung e.V., DGZFP, Fassung Februar 2008

[3] Merkblatt über Ultraschallverfahren zur zerstörungsfreien Prüfung im Bauwesen, Merkblatt B 04, Deutsche Gesellschaft für zerstörungsfreie Prüfung e.V., DGZFP, Fassung 2018

[4] Regelwerk Fachverband Betonbohren und –sägen Deutschland e.V. (www.fachverband-bohren-saegen.de

Beispiele für den Einsatz von Ultraschall in der Praxis

Sebastian SCHULZE [1]
[1] Hupfer Ingenieure, Hamburg
Kontakt E-Mail: schulze@hupfer-ingenieure.com

Kurzfassung

Das Ultraschallverfahren ermöglicht bei der Untersuchung von Bauwerken die Bearbeitung von Fragestellungen, für die kein anderes Verfahren der zerstörungsfreien Prüfung im Bauwesen (ZfPBau) geeignet ist. Dieser Beitrag zeigt dies eindrucksvoll anhand von zwei Beispielen aus der jüngeren Praxis: Der Untersuchung der Integrität massiver Bauteilquerschnitte aus Beton sowie der Feststellung des Verpresszustands von Spanngliedhüllrohren.

Die Ergebnisse der Untersuchungen wurden grafisch aufbereitet und anhand punktueller Bauteilöffnungen (Bohrkerne, Endoskopie) verifiziert.

Beide Beispiele enthalten ausschließlich grafische Darstellungen von Messergebnissen und Bauteilfotografien, die genau so auch in den Berichten und Stellungnahmen für die jeweiligen Bauherren verwendet wurden und auch von baufachlich versierten Personen ohne direkten Bezug zur ZfPBau interpretiert werden können.

BEISPIELE FÜR DEN EINSATZ VON ULTRASCHALL IN DER PRAXIS

- SCHADENSBEWERTUNG AN EINEM NEUBAU
- VERPRESSZUSTAND IM HÜLLROHR AN BRÜCKENBESTAND

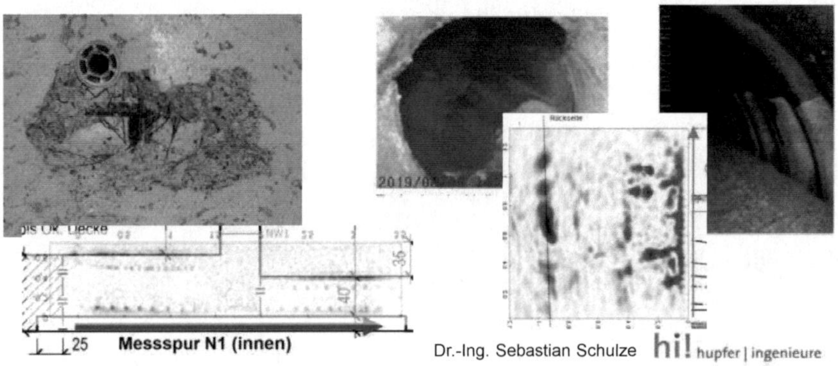

Dr.-Ing. Sebastian Schulze hi! hupfer | ingenieure

1

BEISPIELE FÜR DEN EINSATZ VON ULTRASCHALL IN DER PRAXIS

- SCHADENSBEWERTUNG AN EINEM NEUBAU
- VERPRESSZUSTAND IM HÜLLROHR AN BRÜCKENBESTAND

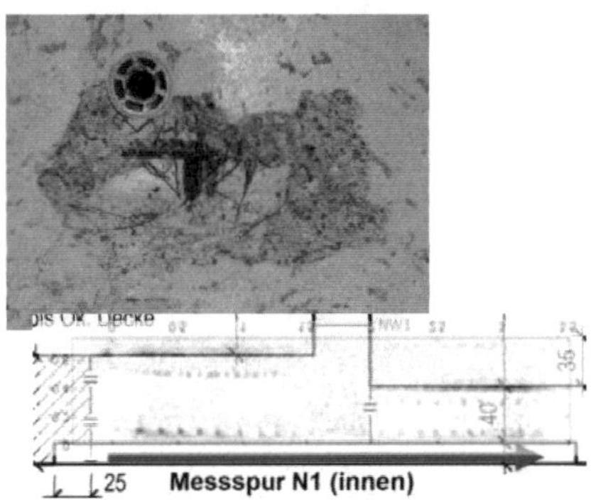

hi! hupfer | ingenieure

2

SCHADENSBEWERTUNG AN NEUBAU

13.02.2020 hi! hupfer | ingenieure BAUWERKSUNTERSUCHUNG MIT ULTRASCHALL 3

3

SCHADENSBEWERTUNG AN NEUBAU

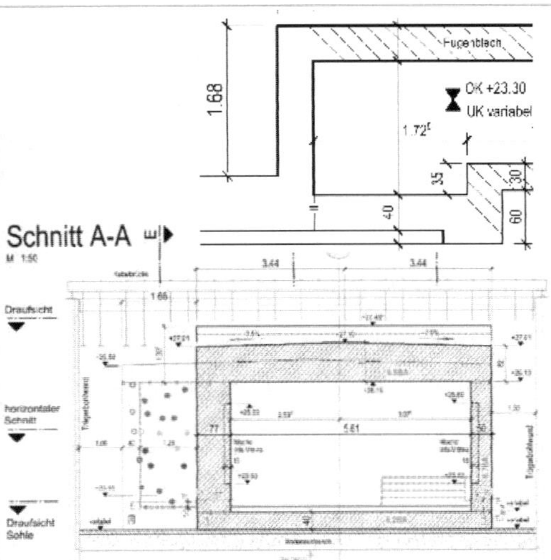

Außenseite mit zerklüfteter Oberfläche, nur Punktmessungen durchführbar

13.02.2020 hi! hupfer | ingenieure BAUWERKSUNTERSUCHUNG MIT ULTRASCHALL 4

4

SCHADENSBEWERTUNG AN NEUBAU

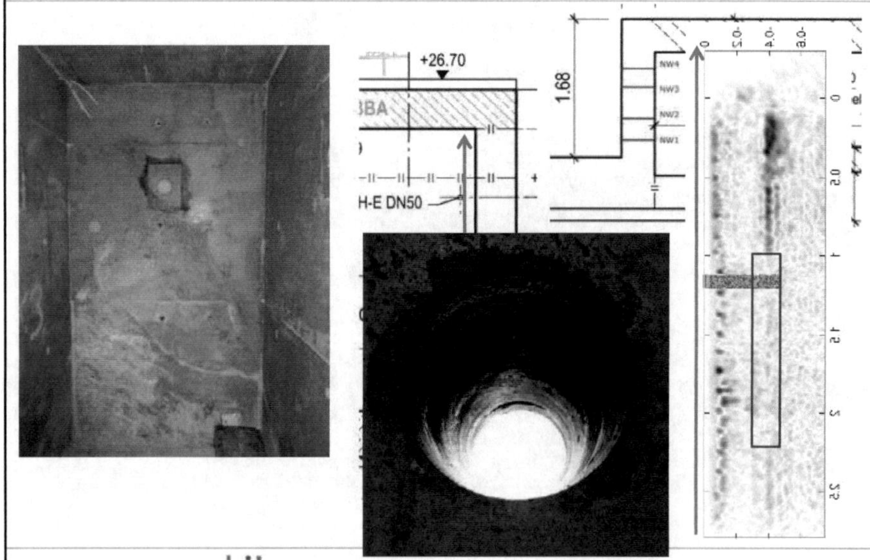

13.02.2020 hi! hupfer | ingenieure BAUWERKSUNTERSUCHUNG MIT ULTRASCHALL 5

5

SCHADENSBEWERTUNG AN NEUBAU

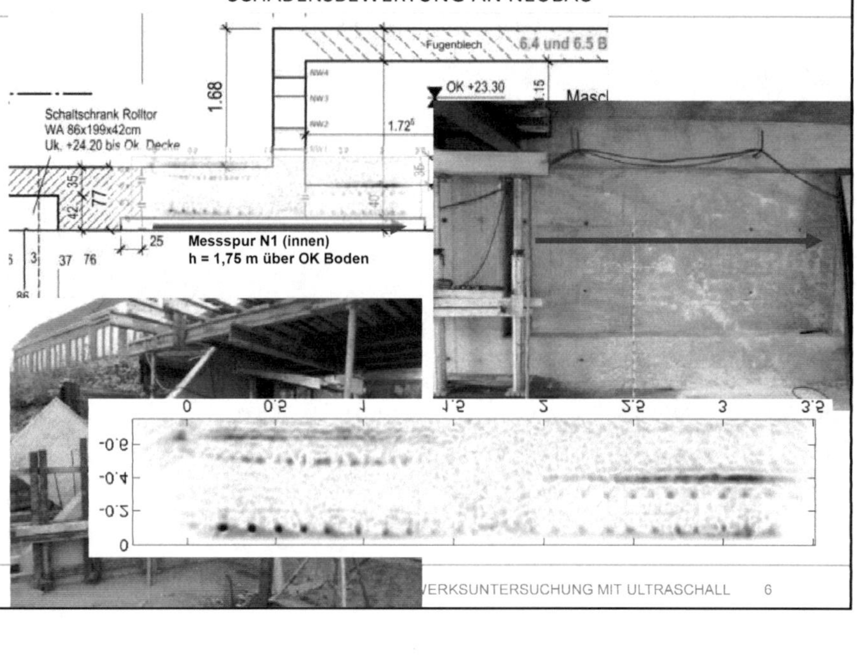

…ERKSUNTERSUCHUNG MIT ULTRASCHALL 6

6

SCHADENSBEWERTUNG AN NEUBAU

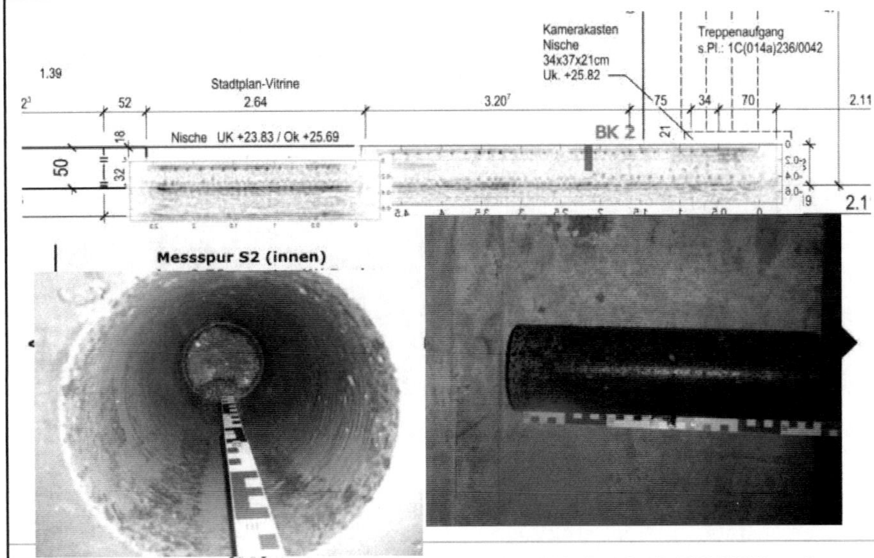

7

SCHADENSBEWERTUNG AN NEUBAU

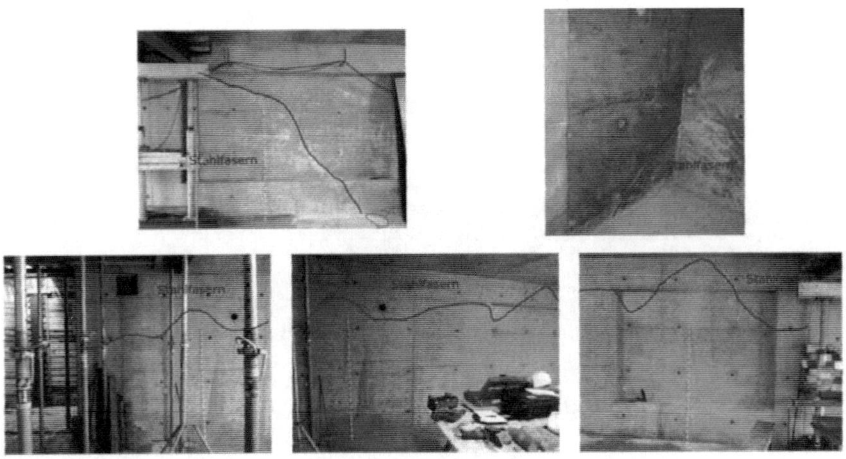

Unterscheidung der Bereiche mit/ohne Stahlfasern (Radar)

8

BEISPIELE FÜR DEN EINSATZ VON ULTRASCHALL IN DER PRAXIS

- SCHADENSBEWERTUNG AN EINEM NEUBAU
- VERPRESSZUSTAND IM HÜLLROHR AN BRÜCKENBESTAND

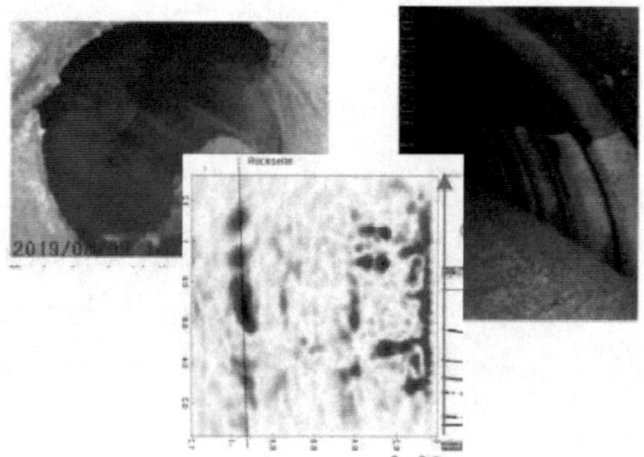

hi! hupfer | ingenieure

9

VERPRESSZUSTAND IM HÜLLROHR AN BRÜCKENBESTAND

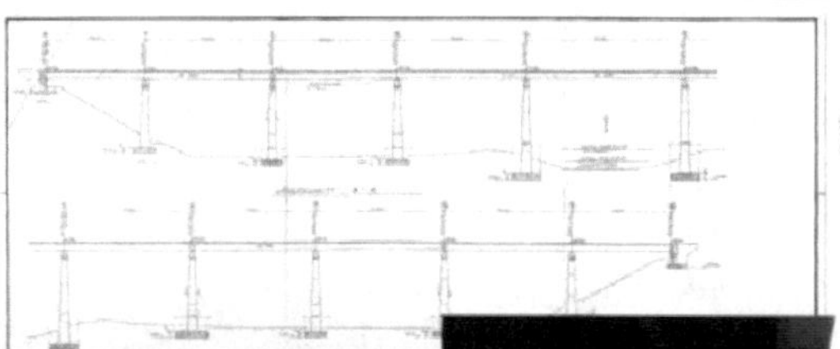

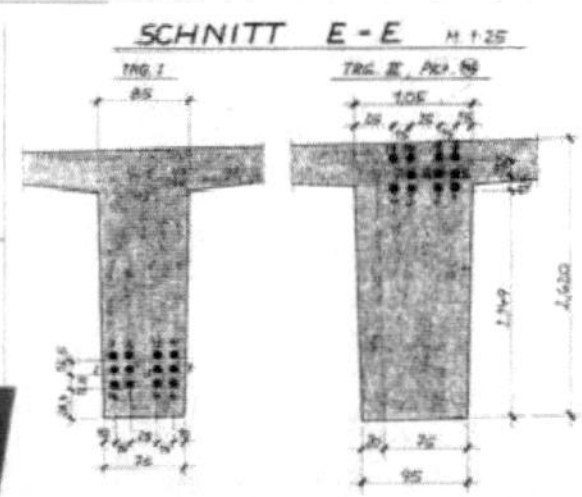

13.02.2020 hi! hupfer | ingenieure BAUWERKSUNTERSUCHUNG MIT ULTRASCHALL 10

10

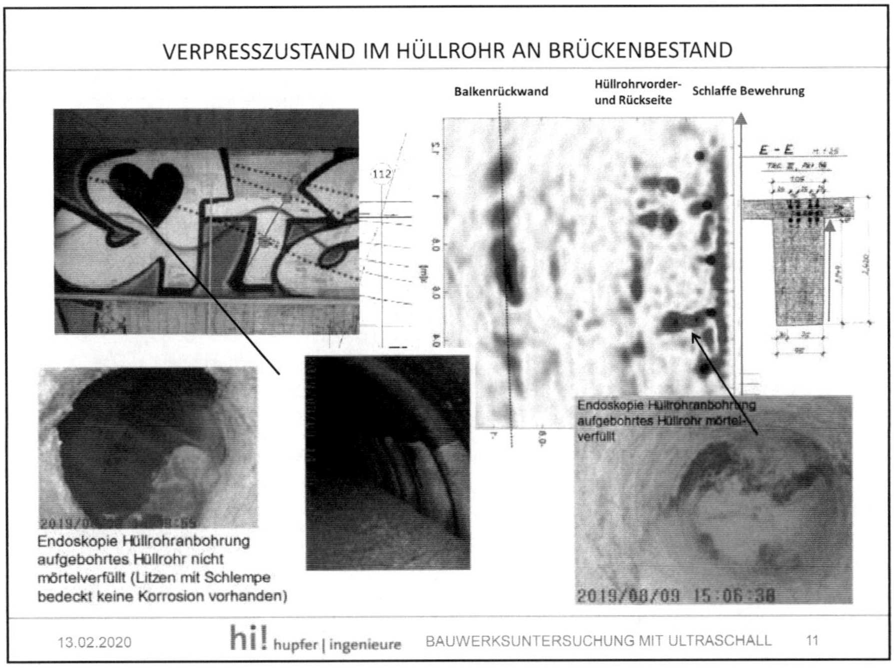
VERPRESSZUSTAND IM HÜLLROHR AN BRÜCKENBESTAND
Balkenrückwand
Hüllrohrvorder- und Rückseite
Schlaffe Bewehrung
E - E
Endoskopie Hüllrohranbohrung aufgebohrtes Hüllrohr mörtelverfüllt
2019/08/09 15:06:38
Endoskopie Hüllrohranbohrung aufgebohrtes Hüllrohr nicht mörtelverfüllt (Litzen mit Schlempe bedeckt keine Korrosion vorhanden)
13.02.2020
hi! hupfer | ingenieure
BAUWERKSUNTERSUCHUNG MIT ULTRASCHALL
11

11

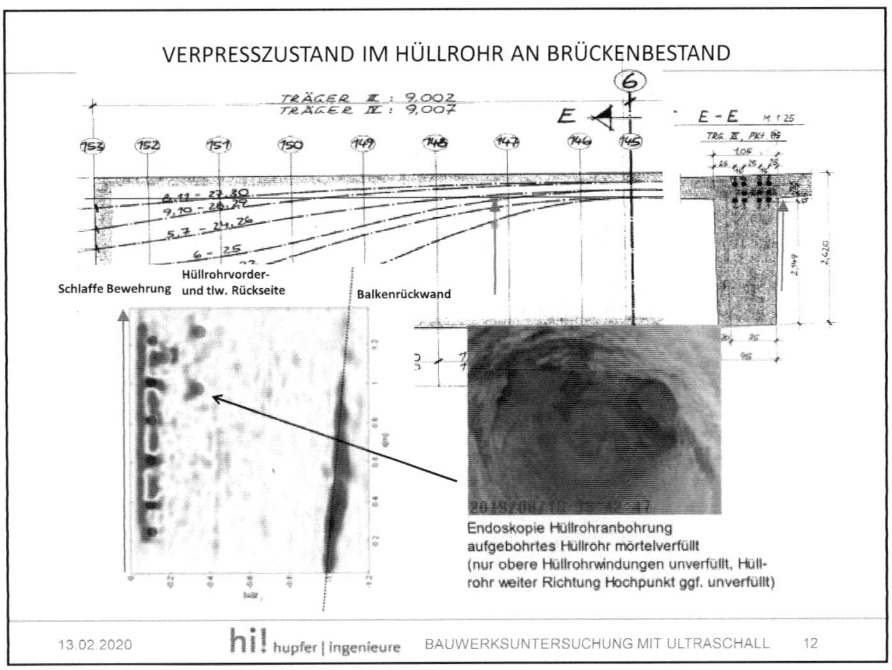
VERPRESSZUSTAND IM HÜLLROHR AN BRÜCKENBESTAND
TRÄGER III : 9,002
TRÄGER IV : 9,007
E
E - E
Schlaffe Bewehrung
Hüllrohrvorder- und tlw. Rückseite
Balkenrückwand
Endoskopie Hüllrohranbohrung aufgebohrtes Hüllrohr mörtelverfüllt (nur obere Hüllrohrwindungen unverfüllt, Hüllrohr weiter Richtung Hochpunkt ggf. unverfüllt)
13.02.2020
hi! hupfer | ingenieure
BAUWERKSUNTERSUCHUNG MIT ULTRASCHALL
12

12

Visualisierung von Ultraschall- und Radar-Abbildungen durch *Augmented Reality*

Martin SCHICKERT [1], Christian KOCH [2], Felix KREMP [2], Frank BONITZ [1]
[1] MFPA Weimar, Weimar
[2] Bauhaus-Universität Weimar, Weimar
Kontakt E-Mail: martin.schickert@mfpa.de

Kurzfassung. Die Interpretation und Diskussion zerstörungsfreier Abbildungsergebnisse an Bauwerken wird erleichtert, wenn Darstellungen direkt am Bauteil geometrisch exakt angezeigt und verglichen werden können. Diese Möglichkeit bietet eine *Augmented-Reality*-Visualisierung, bei der das visuelle Bild des Bauteils mit virtuell erzeugten Bildern der inneren Objekte und der Abbildungsverfahren überlagert wird.

Im Beitrag wird die Darstellung durch *Augmented Reality* (AR) am Beispiel eines Betontestkörpers mit inneren Objekten vorgestellt. Vom Bauteilinneren wurden mit dem Ultraschall- und dem Radarverfahren dreidimensionale CSAFT- bzw. SAFT-Abbildungen (*Synthetic Aperture Focusing Technique*) erzeugt. In zwei AR-Anwendungen für ein Tablet und eine HoloLens-AR-Brille werden das Realbild mit den Abbildungsergebnissen (Ist-Daten) und der 3D-Geometrie der Einbauteile (Soll-Daten) ortsrichtig überlagert. Das Tablet und die AR-Brille eröffnen quasi Sichtfenster ins Innere des Bauteils.

Ausgangspunkt der Geometrie- und Datenstrukturen für derartige Anwendungen kann ein digitales Bauwerksmodell (*Building Information Model*, BIM) sein, das während des gesamten Lebenszyklus‘ von Bauwerken eingesetzt wird.

1. Einführung

Als Folge der steigenden Verbreitung von Mehrkanal- und scannenden Geräten werden in der zerstörungsfreien Prüfung zunehmend bildgebende Verfahren eingesetzt. Dadurch lassen sich zwei- oder auch dreidimensionale Objektbereiche darstellen, was die Interpretation ausgedehnter Anzeigen vereinfacht. Stand der Technik ist inzwischen auch die kombinierte Darstellung der Abbildungen mit der Objektgeometrie des Prüfobjekts. In den Implementierungen verschiedener Anbieter können dazu Mess- oder Simulationsergebnisse und CAD-Daten (*Computer Aided Design*) der Objektgeometrie importiert und gemeinsam in einem 3D-Modell auf einem Computermonitor dargestellt werden (z. B. [1]). Eine solche Darstellung erleichtert die geometrische Zuordnung und vereinfacht damit das Verständnis der Messergebnisse. Während dies für viele Einzelprüfungen ausreichend ist, sind komplexe dreidimensionale Zusammenhänge durch die zweidimensionale Darstellung schwer zu erfassen.

Eine dreidimensionale Visualisierung lässt sich durch die Darstellung als virtuelle Realität (*Virtual Reality*, VR) oder erweiterte Realität (*Augmented Reality*, AR) mit Hilfe spezieller Brillen erreichen, die für jedes Auge des Betrachters eine eigene Ansicht erzeugen. Bei der *Augmented-Reality*-Visualisierung ist zusätzlich die reale Umgebung direkt oder über ein Kamerabild sichtbar, in die die virtuelle Darstellung eingeblendet wird. Der Einsatz von AR-Anwendungen wird in verschiedenen Einsatzszenarien diskutiert [2]; eine Anwendung zur Ultraschall-Schweißnahtprüfung von Rohren wurde in [3] implementiert.

Im Beitrag wird die Visualisierung von Ultraschall- und Radar-Messergebnissen in zwei *Augmented-Reality*-Umgebungen demonstriert. Dazu wurden AR-Anwendungen entwickelt, in der sich das Kamerabild eines Tablets bzw. das visuelle Bild einer AR-Brille mit den Messergebnissen und den Geometriedaten eines Betontestkörpers positionsabhängig überlagern lassen. Die Bereitstellung der Geometrien und Datenstrukturen durch *Building Information Modeling* (BIM) sowie die Anwendungsmöglichkeiten einer *Augmented-Reality*-Visualisierung werden diskutiert.

2. *Building Information Modeling*

Building Information Modeling (BIM) bezeichnet eine kooperative Arbeitsmethode, deren Idee auf der durchgängigen Verwendung eines digitalen, dreidimensionalen Bauwerksmodells über den gesamten Lebenszyklus eines Bauwerks beruht (Bild 1).

Bild 1. *Building Information Modeling* (BIM) basiert auf der Verwendung eines digitalen Bauwerksmodells im gesamten Lebenszyklus des Bauwerks

Das digitale Bauwerksmodell (*Building Information Model*) stellt dabei die rechnerinterne, virtuelle Repräsentation eines Bauwerks mit geometrischen, physikalischen und funktionalen Eigenschaften dar und wird zwischen allen Projektbeteiligten wie Architekten, Ingenieuren, Managern, Bauherren über die Projektphasen Entwurf, Planung, Ausführung, Bewirtschaftung und Umbau ausgetauscht.

Lange Zeit lag der Schwerpunkt der Entwicklung von BIM-Methoden wie z. B. standardisierten Datenmodellen auf der Beschreibung von Gebäuden im klassischen Hochbau. In den letzten Jahren sind auch Infrastrukturbauwerke wie Brücken, Tunnel, Straßen und Gleisanlagen Gegenstand der Betrachtung [4]. Diese Tatsache spiegelt sich unter anderem in der openInfra-Initiative der internationalen Standardisierungsorganisation buildingSMART sowie in der vom Bundesministerium für Verkehr und digitale Infrastruktur (BMVI) ins Leben gerufene Arbeitsgemeinschaft INFRABIM wieder [5]. Hier werden unter anderem Datenmodellierungsstandards für Brückenbauwerke (IFC-Bridge) inkl. der Definition von Bauteil-Geometrien, -Typen, -Beziehungen und -Eigenschaften entwickelt.

Obwohl BIM per Definition sämtliche Phasen im Lebenszyklus unterstützen kann, haben verschiedene Literaturstudien gezeigt, dass die BIM-Arbeitsmethode sowohl in der Praxis als auch in der Forschung vorwiegend für Projekte des Neubaus von Bauwerken und dort hauptsächlich in der Planungsphase eingesetzt wird (z. B. [6]). Der Aspekt der Nutzung von BIM für Bestandsbauwerke, im Speziellen zur digitalen Unterstützung von Wartungsplanung und -ausführung sowie Instandsetzungsaufgaben, findet seltener Beachtung.

Eine Voraussetzung für die Anwendung von BIM in der Bewirtschaftungsphase ist die Verfügbarkeit eines digitalen Abbilds des Bestandsbauwerks (*As-Built*-Modell), entweder in Form eines aktualisierten Planungsmodells (*As-Designed*-Modell) oder eines, auf der Basis von Scans (z. B. Laser-Scans oder photogrammetrischer Rekonstruktion), neu erzeugten *As-Built*-Modells. Hierbei sind neben rein geometrischen Informationen auch semantische Informationen, also Informationen zu Bauteiltypen und -eigenschaften, zu erheben und zu modellieren.

Ein nächster logischer Schritt ist die Verknüpfung und Integration von mit zerstörungsfreien Prüfverfahren erzeugten Ergebnissen mit einem digitalen Bauwerksmodell, und zwar sowohl in Form von Rohdaten als auch als interpretierte Schädigungs- und Bauteilinformationen im Sinne der BIM-Methodik. Dabei kommt der geometrischen und semantischen Modellierung der Prüfergebnisse eine entscheidende Bedeutung zu, um einen Mehrwert während der Nutzungs- und Umbauphase eines Bauwerks schaffen zu können (Bild 1). Hierzu gibt es derzeit nur wenige publizierte Forschungsergebnisse. Ein Beispiel für die Anwendung und Erweiterung von BIM für Brückeninspektionen ist das internationale Projekt *SeeBridge* [7].

3. Testkörper und Messungen

Die *Augmented-Reality*-Visualisierung soll anhand von Ultraschall- und Radarmessungen an einem Betontestkörper mit eingebauten, praxisnahen Zielen demonstriert werden. Die Messungen wurden am Testkörper TK0901 mit punkt- und linienförmigen Objekten durchgeführt (Bild 2).

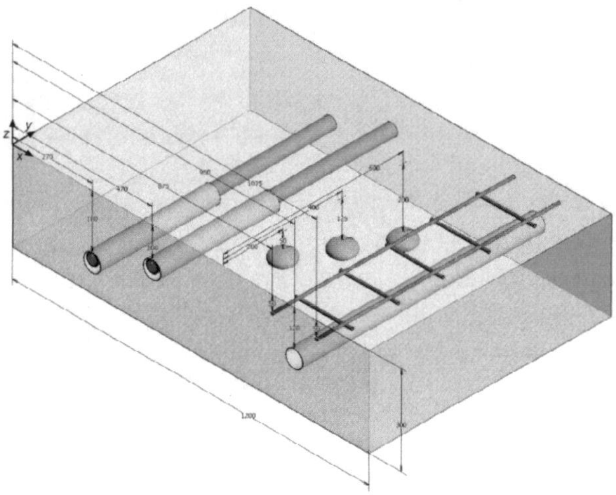

Bild 2. CAD-Zeichnung des Testkörpers TK0901

Der Testkörper ist 1,20 m x 0,80 m x 0,30 m groß und besteht aus Beton mit einem Größtkorn von 16 mm [8]. Er enthält drei Leerrohre mit Durchmessern von 69 mm bzw. 69/40 mm, drei Hohlräume (Styrodurlinsen) von 80 mm Durchmesser und einen Abschnitt mit Bewehrung von 12 mm Durchmesser und 150 mm Maschenweite.

Die Ultraschallmessungen wurden mit einem elektronisch gesteuerten Ultraschall-Prüfkopfarray mit 48 Prüfköpfen in 16 Gruppen am FLEXUS-Scanner der MFPA Weimar durchgeführt [9]. Als Messsystem wurde das Niederfrequenz-Ultraschallgerät NFUS2 des Ing.-Büros Dr. Hillger eingesetzt. Je Arrayposition wurden elektronisch taktgesteuert 120 Einzelmessungen aufgenommen, bei denen jeweils eine Wandlergruppe als Sender und die anderen als Empfänger angesteuert wurden. Für die Messungen wurde eine Apertur von 0,90 m x 0,72 m in fünf Spuren mit leichter Überlappung automatisiert gescannt; das Messraster betrug 20 mm x 20 mm (Bild 3, links). Die Messpositionen der Einzelmessungen waren aus der Scannersteuerung bekannt.

Für die Radarmessungen wurde das Radarsystem GSSI SIR-4000 mit 2,6-GHz-Antenne verwendet. Die Apertur von 1,15 m x 0,80 m wurde manuell mit Spurabständen von 50 mm aufgenommen, wobei ein Wegaufnehmer die lineare Antennenposition aufnahm (Bild 3, rechts). Zur besseren Erfassung der linienförmigen Ziele wurde die Oberfläche in Längsrichtung und mit gedrehter Antennenpolarisation in Querrichtung abgetastet.

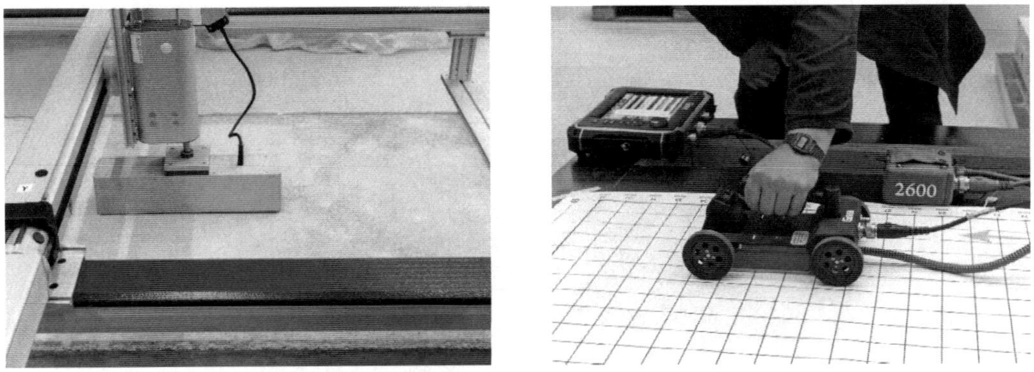

Bild 3. Messungen mit Ultraschall (links) und mit Radar (rechts) am Testkörper TK0901

Beide Messverfahren haben dreidimensionale Datenfelder zum Ergebnis. Die Ultraschallmessungen wurden bereits während der Messung mit dem CSAFT-Verfahren (*Combinational Synthetic Aperture Focusing Technique*, entspricht *Full Matrix Capture/Total Focusing Method*, FMC/TFM) im Programm REKONS rekonstruiert und die resultierenden Schnittbilder in das dreidimensionale Datenfeld eingetragen [10]. Die Radarmessungen wurden in das Programm RADAN eingelesen und dort SAFT-rekonstruiert (migriert) und dargestellt. Die Ergebnisse beider Verfahren wurden anschließend als räumliches Isoflächenbild (Ultraschall) bzw. in Tiefenschnitten (Radar) dargestellt [11].

4. Visualisierung durch *Augmented Reality*

Zur Visualisierung wurden die Isoflächen der Ultraschall-Darstellung als Geometriedaten exportiert. In einer 3D-CAD-Software wurden kleinere Korrekturen und Modifikationen vorgenommen und die Objekttypen separiert. Das Radar-C-Bild wurde als Bild exportiert. Die CAD-Daten des Testkörpers und der eingebauten Ziele wurden ebenfalls als Geometriedaten exportiert. Die Visualisierung für den Nutzer erfolgt mit einem Tablet oder einer *Augmented-Reality*-Brille.

4.1 Visualisierung mit einem Tablet

Die positionsabhängige Generierung der 3D-Szene erfolgt in einem 3D-Animationsprogramm, das über eine Erweiterung auch die Verarbeitung von optischen Markern zur Kamerapositionierung erlaubt. Als Marker wurde hier das Foto einer ebenen Kiesschüttung verwendet, was als Annäherung an eine unregelmäßige Oberflächentextur z. B. einer Betonoberfläche zu verstehen ist. Aus der gesamten Funktionalität der 3D-Darstellung inklusive Markerverarbeitung und den geometrischen Objektdaten wurde eine Anwendungssoftware generiert, die als App auf einem Tablet unter Android installiert wurde.

Zur AR-Visualisierung wird der optische Marker an der vorgesehenen Stelle auf der Testkörperoberfläche positioniert. Seine Position koppelt die Koordinatensysteme der realen und der virtuellen Welt (markerbasiertes Tracking). Die App auf dem Tablet wird gestartet und zeigt zunächst das Kamerabild des Tablets mit dem Testkörper und dem Marker. Durch

Schaltflächen können jetzt die virtuellen Objekte einzeln und überlagert eingeblendet werden. Die App erkennt den Marker, berechnet aus seiner Ansicht die Position der Kamera und kann dadurch die virtuellen Objekte in ihrer korrekten Position und Ausrichtung im dreidimensionalen Raum darstellen. Bild 4 zeigt das Tablet mit der App, in der alle Darstellungen eingeschaltet sind, über dem Testkörper mit dem optischen Marker.

Bild 4. Visualisierung durch *Augmented Reality* mit einem Tablet:
Tablet mit der AR-App über dem Testkörper mit dem optischen Marker

Derzeit werden folgende Darstellungen in der *Augmented-Reality*-App visualisiert:

- Realbild aus der Tablet-Kamera (Bild 4 bis Bild 6)
- Umrisse des Testkörpers aus der CAD-Zeichnung (Bild 5 und Bild 6)
- Alle Objekte in Soll-Positionen aus der CAD-Zeichnung (Bild 5 und Bild 6)
- Objektanzeigen von Rückwand, Rohren und Hohlstellen in Ist-Positionen aus dem Ultraschall-CSAFT-Bild (Bild 6, links)
- Objektanzeigen von schlaffer Bewehrung und den oberflächennahen inneren Objekten aus dem Radar-Migrationsbild (Bild 6, rechts)
- Überlagerung mehrerer Einzeldarstellungen (Bild 6)

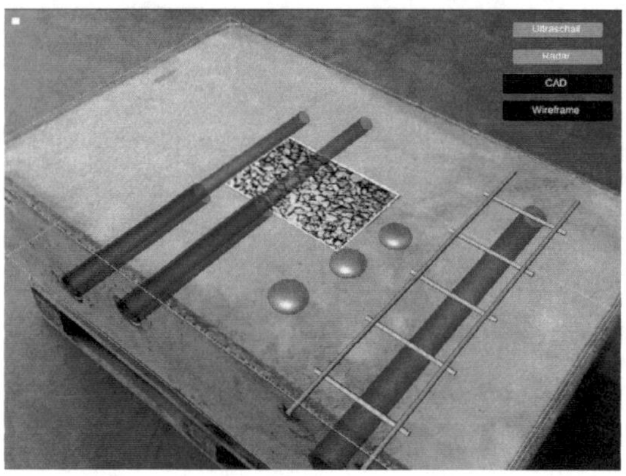

Bild 5. Screenshot der AR-App: Kamerabild des Testkörpers mit CAD-Zeichnung

Bei Bewegung oder Drehung des Tablets folgt die Ansicht der Kameraposition, so dass der geometrische Zusammenhang zwischen der äußeren und der inneren Ansicht der Objekte gewahrt bleibt. Das Display des Tablets eröffnet so quasi ein Sichtfenster ins Innere des Bauteils.

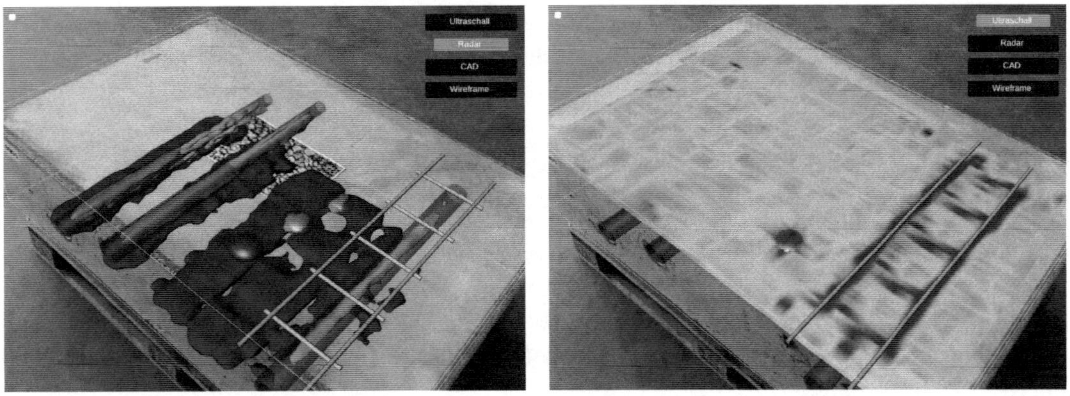

Bild 6. Screenshot der AR-App: Überlagerung der der CAD-Zeichnung mit den Objektanzeigen aus dem Ultraschall-CSAFT-Bild (links) und Überlagerung der der CAD-Zeichnung mit dem Radar-Migrationsbild der Bewehrungsebene (rechts)

4.2 Visualisierung mit einer Augmented-Reality*-Brille*

Als *Augmented-Reality*-Brille wurde eine Microsoft HoloLens verwendet. Die Ultraschall- und Radar-Geometrien wurden in einer CAD-Software in ein gemeinsames Modell integriert und über verschiedene Software-Werkzeuge in die HoloLens-Software geladen. Die Positionierung der 3D-Szene im Raum erfolgt in zwei Schritten: Zunächst wird die HoloLens-Software an den realen Visualisierungsraum angelernt; ein optischer Marker definiert dabei den Koordinatenursprung. Die HoloLens-Software generiert aus der Raumgeometrie ein räumliches Oberflächennetz und speichert es ab.

Bei der AR-Visualisierung wird die Umgebung von der HoloLens anhand der Raumgeometrie wiedererkannt und der Nutzer mit der HoloLens darin positioniert (modellbasiertes Tracking). Die zu visualisierenden Modelle werden auf einem Rechner vorgehalten und über WLAN an die HoloLens übertragen, die sie ortsgerecht visualisiert. Das Realbild sieht der Nutzer durch die transparente Brille.

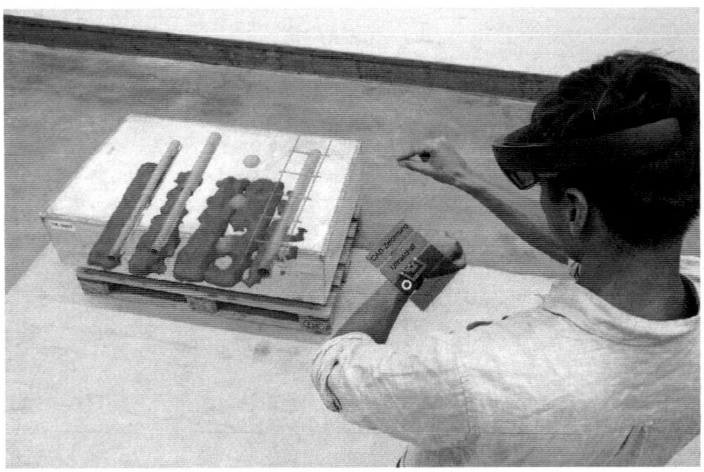

Bild 7. Visualisierung durch *Augmented Reality* mit einer *Augmented-Reality*-Brille: Nutzer mit AR-Brille und Visualisierungen des Objektmodells und des virtuellen Menüs (Fotomontage, siehe Text)

Am Ort eines 45 mm x 45 mm großen Markers, der am Handgelenk befestigt wird, wird ein Auswahlmenü eingeblendet, mit dem der Nutzer die Darstellungsinhalte wie beim

Tablet auswählen kann. Die Nutzerinteraktion mit der HoloLens erfolgt über Fingergesten. Bild 7 zeigt die CAD- und Ultraschall-Visualisierungen des Objektmodells sowie das virtuelle Menü, die in ein Foto des Nutzers und des Testkörpers einmontiert sind. Bewegt sich der Nutzer mit der AR-Brille, wird die Visualisierung nachgeführt, so dass sich für den Nutzer der Eindruck eines Sichtfensters in Innere des Bauteils ergibt.

4.3 Vergleich der Visualisierungsmethoden

Mit beiden Visualisierungsmethoden – Tablet und AR-Brille – ist ein direkter Soll/Ist-Vergleich von Planungsdaten und Messergebnissen möglich. Der geometrische Zusammenhang zwischen Realbild und Visualisierung bleibt unabhängig von der Position des Visualisierungswerkzeugs erhalten.

Unterschiede bestehen vor allem in der Darstellung und Handhabung:

	Tablet	AR-Brille
Dimension der Darstellung	2D auf Bildschirm	3D durch Stereo-Sehen
Orientierung im Raum	optischer Marker	räumliches Oberflächennetz
Interaktion mit realer Welt	max. eine Hand frei	beide Hände frei
Beweglichkeit des Nutzers	kaum eingeschränkt	etwas eingeschränkt

Je nach Nutzungsszenarium kann eine der beiden Darstellungsmethoden vorteilhafter sein. Die Visualisierungsinhalte lassen sich bei beiden Darstellungsmethoden erweitern, z. B. sind Zeichen- und Markierungswerkzeuge und umfangreiche Menüstrukturen denkbar. Eine Verbesserung der Orientierung an großen Bauwerken ist durch die Integration weiterer Positionierungsmethoden möglich.

4.4 Anwendungsmöglichkeiten

Der Zusatznutzen einer Visualisierung von Messergebnissen als *Augmented Reality* gegenüber einer zweidimensionalen Darstellung auf einem Computermonitor besteht vor allem darin, die Interpretation der Daten im Kontext der realen, dreidimensionalen Objektumgebung zu ermöglichen und die Eigenschaften des untersuchten Objektes in seinen Zusammenhängen und Abhängigkeiten erkennen zu können. So können Planungsdaten und Messergebnisse in ihrem geometrischen Kontext dargestellt und mit Zusatzinformationen z. B. zu ihrer Funktionalität angereichert werden [11]. Damit ist ein direkter Soll-Ist-Vergleich möglich, und auch das Ergebnis der zerstörungsfreien Prüfung, also die Erfüllung der Anforderungen, lässt sich als Zusatzinformation einblenden. Die Anwendung einer *Augmented Reality*-Visualisierung erscheint insbesondere bei Prüfobjekten sinnvoll, die groß oder komplex aufgebaut sind oder die im Verlauf ihres Lebenszyklus‘ wiederholt oder mit mehreren Verfahren geprüft werden (Bild 1). Eine Visualisierung als *Virtual Reality* hat ähnliche Vorteile, bezieht jedoch das Prüfobjekt nicht in die Darstellung mit ein.

Die Visualisierung von Ergebnissen als *Augmented Reality* erfordert die Zusammenführung und Darstellung von Daten aus verschiedenen Quellen. Dazu ist ein technischer Rahmen in Form von Datenformaten, Datenbanken und Software notwendig, der eine Standardisierung der Schnittstellen erfordert (siehe Abschnitt 2 *Building Information Modeling*).

5. Zusammenfassung und Ausblick

Im Beitrag wird die *Augmented-Reality*-Visualisierung von Ultraschall- und Radar-SAFT-Rekonstruktionen demonstriert, die an einem Betontestkörper mit inneren Objekten gemessen wurden. In einer AR-Anwendung wird das Kamerabild eines Tablets bzw. das visuelle Bild des Nutzers durch eine AR-Brille mit der dreidimensionalen Ultraschall- und der zweidimensionalen Radarabbildung des Inneren des Bauteils (Ist-Daten) und der 3D-Geometrie des Testkörpers und der Einbauteile (Soll-Daten) ortsrichtig überlagert. Die Datensätze können einzeln zugeschaltet oder überlagert werden, wobei sich die unterschiedlichen Abbildungsbereiche des Ultraschall- und des Radarverfahrens ergänzen. Der geometrische Zusammenhang zwischen der äußeren und der inneren Ansicht bleibt bei Bewegungen des Nutzers gewahrt, so dass das Tablet-Display und die AR-Brille wie ein Sichtfenster ins Innere des Bauteils wirken.

Die Anwendung der *Augmented-Reality*-Visualisierung bietet sich vor allem bei komplexen Bauteilen, beim Ergebnisvergleich mehrerer Prüfverfahren und bei der Qualitätssicherung im Rahmen eines Lebenszyklusmanagements an. Ziel ist es, zerstörungsfreie Abbildungen von Geometrien, Einbauteilen und Fehlstellen direkt am Bauteil verfügbar zu machen und mit Zusatzinformationen anzureichern, um die Ergebnisse vor Ort einordnen zu können, räumliche und inhaltliche Zusammenhänge sichtbar zu machen und die Interpretation zu vereinfachen. Als Ausgangspunkt des Geometriemodells und der Datenstrukturen für derartige Anwendungen kann ein digitales Bauwerksmodell (*Building Information Model*, BIM) eingesetzt werden, das entweder bereits während der Planung des Bauwerks erstellt wurde oder nachträglich aus Scans des existierenden Bauwerks erzeugt wurde.

Aktuelle Weiterentwicklungen betreffen u. a. die Verwendung von Objektgeometrie und Objekttextur als Referenzmerkmale für die Positionsbestimmung [12].

Danksagung

Die Autoren danken den Herren Alexander Ulanov und Bernd Müller von der MFPA Weimar für ihre Unterstützung bei den Messungen, der Auswertung und der Implementierung der AR-Apps.

Referenzen

[1] Extende: CIVA in a few words. http://www.extende.com/civa-in-a-few-words (abgerufen am 25.02.2019)

[2] Dini, G.; Dalle Mura, M.: Application of Augmented Reality Techniques in Through-life Engineering Services. In: 4th Int. Conf. on Through-life Engineering Services 2015, Cranfield, UK, November 3–4, 2015. *Procedia CIRP* 38 (2015), pp. 14–23

[3] Applus+ RTD: Augmented Welding Inspection. http://www.twnkls.com/items/applus-rtd-weld-inspection-using-ar (abgerufen am 05.03.2018)

[4] Borrmann, A.; König, M.; Koch, C.; Beetz, J. (Hrsg.): *Building Information Modeling – Technologische Grundlagen und industrielle Praxis*. Berlin: Springer, 2015

[5] Borrmann, A.; König, M.; Braun, M.; Elixmann, R.; Eschenbruch, K.; Hausknecht, K.; Hochmuth, M.; Liebich, T.; Scheffer, M.; Singer, D.: *Wissenschaftliche Begleitung der BMVI Pilotprojekte zur Anwendung von BIM in Infrastrukturbau – Zwischenbericht*. Bundesministerium für Verkehr und digitale Infrastruktur (BMVI), 2016

[6] Volk, R.; Stengel, J.; Schultmann, F.: Building Information Modeling (BIM) for Existing Buildings – Literature Review and Future Needs. *Automation in Construction* 38 (2014), pp. 109–127

[7] Sacks, R.; Kedar, A.; Borrmann, A.; Ma, L.; Brilakis, I.; Hüthwohl, P.; Daum, S.; Kattel, U.; Yosef, R.; Liebich, T.; Barutcu, B.E.; Muhic, S.: SeeBridge as Next Generation Bridge Inspection: Overview, Information Delivery Manual and Model View Definition. *Automation in Construction* 90 (2018), pp. 134–145

[8] Schickert, M.; Hillger, W.: Erste Messergebnisse mit dem scannenden Ultraschall-Multikanal-Mess- und Abbildungssystem FLEXUS für Betonbauteile. In: *DGZfP-Jahrestagung*, Erfurt, 10.–12.5.2010. Berlin: Deutsche Gesellschaft für Zerstörungsfreie Prüfung (DGZfP), 2010, S. 1–9

[9] Schickert, M.: Ultraschall-Abbildungsverfahren – Neue Entwicklungen beschleunigen den Einsatz. In: *Bauwerksdiagnose*, Berlin, 18.–19.2.2010. Berlin: Deutsche Gesellschaft für Zerstörungsfreie Prüfung (DGZfP), 2010, S. 1–11

[10] Schickert, M.: Vergleich verschiedener SAFT-Verfahren bei der Ultraschall-SAFT-Rekonstruktion von Betonbauteilen. In: *DGZfP-Jahrestagung*, Dresden, 6.–8.5.2013. Berlin: Deutsche Gesellschaft für Zerstörungsfreie Prüfung (DGZfP), 2013, S. 1–11

[11] Schickert, M.; Koch, C.: Integration von zerstörungsfreier Zustandserfassung in digitale Bauwerksmodelle mit *Augmented-Reality*-Visualisierung zur modellbasierten Inspektion von Betonbrücken. In: *3. Brückenkolloquium*, Ostfildern/Stuttgart, 19.–20.06.2018. Ostfildern: Technische Akademie Esslingen, 2018, S. 363–370

[12] Koch, C.; Neges, M.; König, M.; Abramovici, M.: Natural Markers for Augmented Reality-based Indoor Navigation and Facility Maintenance. *Automation in Construction* 48 (2014), pp. 18–30

Erfahrungsaustausch zum Aufbau von 3D-Zustandsmodellen in der Grenzregion Saar-Lor-Lux-Wallonie-Westpfalz

Ralf MORYSON [1]
[1] Fraunhofer IZFP, Saarbrücken
Kontakt E-Mail: ralf.moryson@izfp.fraunhofer.de

Kurzfassung

Seit einigen Jahren werden Bauprojekte dies und jenseits der Grenzen mehr oder weniger umfassend mit *Building Information Model* (BIM) abgebildet. Der gegenseitige Informationsaustausch aller Stakeholder in Planung, Bau und Wartung ermöglicht einen umfassenden Blickwinkel auf das Bauwerk. Durch eine Verknüpfung vom BIM mit den betriebswirtschaftlichen Daten des Bestandsbauwerkes entsteht das *Asset Information Model* (AIM). Das AIM sammelt und analysiert Daten in elektronischer Form, vergleichbar zur Business Intelligence. Die gewonnenen Erkenntnisse aus dem *Asset Information Model* ermöglichen bessere operative und strategische Entscheidungen. Durch den finanziellen Aufwand werden Erfahrungsgemäß nicht alle notwendigen Anstrengungen unternommen, um fehlende, unvollständige oder falsche Bestandsdaten vollständig zu rekonstruieren. Daher bleibt ein großer Schwachpunkt von BIM noch immer der Bestandsbau.

Grenzregionen gehören in Europa oft zu den strukturschwächeren Gebieten. Die großen Metropolen und Industriezentren entstehen und wachsen meist abseits von den Grenzen eines Landes. Die Großregion (GR) Saarland-Lothringen-Luxemburg-Wallonien-Westpfalz zeichnet sich durch eine Jahrhunderte alte, gemeinsame Geschichte aus, durch die diese Region nicht immer durch territoriale Grenzen getrennt wurde. Im europäischen Raum kannten bereits die Baumeister der Antike Techniken, die sie befähigten, Bauwerke von großer Leistungsfähigkeit, Schönheit, hohem Nutzen und Langlebigkeit zu bauen. Die römische Zivilisation z. B. prägte die Großregion bereits nachhaltig mit ihren Bauwerken, sei es nun die Porta Nigra zu Trier, die römischen Straßen und Ansiedelungen des Saargau und Bliesgau oder der Ausbau von Metz zu einer der größten Städte Galliens.

Aufgrund der Lage und der zahlreichen Ressourcen (z. B. Kupfer, Quarzsand, Kalk, Kohle) in der Region wurden bis weit in das 20. Jahrhundert hinein Infrastrukturbauwerke oder auch kulturhistorische Gebäude nach den jeweiligen länderspezifischen Auslegungen in Gebieten realisiert, deren territoriale Zugehörigkeiten heute nur noch auf historischen Karten wiederzufinden sind.

Das Problem einer alternden Infrastruktur oder der Verfall der kulturhistorischen Bauwerke ist daher allein kein nationales Problem. Aber gerade in einem Landstrich wie der Großregion zeigt sich recht schnell, wie unterschiedlich die Ansätze zur Lösung aussehen können. Es beginnt bei unterschiedlichen gesetzlichen Bestimmungen oder der Interpretationen von EU-Richtlinien und endet bei historisch gewachsenen

Herangehensweisen oder Lösungsansätzen. Um die Infrastruktur und kulturhistorische Bauwerke auch weiterhin erhalten zu können sowie modernen Ingenieurbauwerken zu einer möglichst langen Lebensdauer zu verhelfen, muss proaktiv der Zustand der Bausubstanz überwacht werden. Heute finden wir neben den verschiedenen Bauweisen auch zahlreiche Verfahren und Methoden, die uns eine zerstörungsfreie Prüfung von Bauwerken (ZfPBau) ermöglichen.

Anhand von Beispielen aus grenzüberschreitenden Projekten, soll gezeigt werden, wie Betreiber einer heterogenen Bauwerks- und Standortverwaltung die Möglichkeiten eines digitalen Ansatzes zur Optimierung der Zustandserfassung und -beurteilung ihrer Bestandsbauwerke nutzen können. Neben Vorteilen werden aber auch Schwachpunkte aufgezeigt, deren Lösung eine wichtige Voraussetzung darstellen um BIM im Bestandsbau zu einem effektiven Werkzeug werden zu lassen.

Erfahrungsaustausch zum Aufbau von 3D-Zustandsmodellen

in der Grenzregion Saar-Lor-Lux-Wallonie-Westpfalz

Fachtagung Bauwerksdiagnose 2020

Ralf MORYSON
Fraunhofer IZFP, Saarbrücken

Bildquelle: Staatskanzlei des Saarlandes

Fraunhofer IZFP

Erfahrungsaustausch zum Aufbau von 3D-Zustandsmodellen

in der Grenzregion Saar-Lor-Lux-Wallonie-Westpfalz

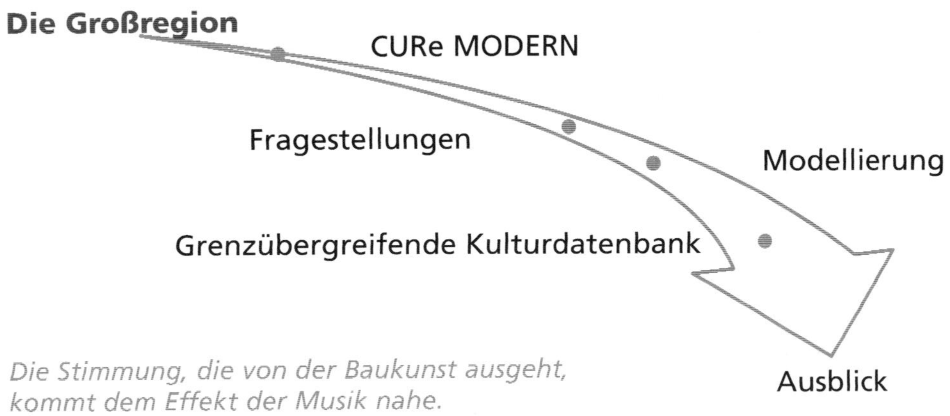

Die Stimmung, die von der Baukunst ausgeht,
kommt dem Effekt der Musik nahe.
J.W. von Goethe, 1829

Fraunhofer IZFP

Groß / Grande
REGION

- **Vision**
  Gemeinsamer internationaler Wirtschaftsraum, BIP ca. 400 Mrd. €
- **Hemmnisse**
  Unterschiedliche Regelungen, Gesetze, fehlende gemeinsame Landesentwicklungspläne

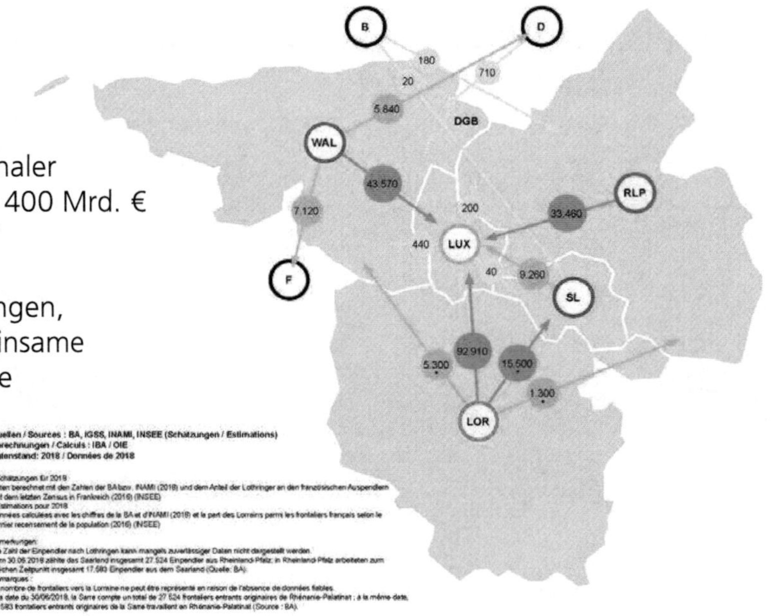

Groß / Grande
REGION

- 5 Teilregionen, 4 Länder,
- 3 Sprachen
- Größe: 65401 km²
- Früher Gemeinsamer kultureller Lebensraum (teilweise sogar gemeinsamer Sprachraum)
- Gemeinsame kulturhistorische Denkmäler und Bauwerke aus den letzten 20 Jahrhunderten

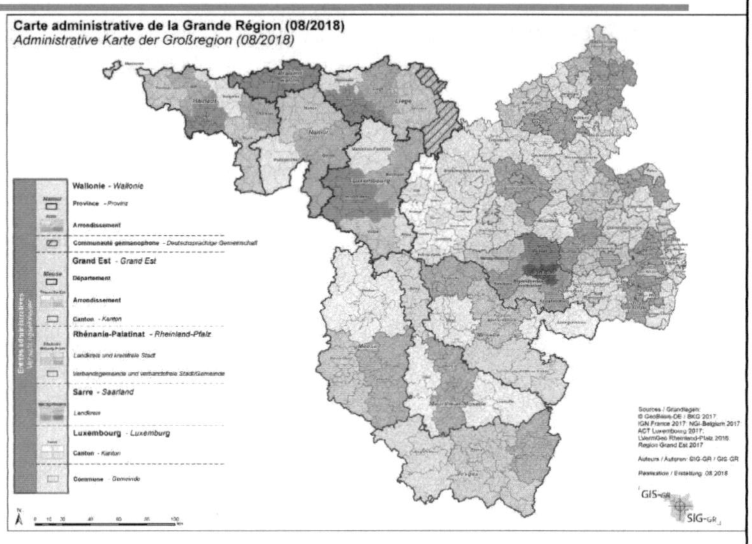

Fraunhofer IZFP

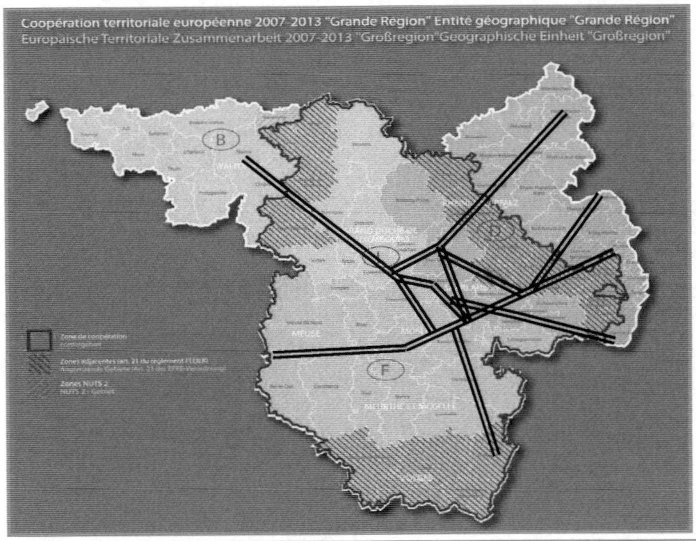

Groß / Grande RÉGION

- Verkehrswege, Ansiedlungen und Industriezentren (Glas- und Montanindustrie) teilweise aus gemeinsamen Epochen
- Infrastruktur des letzten Jahrhunderts vernetzt die Industriezentren beider Seiten
- Vergleichbare (identische) Probleme bei der Instandhaltung und Qualitätssicherung

CURe MODERN

GRONE

© Fraunhofer

Fraunhofer IZFP

Erfahrungsaustausch zum Aufbau von 3D-Zustandsmodellen

in der Grenzregion Saar-Lor-Lux-Wallonie-Westpfalz

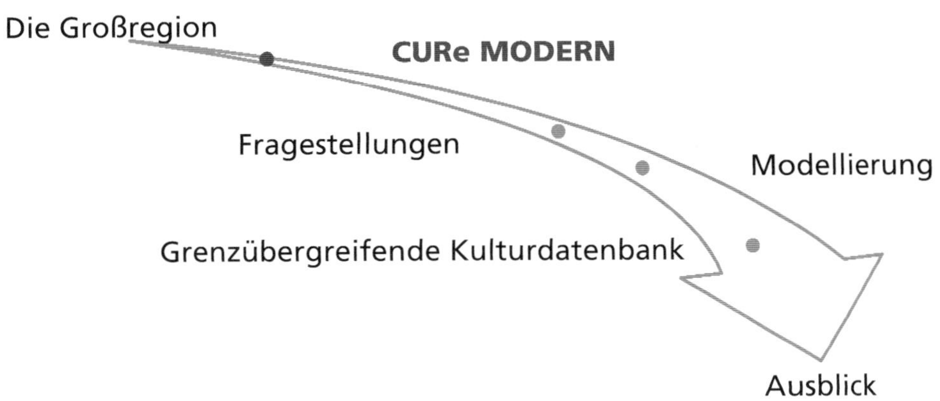

© Fraunhofer

Fraunhofer IZFP

CURe MODERN –
Initiative moderne Bauwerksprüfung, Stadt- und Regionalplanung

- Die Einrichtung eines grenzüberschreitenden Netzwerks von spezialisierten Partnern aus den Regionen Saarland, Lothringen und Westpfalz

CURe MODERN

CPE · Technische Universität Kaiserslautern · Saarland LfS Landesbetrieb für Straßenbau · Cerema · Fraunhofer IZFP

Rogmann Ingenieure · saarmoselle Eurodistrict · Département Moselle Réussir ensemble !

2012-2014

Interreg IV-A Großregion · Grande Région

© Fraunhofer · Interreg Grande Région | Großregion · Fraunhofer IZFP

CURe MODERN –
Initiative moderne Bauwerksprüfung, Stadt- und Regionalplanung

- Die Einführung und Anwendung neuer automatisierter zerstörungsfreier Prüfsysteme, die dann in entsprechenden Dienstleistungen zur Zustandserfassung von Infrastrukturbauwerken, zur Untersuchung von Straßen in der Asphaltbauweise und Bauwerksdenkmälern aus Stahlbeton und Spannbeton in der Region
- Einsatz von Methoden und Verfahren zum Aufbau von 3D-Zustandsmodellen ausgewählter Bauwerke der Region, in Verbindung mit Unternehmen aus der regionalen Industrie.
- Aufbau einer grenzüberschreitenden Datenbank für Baulastträgern, Kämmerern und Gemeinderäten als Werkzeug zur besseren Übersicht über den Zustand ihrer Infrastruktur und kulturhistorischen Bauwerke

© Fraunhofer · Interreg Grande Région | Großregion · Fraunhofer IZFP

CURe MODERN –
Initiative moderne Bauwerksprüfung, Stadt- und Regionalplanung

© Fraunhofer Interreg Grande Région | Großregion

Fraunhofer IZFP

Erfahrungsaustausch zum Aufbau von 3D-Zustandsmodellen
in der Grenzregion Saar-Lor-Lux-Wallonie-Westpfalz

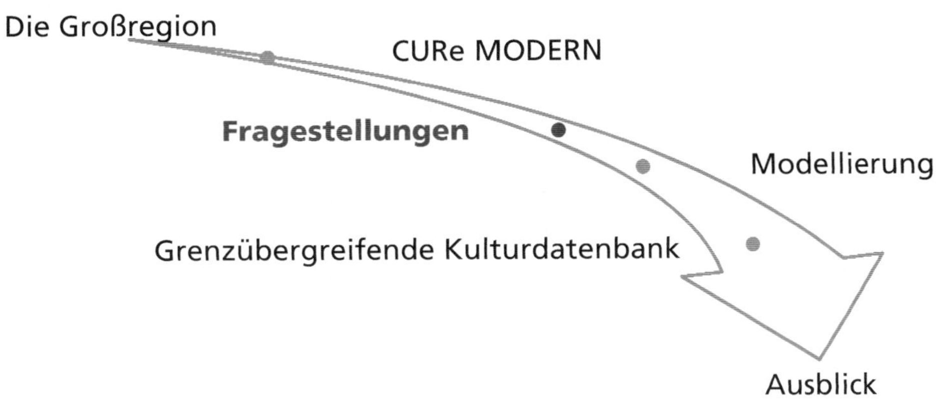

© Fraunhofer

Fraunhofer IZFP

BAUWERKSUNTERSUCHUNG MIT UAS

Großflächige Schadensaufnahme

- Château de Malbrouck bei Manderen in Lothringen
- Baubeginn 1419 unter Arnold VI von Sierck-Les-Bains
- Ab 1434 im Dienst des Erzbistums Trier
- In der Folge wechselnde Bauherren, je nach Lage der Grenzen
- Ab 1930 Denkmalgeschütz
- Seit 1975 im Besitz des Conseil Général de la Moselle
- Sanierung & Wiederaufbau bis 1988

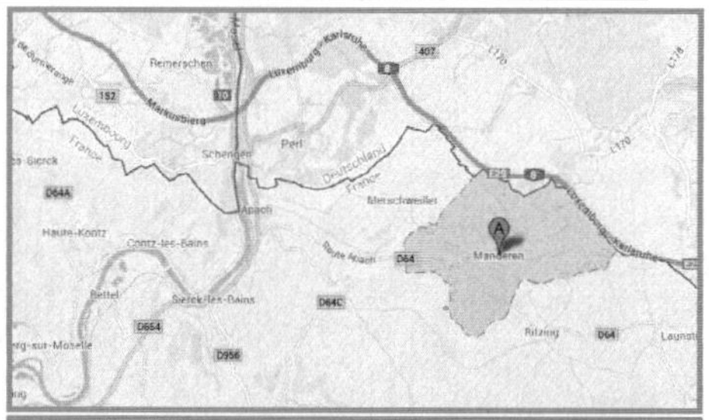

BAUWERKSUNTERSUCHUNG MIT UAS

Großflächige Schadensaufnahme

- Erprobung von Kamerasystemen und Aufnahmeprozesse
- Erfassung und Lokalisierung von Ungänzen

Innenhof: Risse & Feuchtigkeitsansammlung

Außenfassade West:
Fugenbrüche & -auswaschung

HANDNAHE PRÜFUNG

Rekonstruktion von Bestandsdaten

- Spannbetonbauwerk, Baujahr 1952
- Brücke im Verlauf der N3 in Rosbruck (F)
- Betondeckung
- Lage der Spannglieder

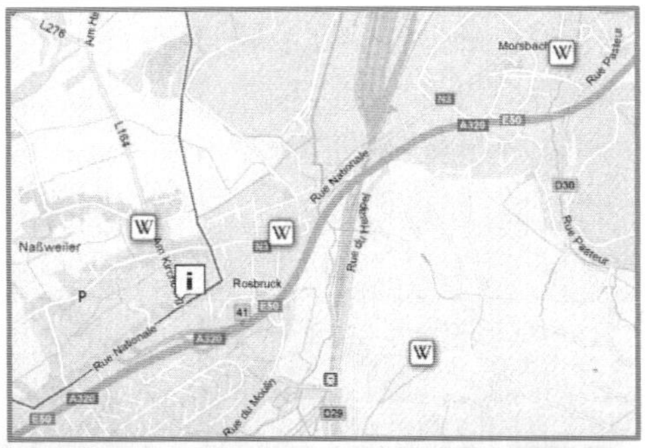

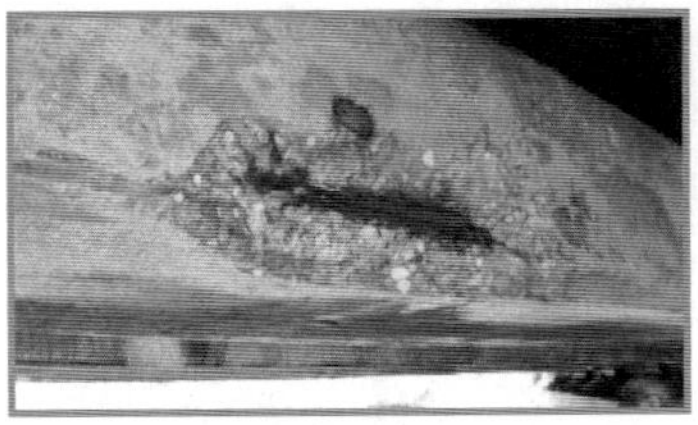

© Fraunhofer Interreg Grande Région | Großregion

Fraunhofer IZFP

HANDNAHE PRÜFUNG

Kirchen des Architekten Carl Friedrich Müller (1833-1889)

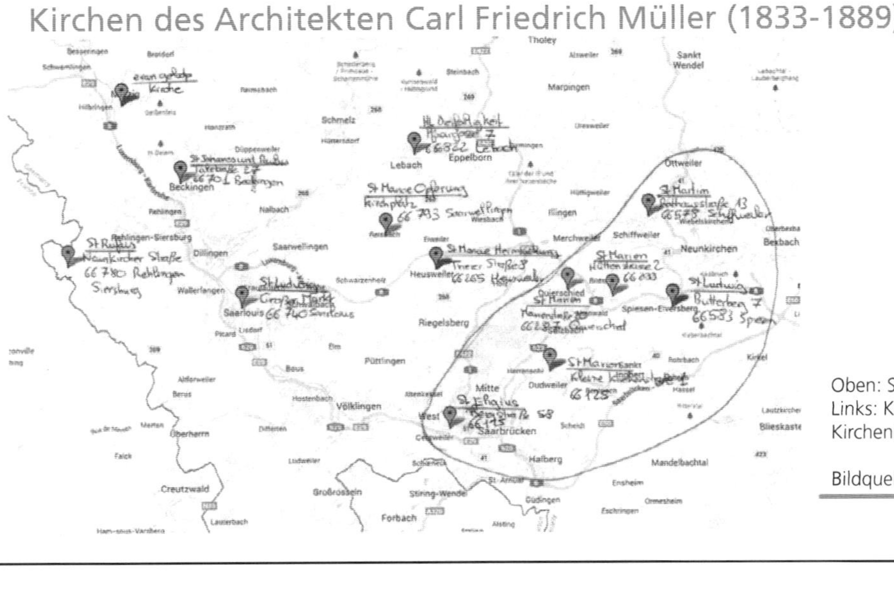

Oben: St. Martin zu Schiffweiler,
Links: Karte mit Kirchenbauwerken von C.F. Müller

Bildquelle: Herr Strauss, Hannweiler

Fraunhofer IZFP

HANDNAHE PRÜFUNG

Grundsteinsuche Kirche Rilchingen-Hanweiler mit GPR

Sandstein Mauerwerk

Foto: Herr Strauss

Abgrenzung Grundstein

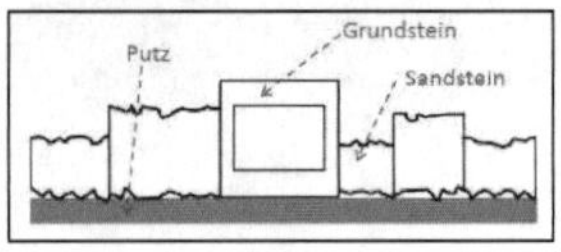

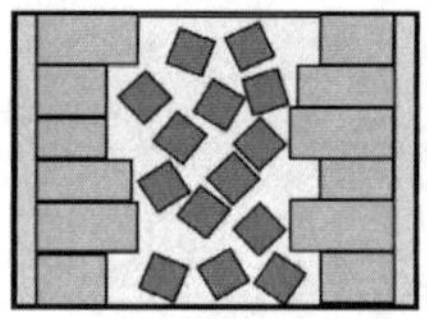

© Fraunhofer Interreg Grande Région | Großregion

Fraunhofer IZFP

AUTOMATISIERTE PRÜFUNG

Diagnose mit selbstnavigierendem Scanner

- Brücke B51 Völklingen
- Spannbetonbauwerk (Massivbauweise)
- Untersuchungen der Betondeckung und -feuchte vor und nach dem Fräsen der Asphaltfahrbahn

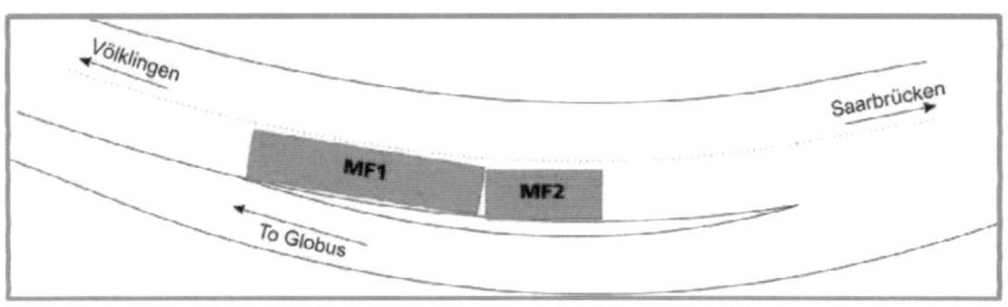

MF1: Messfeld 1, MF2: Messfeld 2

© Fraunhofer Interreg Grande Région | Großregion

IZFP

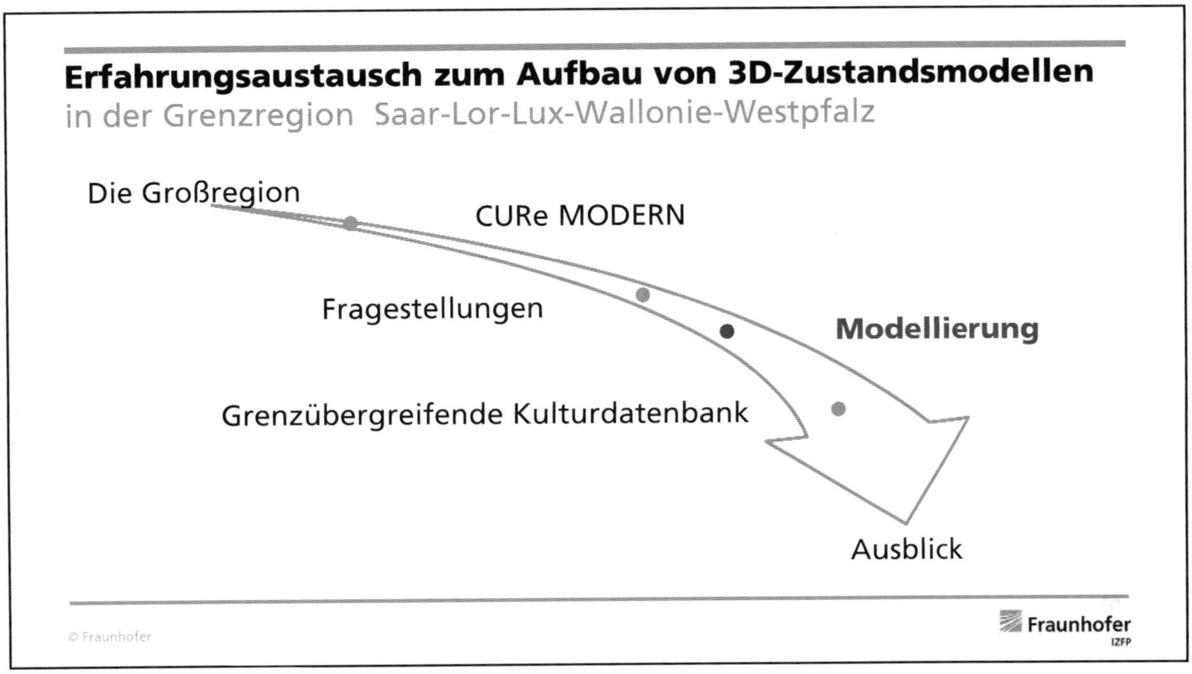
Erfahrungsaustausch zum Aufbau von 3D-Zustandsmodellen
in der Grenzregion Saar-Lor-Lux-Wallonie-Westpfalz
Die Großregion
CURe MODERN
Fragestellungen
Modellierung
Grenzübergreifende Kulturdatenbank
Ausblick
© Fraunhofer
Fraunhofer
IZFP

BAUWERKSUNTERSUCHUNG MIT UAS
Modellierung
Erfassung der Geländestruktur und des Bauwerksmodells
© Fraunhofer
Interreg
Grande Région | Großregion
Fraunhofer
IZFP

BAUWERKSUNTERSUCHUNG MIT UAS
Modellierung

- Erfassung der Geländestruktur und des Bauwerksmodells

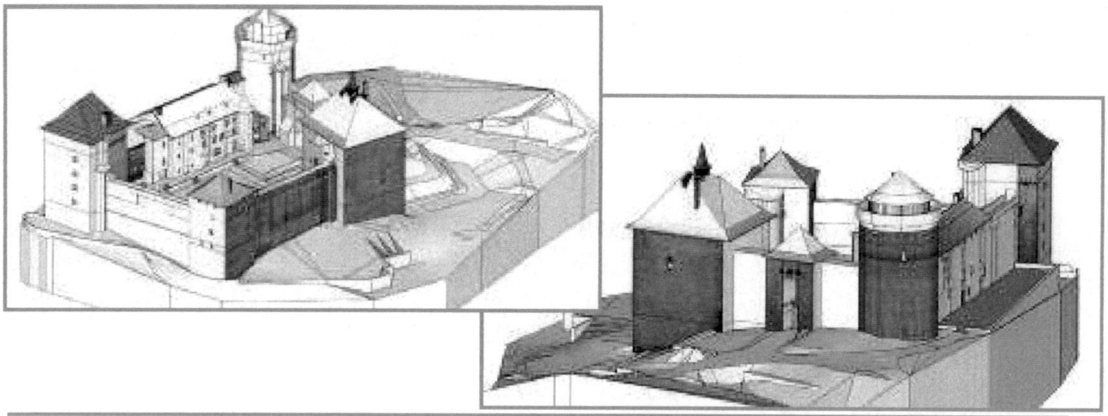

Bauwerksuntersuchung mit UAS
Erkennen von Zusammenhängen im Modell

HANDNAHE PRÜFUNG
Rekonstruktion von Bestandsdaten

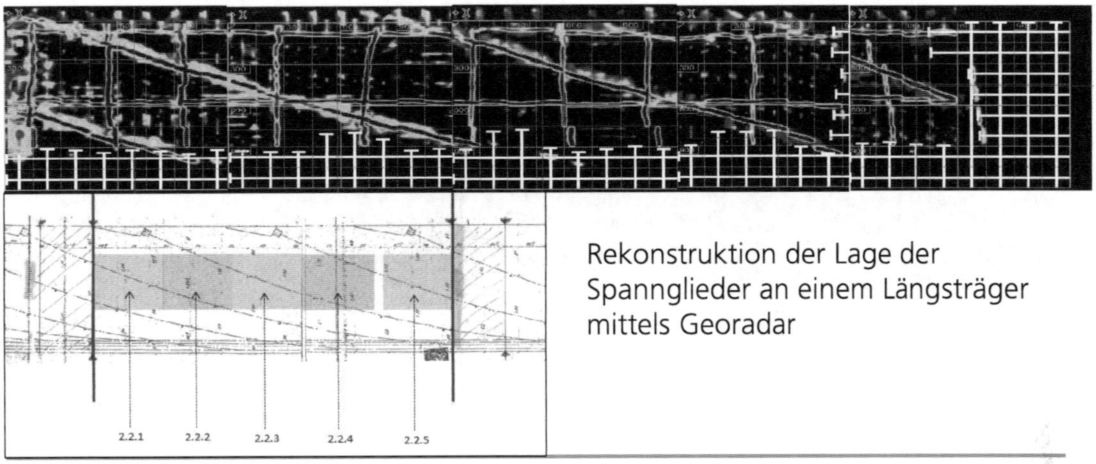

Rekonstruktion der Lage der Spannglieder an einem Längsträger mittels Georadar

HANDNAHE PRÜFUNG
Modellierung

- Vermessung & 3D Modellierung
- Verortung der Messbereiche im Bauwerk
- Exemplarische Teilmodelle mit Messdaten
- Synchronisation mit Bestandsplan

HANDNAHE PRÜFUNG

Grundsteinsuche Kirche Rilchingen-Hanweiler mit GPR

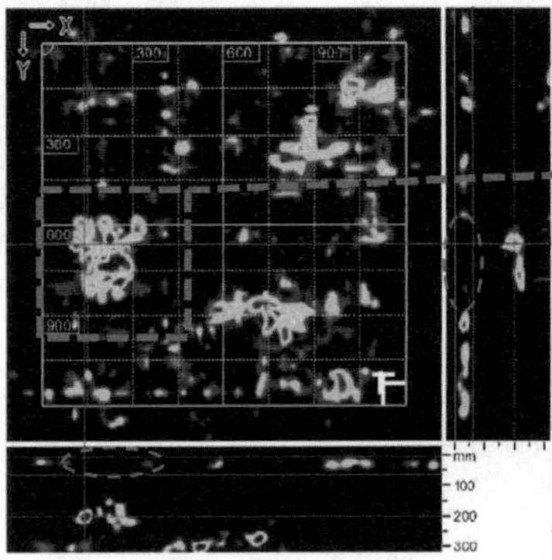

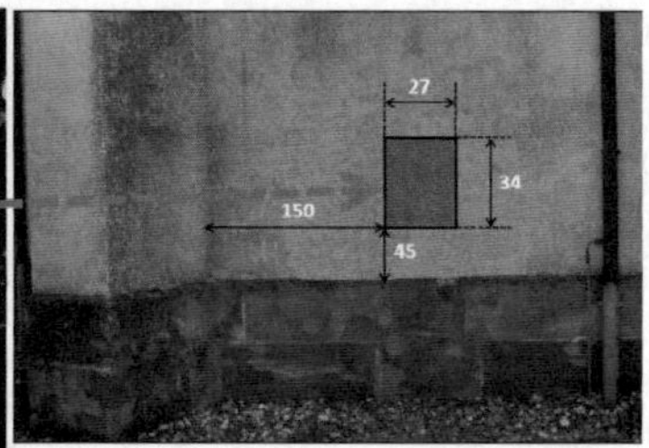

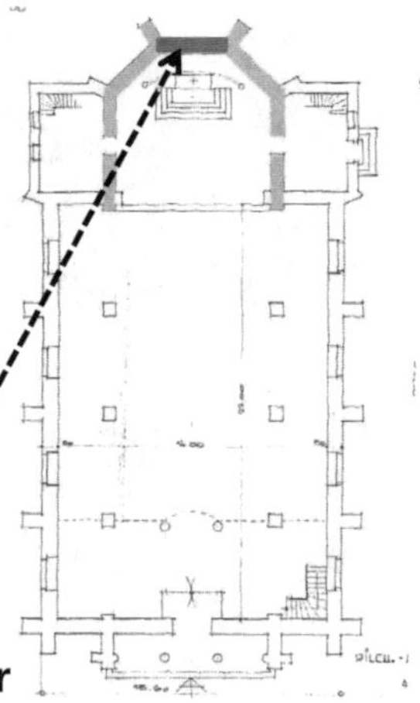

Wahrscheinlichster Bereich des Grundsteins : Wand hinter dem Altar

HANDNAHE PRÜFUNG

Grundsteinsuche Kirche Rilchingen-Hanweiler mit GPR

3D-Modell Kirche Rilchingen-Hanweiler

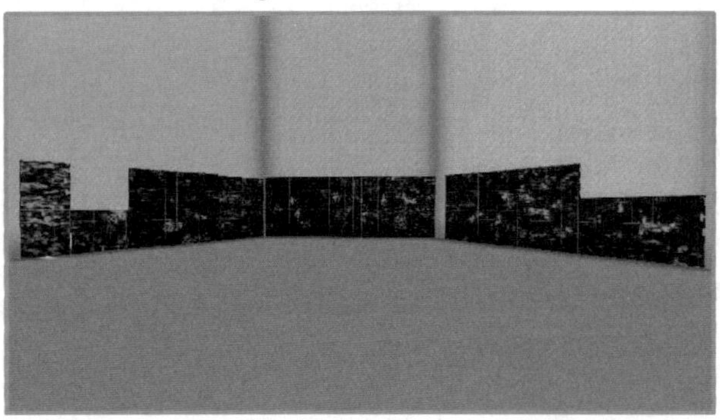

© Fraunhofer Interreg Grande Région | Großregion
Fraunhofer IZFP

AUTOMATISIERTE PRÜFUNG

MODELLIERUNG

- Untersuchung der Korrelation zwischen Asphaltdelamination und Feuchte
- Referenzuntersuchungen zur Asphaltdelamination mit Kettenzugverfahren (engl. chain drag)

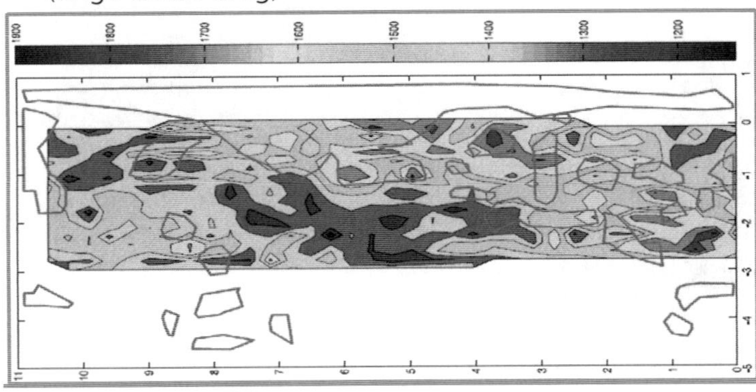

MF 2: ca. 10 m x 3 m
Messtiefe 20 cm
Messung durch den Asphalt mit MOIST Sensoren

- Feuchteverteilung (Farbskala, rot = hohe Feuchte)
- Kettenzugverfahren (Lila umrandete Felder)

Bauwerksuntersuchung mit UAS

Erfassung der Geländestruktur und des Bauwerksmodells

Erarbeitung von 3D-Modellen der Untersuchungsobjekte Grumbachtalbrücke im Verlauf BAB 6

Bauwerksuntersuchung mit UAS

Erfassung der Geländestruktur und des Bauwerksmodells

Erarbeitung von 3D-Modellen der Untersuchungsobjekte Talbrücke Mettnich im Verlauf der BAB 1

© Fraunhofer Interreg Grande Région | Großregion

Fraunhofer IZFP

Erfahrungsaustausch zum Aufbau von 3D-Zustandsmodellen

in der Grenzregion Saar-Lor-Lux-Wallonie-Westpfalz

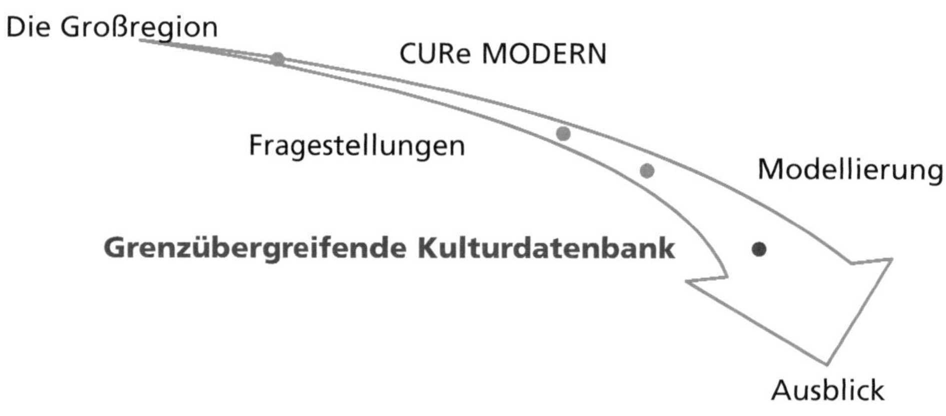

© Fraunhofer

Fraunhofer IZFP

GRENZÜBERGREIFENDE KULTURDATENBANK

CURe MODERN WebGIS

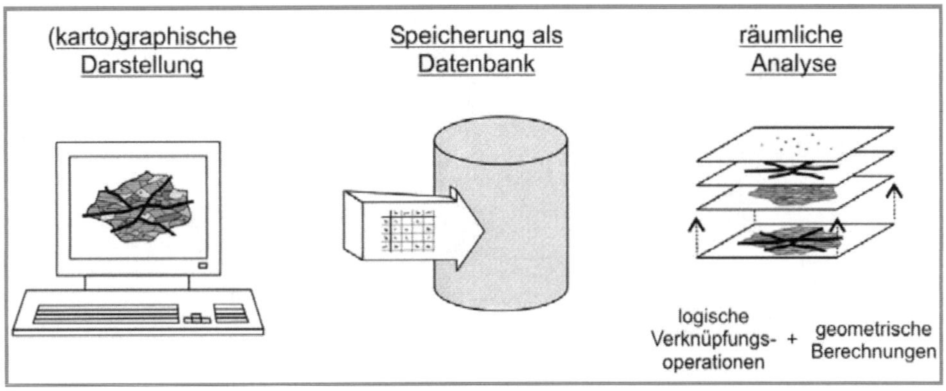

Hauptbestandteile eines Geoinformationssystems nach Streich 2011

Fraunhofer IZFP

GRENZÜBERGREIFENDE KULTURDATENBANK

CURe MODERN WebGIS

Erste „GIS"-Anwendung

Karte der Cholerafälle in London von John Snow 1854.

Snows Studien der Verteilung der Cholerafälle führten zur Quelle der Krankheit.

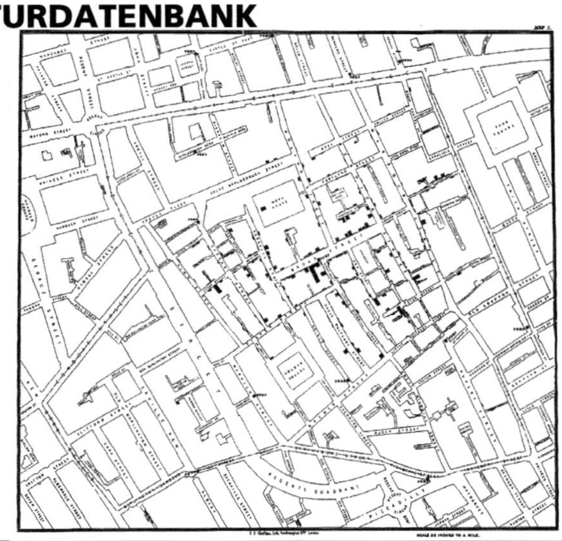

Bildquelle: C.F. Cheffins, Lith, Southhampton Buildings, London, England

Interreg Grande Région | Großregion

Fraunhofer IZFP

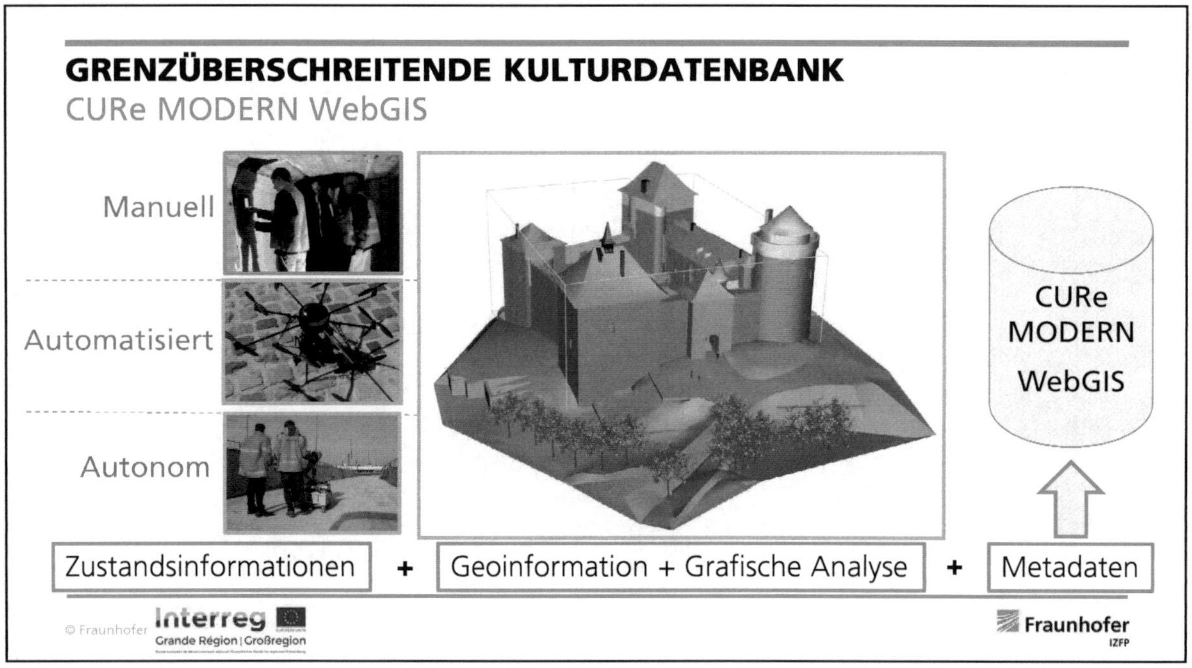
GRENZÜBERSCHREITENDE KULTURDATENBANK
CURe MODERN WebGIS
Manuell
Automatisiert
Autonom
CURe MODERN WebGIS
Zustandsinformationen
+
Geoinformation + Grafische Analyse
+
Metadaten
© Fraunhofer
Interreg
Grande Région | Großregion
Fraunhofer
IZFP

GRENZÜBERSCHREITENDE KULTURDATENBANK
CURe MODERN WebGIS
Geopositionen
Bauwerksdaten
Bestandspläne
Untersuchungsergebnisse
Messdaten
Berichte
3D-Modelle
Zeitraum & Kostenanalyse
3D Modell
Speichern
© Fraunhofer
Interreg
Grande Région | Großregion

GRENZÜBERSCHREITENDE KULTURDATENBANK

CURe MODERN WebGIS

www.cure-modern.eu

© Fraunhofer

Interreg Grande Région | Großregion

Fraunhofer IZFP

GRENZÜBERSCHREITENDE KULTURDATENBANK

CURe MODERN WebGIS

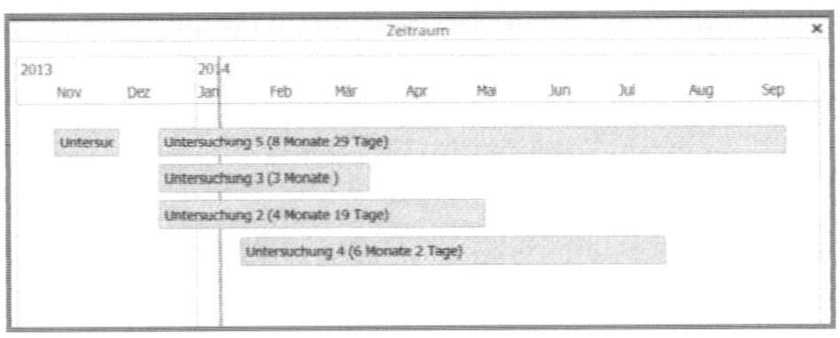

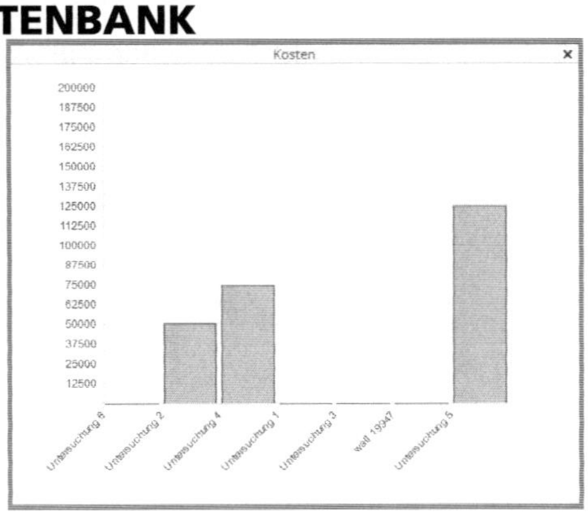

- Planung der Bauwerkinspektionen
- Werden bei den Schadendetails Kosten und Zeiträume erfasst, so ist es bereits im Bereich der
- Objektinformationen möglich, sich hierzu jeweils ein Diagramm darstellen zu lassen

© Fraunhofer

Interreg Grande Région | Großregion

Fraunhofer IZFP

GRENZÜBERSCHREITENDE KULTURDATENBANK

Asset Information Model (AIM)

- Die Verbindung des Building Information Model (BIM) mit den betriebswirtschaftlichen Daten des Bauwerkes erzeugt das Asset Information Model (AIM). Liegenschaftsmodell
- AIM sammelt und analysiert Daten, die die Wartung, das Management und den Betrieb eines Bauwerks während seines gesamten Lebenszyklus unterstützen.
- Asset-Informationsmodell (AIM) dient
  - als Repository für alle Informationen über das Bauwerk (einschl. Maintenance)
  - als Mittel für den Zugriff auf/die Verknüpfung mit Unternehmenssystemen
  - als Mittel zur Zentralisierung von Informationen anderer Projektphasen / Partner
- Analysen auf Basis der AIM Informationen ermöglichen bessere operative und strategische Entscheidungen.

Fraunhofer IZFP

Erfahrungsaustausch zum Aufbau von 3D-Zustandsmodellen

in der Grenzregion Saar-Lor-Lux-Wallonie-Westpfalz

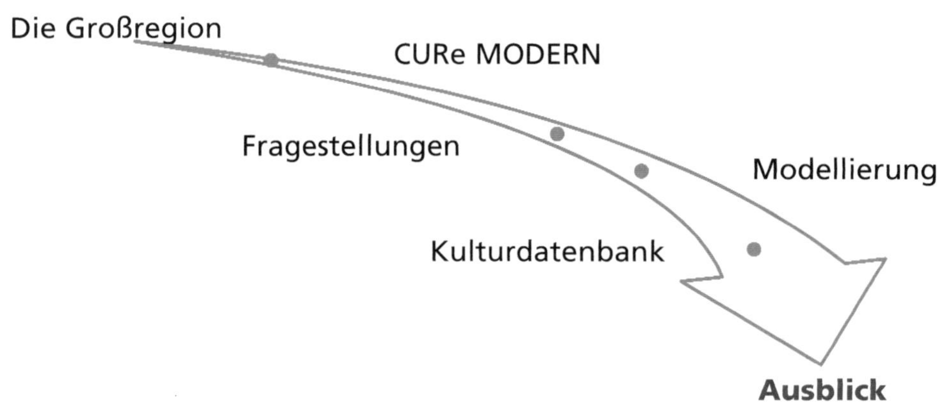

Fraunhofer IZFP

GRENZÜBERSCHREITENDE KULTURDATENBANK

Asset Information Model (AIM) – Bsp.: Automatisierte Attributierung

Metadaten

Zustandsinformationen

Geoinformation + Grafische Analyse

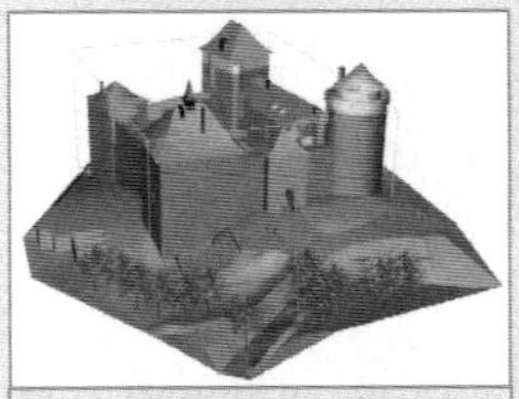

2D/3D-Modelle

Untersuchungsgebnisse

WebGIS ⇨ Klassifikation ⇨ Defektzonen Objekte

Fraunhofer IZFP

GRENZÜBERSCHREITENDE KULTURDATENBANK

Automatisierte Erkennung von Ungänzen an Fassaden

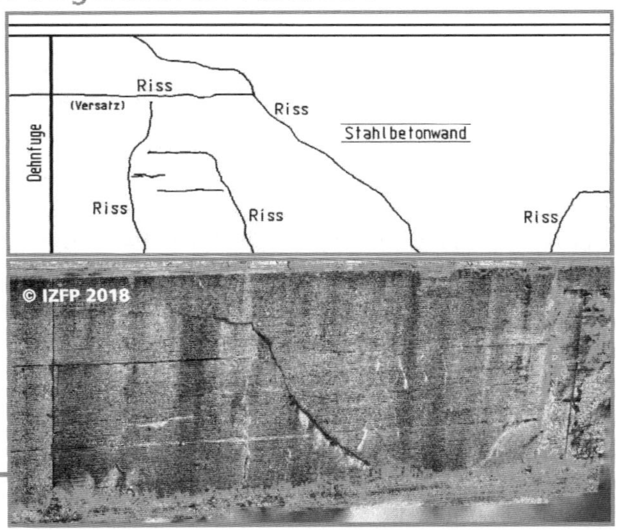

Algorithmen erkennen autonom Ungänzen z.B. Risse, Abplatzungen oder Deformationen an Fassaden

RAG STIFTUNG RAG

GRENZÜBERSCHREITENDE KULTURDATENBANK

Automatisierte Erkennung von Bauteilen

RAG STIFTUNG   RAG   Fraunhofer IZFP

Herzlichen Dank für Ihre Aufmerksamkeit!

Ralf M. Moryson
Dipl.-Ing (FH)

Fraunhofer-Institut
für Zerstörungsfreie Prüfverfahren IZFP
Zustandsüberwachung & Lebensdauermanagement
Campus E3 1 | 66123 Saarbrücken

Tel: +49 681 9302-3938 | Mobil: +49 172 105 2270 | Fax: +49 681 9302-113938
E-Mail: ralf.moryson@izfp.fraunhofer.de
Internet: http://www.izfp.fraunhofer.de

Fraunhofer IZFP

Ergebnisdarstellung von GPR Messungen in einem BIM-Modell

Dr. Julia WOLF [1], Rene DUMITSCH[2], Dr. Daniela HOFMANN[1]
[1] DB Engineering & Consulting GmbH, [1]Bremen, [2]Berlin
Kontakt E-Mail: Julia.J.Wolf@deutschebahn.com

Kurzfassung. Die Untersuchungen von Bauwerken mit zerstörungsfreien Prüfmethoden werden immer öfter im Bauwesen angewandt. Aufgabenbereiche variieren in ihrer Komplexität von der Ortung der Bewehrung eines Bauteils und deren Markierung vor Ort bis hin zur Untersuchung des Aufbaus und der Detektion diverser Einbauteile. Dementsprechend variiert auch die Anforderung an die Darstellung der Ergebnisse von einfachen Skizzen bis hin zur Integration in georeferenzierten Bauwerksplänen. Dieser Beitrag befasst sich mit der komplexesten Darstellungsweise von Ergebnissen der zerstörungsfreien Prüfung (ZfP): Der 3D Darstellung in einem digitalen Modell des Bauteils. Der Vorteil der ZfPBau für die BIM (Building Information Modeling)-Methodik liegt darin fehlende Informationen über die Geometrie und den Aufbau von Bestandsbauwerken zu ergänzen, um somit die Planungsgenauigkeit und Kostensicherheit von Bauprojekten zu erhöhen. Dieser Vorteil lässt sich nur nutzen, wenn die Ergebnisse für alle Fachgewerke verständlich dargestellt werden.

Zunächst wird auf die Motivation für diese Darstellungsart eingegangen. Anschließend wird, gerne auch als Grundlage weiterer Diskussionen, der Bearbeitungsansatz der DB Engineering & Consulting vorgestellt und an Hand eines Beispielprojektes erläutert.

Einführung

Zur Digitalisierungsstrategie von Bund, Bahn und Bahnindustrie gehört, für Projekte des Bundes, die verpflichtende Einführung des digitalen Planens und Bauens, die sogenannte BIM-Methode (BIM = Building Information Modeling) [1]. Bezogen auf die DB AG ist dies eine Methode, um Infrastruktur besser planen, bauen und betreiben zu können [2]. Kern ist ein geometrisch genaues dreidimensionales Modell aus attribuierten Bauteilen. Vorteil ist der Aufbau einer gemeinsamen Datengrundlage für alle an der Infrastrukturanlage beteiligten Gewerke. Die Daten stehen über den gesamten Lebenszyklus einer Anlage zur Verfügung und werden ständig aktualisiert und synchronisiert. Zur Infrastruktur gehören neben dem Streckennetz der DB Netz AG mit Kreuzungsbauwerken, Tunnel und Brücken auch die Verkehrsstationen der DB Station & Service AG. Die Einführung der BIM-Methodik bei der DB AG erfolgt in mehreren Stufen, erste Pilotprojekte sind abgeschlossen und die Methodik wird stetig auf weitere Projekte angewandt. Die BIM-Methodik fasst alle verfügbaren Informationen über ein umzubauendes oder geplantes Bauwerk zusammen. Bei Bestandsbauwerken liegen jedoch nicht immer alle notwendigen Informationen über den Aufbau des Bauwerks, über die Verteilung von Einbauteilen wie Bewehrung oder Dübel, über den Verlauf von Leitungen und Kabeln oder über das Vorhandensein alter Fundamente oder zu unterirdischer Bauwerke vor. Das Modell ist damit unvollständig. Umbaumaßnahmen lassen sich dadurch zeitlich und finanziell nur unzureichend planen.

Mit Verfahren zur Zerstörungsfreien Prüfung von Bauteilen (ZfPBau) können einige der fehlenden, im Untergrund verborgenen Informationen ergänzt werden [3]. Mit der Ground Penetrating Radar (GPR) Methode lässt sich beispielsweise alte Fundamente lokalisieren, Leitungsverläufe unter Bahnsteigen verfolgen oder die Bewehrung in Wänden und Decken detektieren [4]. Die Darstellung der Ergebnisse von Untersuchungen mit dem GPR wird gelegentlich vom Auftraggeber vorgegeben, meist liegt diese jedoch, innerhalb gewisser Rahmenbedingungen, im Ermessen der ausführenden Firma. Ziel sollte es immer sein, die Ergebnisse derart aufzubereiten, dass der Aufraggeber sowie Mitarbeiter der am Bauprojekt beteiligten Gewerke, diese verstehen und mit ihnen weiter arbeiten können. Zu beachten ist auch, dass die Darstellung langlebig und selbsterklärend ist, da die durch die Messungen gewonnenen Informationen teilweise erst Jahre später und von anderen Mitarbeitern genutzt werden. Je nach Aufgabenstellung ist die Ergebnisdarstellung daher unterschiedlich komplex und variiert von einfachen Skizzen auf einer Fotografie bis hin zur Darstellung in einem digitalen Modell des Bauwerks.

Bei zwei BIM-Pilotprojekten von DB Station & Service ergab sich die Möglichkeit, durch Messungen mit dem GPR-Verfahren, fehlende Informationen über den Aufbau der Bahnsteige zu ergänzen, mögliche Hindernisse für Umbaumaßnahmen im Untergrund zu detektieren sowie den Verlauf von Leitungen zu bestätigen. Diese zusätzlichen Informationen sollten in das digitale Modell der Verkehrsstation integriert werden. Hierfür wurde ein Arbeitsablauf entwickelt, der auf diverse nachfolgende Projekte übertragen werden konnte.

1. BIM-Methodik

Die BIM-Methodik ist ein sehr komplexes Thema, das immer weiter wächst. Es umfasst die Entwicklung von Standards und Richtlinien, von Softwarelösungen, erweiterten Kooperation und neuen Funktionen in der Planung und Projektmanagement. Des Weiteren wurden neue Weiterbildungsthemen und -konzepte entwickelt. Die Methodik eröffnet Chancen für die Planungsgenauigkeit und Kostensicherheit, für den Erhalt von Informationen über den gesamten Lebenszyklus eines Bauwerks, für zwischengewerbliche Kooperationen und für die Forschung und Entwicklung. Die genaue Beschreibung ist im Rahmen dieses Manuskriptes nicht möglich. Weshalb hier auf weiterführende Literatur verwiesen wird.

Das vermutlich am häufigsten zitierte Werk zur BIM-Methodik ist der „Stufenplan Digitales Planen und Bauen" [1]. Er beschreibt was die BIM-Methodik eigentlich ist, weshalb sie angewandt werden sollte und wie sie bei Planung, Bau und Betrieb von Bauwerken eingeführt wird. Bereits existierende Standards sind beispielsweise die DIN EN ISO 19650 [5] sowie die Richtlinie des Vereins Deutscher Ingenieure VDI 2552 [6]. welche sich teilwiese noch in der Prüfung befindet.

Die Grundlage der BIM-Methodik ist die Erstellung eines digitalen Modells eines Bauwerks. Bauwerke können Gebäude sein, Brücken, Tunnel aber auch Bahnstrecken- oder Autobahnabschnitte. Ein solches digitales Modell besteht aus Fachmodellen verschiedener Gewerke. Die Fachmodelle wiederum bestehen aus vordefinierten Bauteilen. Diesen Bauteilen werden diverse Informationen zugeordnet, wie beispielsweise Geometrie, Volumen, Material, Lebensdauer, Nutzungsmöglichkeiten, Inhalt, Herkunft [1]. Die verknüpften Informationen sind vielfältig und werden in Zusammenarbeit mit allen beteiligten Planern und Gewerken zusammengetragen. Diese Informationen dienen als

Grundlage der Planung von Neu- und Umbauten, des Betriebs und der Umsetzung von Modernisierungsmaßnahmen eines Bauwerks über dessen gesamte Lebensdauer. Die Nutzung der BIM-Methode soll Fehler bei der Planung und damit verbundene Störungen im Bauablauf reduzieren und somit die Zeit- und Kostenplanung optimieren [1].

Eine absolute Notwendigkeit bei der Anwendung der BIM-Methodik ist die enge Kooperation aller an der jeweiligen Maßnahme beteiligten Gewerke und die regelmäßige Aktualisierung des Modells. Das setzt voraus, dass alle Beteiligten ausreichend befähigt sind, mit den digitalen Modellen umzugehen und es standardisierte, herstellerneutrale Softwarelösungen gibt.

Die Standardisierung von Abläufen, die Verbesserung von Softwarelösungen, die Ausbildung von Fachkräften, das Aufstellen von Richtlinien und Standards, die Anforderungen an den Inhalt von Ausschreibung sowie vertragliche Regelungen sind Themen die derzeit noch bearbeitet und wohl ständig weiterentwickelt werden.

Der Vorteil der ZfPBau ist, fehlende Informationen von Bestandsbauwerken zu ergänzen und das Modell zu vervollständigen.

2. GPR Untersuchungen eines Bahnhofs

Die Ergebnisdarstellung von GPR-Messungen wird am Beispiel einer Messkampagne an einem kleinen Bahnhof verdeutlicht. Dieser Bahnhof soll umgebaut werden. Aufgabe war es, den Verlauf von Leitungen zu überprüfen und Hindernisse zu detektieren, die den Umbau verzögern würden. Die Ergebnisse sollten in ein digitales Modell des Bahnhofs integriert werden, um den Fachleuten die Möglichkeit zu geben die Umbauarbeiten zeitlich und finanziell optimal zu planen.

2.1 Aufnahme der Messpositionen

Die Lagegenauigkeit der Messungen ist abhängig von den Anforderungen des Auftraggebers und den Umgebungsbedingungen. Im vorliegenden Fall wurde eine horizontale Genauigkeit im Zentimeterbereich erwartet, weshalb sich dafür entschieden wurde, die Messungen zur Positionsbestimmung des Radargerätes mit einem Tachymeter durchzuführen [7]. Über ein Modem werden die ermittelten Koordinaten der Geräteposition direkt in das Radargramm geschrieben. Die genaue Positionierung muss im Koordinatensystem des BIM-Modells erfolgen, um später die GPR-Ergebnisse in der Koordinierungsumgebung gemeinsam mit dem BIM-Modell darstellen zu können.

2.2 Messdurchführung

Um unter den Bahnsteigen Leitungen zu detektieren, die sowohl parallel zu den Gleisen als auch senkrecht dazu verlaufen wurde entlang von Profilen senkrecht und parallel zur Bahnsteiglänge gemessen. Um die Datenaufnahme zu beschleunigen, wurde für die Messungen Längs zum Bahnsteig eine 8-kanalige Messapparatur (Abb. 1) mit zwei verschiedenen Antennenfrequenzen: 400 MHz und 900 MHz verwendet. Die Antennen liegen maximal 0,3 m auseinander. Diese Apparatur wird ab hier als Scanner bezeichnet. Für die kurzen Profile quer zum Bahnsteig wurde eine 1-kanalige Messapparatur mit einer 400 MHz Antenne verwendet (Abb. 2).

Abb. 1 Scanner mit acht Antennen verschiedener Frequenzen.

Abb. 2 Messapparatur mit einer 400 MHz Antenne.

Zusätzlich zu den Messungen auf den Bahnsteigen sollte durch Messungen an einer Stützwand dessen Geometrie und Bewehrung bestimmt werden. Hierfür wurde entlang eines Grids mit einer Antennenfrequenz von 1600 MHz gemessen.

3. Ergebnisdarstellung von GPR Messungen

Das Prisma, auf das sich das Tachymeter fokussiert, befindet sich in der Mitte des Antennenarrays des Scanners auf 2 m Höhe. In einem ersten Bearbeitungsschritt werden aus den aufgenommenen Tachymetermessungen die Positionen der acht Antennen abgeleitet. Die berechneten Messspuren werden im nächsten Schritt visualisiert und einer Plausibilitätsprüfung unterzogen. Die Abb. 3 zeigt einen Ausschnitt des BIM-Modells des Bahnhofs mit den als Kugeln symbolisierten Messspuren. Zu sehen sind sowohl die Positionen der acht Antennen des Scanners längs zum Bahnsteig als auch die Position, der den Bahnsteig querenden Profile der einzelnen Antenne.

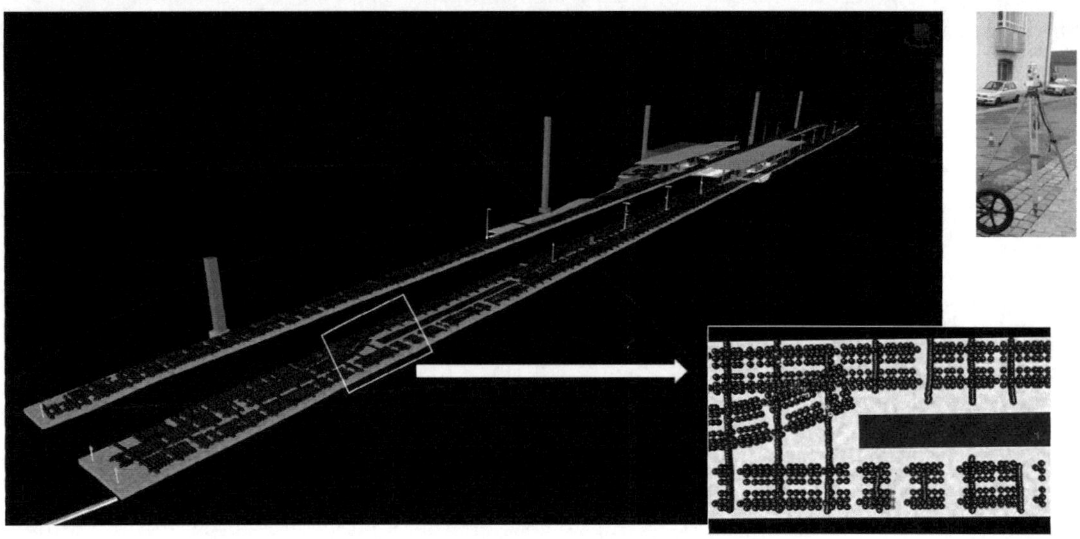

Abb. 3 Darstellung der GPS Positionen der GPR Messungen auf zwei Bahnsteigen.

Liegen die Messspuren so, wie im Messprotokoll und auf Fotos dokumentiert, und schließt der Kugelmittelpunkt mit der Bahnsteigoberkante ab, stimmt sowohl das Koordinatensystem als auch das verwendete Höhenmodell der Messungen mit dem Modell überein. Es kann mit der Auswertung der Radargramme begonnen werden. Hierfür werden im Radargramm erkennbare Reflexionen aus dem Untergrund markiert, vorinterpretiert und verschiedenen Objektnamen zugeordnet. Zur Verdeutlichung zeigt die Abb. 4 drei Radargramme einer Messspur des Scanners. Diverse Reflexionen und Schichtverläufe wurden markiert und verschiedenen Objektnamen zugeordnet. Die Koordinaten der markierten Bereiche werden aus dem Bearbeitungsprogramm exportiert. Die Koordinaten der Messspur sind mit den Scans der Radargramme verbunden, hat jeder markierte Bereich absolute Koordinaten im Koordinatensystem des BIM-Modells.

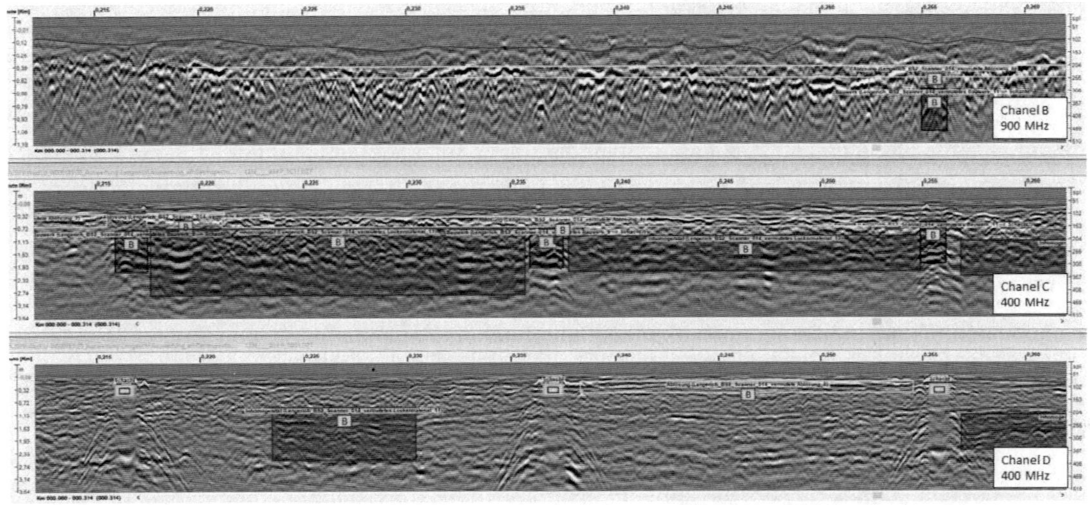

Abb. 4 Radargramme mit markierten Reflexionen, die verschiedenen Objektnamen zugeordnet wurden.

Die exportierten Bereiche werden über Zwischenschritte in das BIM-Modell integriert. Dort werden die x-, y- und z-Koordinaten der Stützpunkte durch Pfeile symbolisiert. Die Pfeilspitze weist jeweils auf die absolute Position im Modell. Lässt sich ein Reflektor über mehrere Profile bzw. Kanäle beobachten, hat er also eine längliche oder flächige Ausdehnung, werden die Pfeilspitzen miteinander verbunden. Jeder Pfeil hat Eigenschaften, die sich anzeigen lassen. Eigenschaften sind unter anderem Informationen zur Profilnummer und der Position im Profil, dem Objektnamen, der Tiefe unter der Bahnsteigoberfläche, dem Link zum Radargramm und Bemerkungen zum Objekt. Die Abb. 5 zeigt die Eigenschaften eines Pfeils. Dieser markiert einen Eckpunkt einer vermuteten Reflexion von einem Bauwerk in 2,28 m Tiefe.

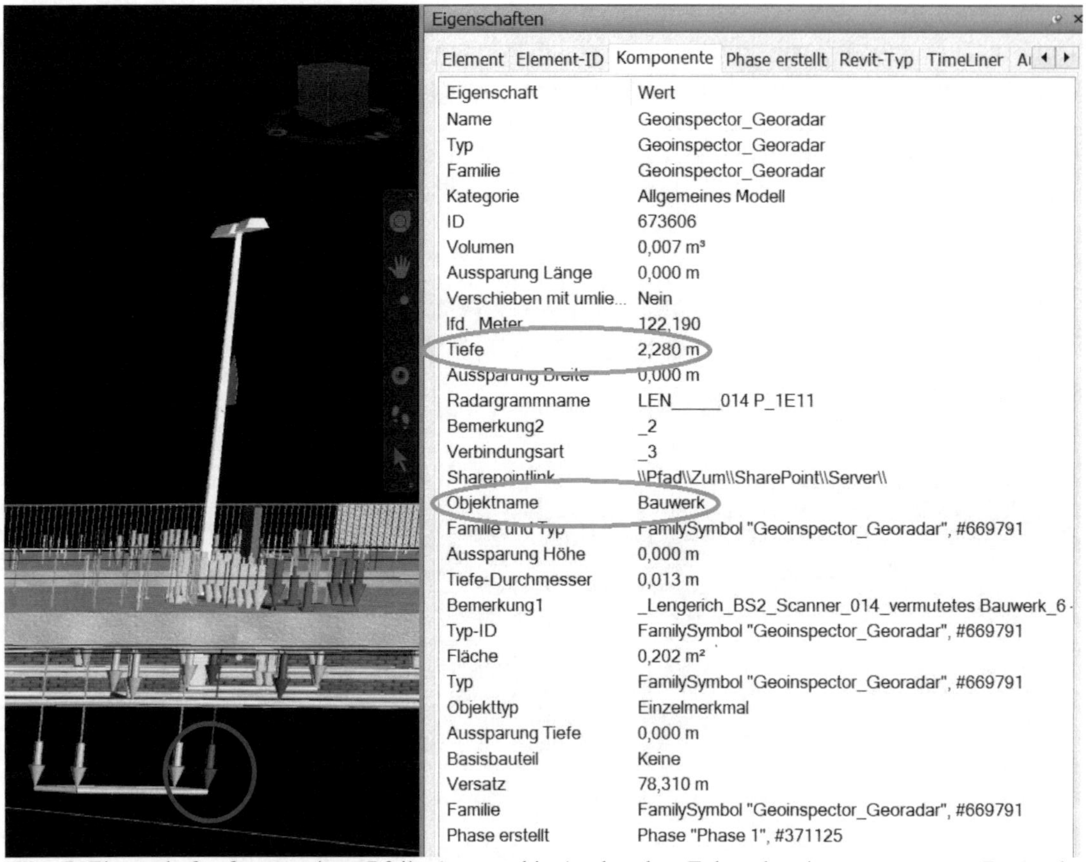

Abb. 5 Eigenschaftenfenster eines Pfeils (rot markiert), der den Eckpunkt eines vermuteten Bauwerks markiert. Grün eingekreist sind die Informationen über die Tiefe unter der Bahnsteigoberkante und der Objektname.

Die Bereiche werden ihren zugeordneten Objektnamen entsprechend eingefärbt. Im Modell lassen sich diese Objektnamen gruppieren und ein- und ausblenden. Die verwendeten Objektnamen und ihre farbliche Markierung im BIM-Modell sind in der Tabelle 1 zusammengefasst.

Tabelle 1: Übersicht über die Objektnamen, denen Reflexionen zugeordnet werden und deren farbliche Markierung im BIM-Modell.

Objektname	**Farbe**
Ablösung	Cyan
Fundament/Bauwerk	Grau oder schwarz
Hohlraum	Grün
Inhomogenität/Lockermaterial	Flieder
Leitung/Kabel	Gelb
Sonstiges	Orange
Stahl/Schacht	Magenta

Durch das Ein- und Ausblenden der verschiedenen Objekte lässt sich die Ergebnisdarstellung im Modell auf die gerade für den Planer relevanten Informationen reduzieren.

Die Abb. 6 zeigt einen Ausschnitt des BIM-Modells des Bahnhofs mit integrierten Ergebnissen der GPR-Messung. Dargestellt ist der Bereich der Radargramme der Abb. 4. Eingeblendet sind die Objekte Bauwerk (grau), was hier einem Kabelkanal entspricht, Hohlraum (grün), Leitungen (gelb) und Schächte (magenta). Die Bahnsteigoberfläche ist transparent dargestellt. Die markierten Schichtverläufe und die Verteilung des Lockermaterials wurden für eine bessere Übersicht ausgeblendet.

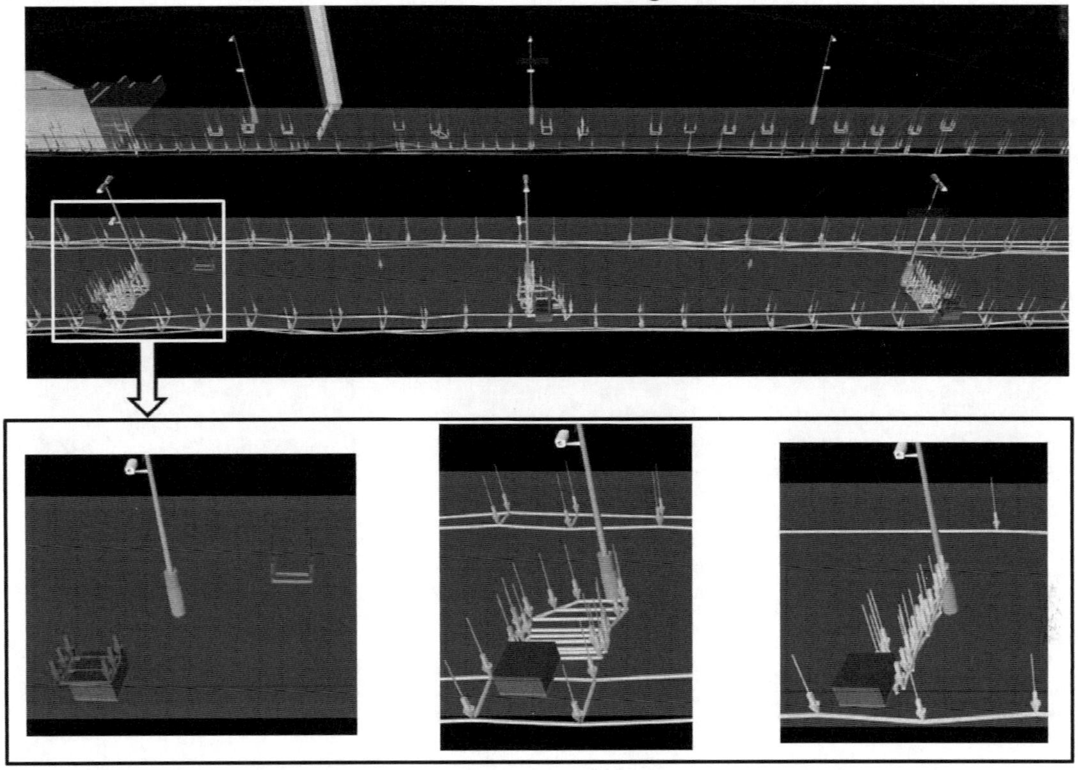

Abb. 6 Darstellung der Ergebnisse der GPR Messungen in dem BIM-Modell des Bahnhofs.

4. Ausblick

Die Anforderungen an die Darstellung der Ergebnisse von Messungen mit ZfP-Verfahren sind komplex und werden die ZfP-Fachwelt wohl andauernd beschäftigen. Abzusehen ist, dass die Darstellung der Ergebnisse in digitalen Modellen von Bauwerken zukünftig immer häufiger erwartet wird. Die Vorteile liegen in den Ansprüchen der BIM-Methodik: Informationen über Bauwerke dauerhaft, aktuell, digital und Gewerke übergreifend zur Verfügung zu stellen. Durch Rückmeldungen der Nutzer der BIM-Modelle und durch die weitere Verbreitung der Anwendung von ZfP-Verfahren im Bauwesen, wird sich die Darstellungsweise der Ergebnisse in digitalen Modellen immer wieder ändern und dadurch verbessern. Ein nächster Schritt bei der Integration der Messungen mit dem GPR-Verfahren ist die Darstellung der Radargramme zusammen mit den interpretierten Reflektoren. Insbesondere bei Anwendungen mit überwiegend eindeutigen Ergebnissen, wie der Ortung von Bewehrung und Spannkanälen, ist eine zeitnahe Umsetzung absehbar.

5. Zusammenfassung

Zwei Punkte motivierten die hier vorgestellte Entwicklung von Arbeitsabläufen zur Integration der Ergebnisse von GPR-Messungen in digitale Bauwerksmodelle. Der erste Punkt ist die immer wiederkehrende Frage nach der Darstellung der Ergebnisse, so dass diese für Fachleute anderer Gewerke verständlich sind. Insbesondere in einer Situation wechselnden Personals, langer Projektlaufzeiten und einer hohen Diversität an ZfP Aufgaben. Der zweite Punkt ist die Vorgabe durch die Digitalisierungsstrategie,

Infrastrukturprojekte der Bahn basierend auf der BIM-Methodik zu bearbeiten. Die Arbeit zeigte, dass es weiterhin viel zu tun gibt, insbesondere in der Eindeutigkeit der Darstellung im digitalen Modell und der Optimierung und Beschleunigung der Arbeitsabläufe. In diesem Beitrag konnte bereits gezeigt werden, dass sich Ergebnisse von GPR-Messungen in ein BIM-Modell eines Bahnhofs integrieren lassen und das Planer die zusätzlichen Informationen nutzen konnten.

Referenzen

[1] H. Bramann und I. May, *Stufenplan Digitales Planen und Bauen,* Berlin: Bundesministerium für Verkehr und digitale Infrastruktur, 2015.

[2] DBAG, *BIM-Strategie,* Frankfurt am Main, 2019.

[3] A. Taffe und H. Wiggenhauser, „Zerstörungsfreie Zustandsermittlung und Qualitätssicherung in der Betoninstandsetzung," *Beton- und Stahlbetonbau Spezial,* 2005.

[4] D. Hofmann und S. Homburg, „Zerstörungsfreie 3D Untersuchungen an Bauwerken mit dem Georadar-Verfahren," *Ernst & Sohn Special: Messtechnik im Bauwesen,* pp. 37 - 40, 2014.

[5] D. N. Bauwesen, *DIN EN ISO 19650,* Deutsches Institut für Normung e.V., 2019.

[6] V. D. Ingenieure, *VDI 2552 Building Information Modeling (BIM),* Verein Deutscher Ingenieure, 2018.

[7] U. Böninger und J. Tronicke, „On the Potential of Kinematic GPR Surveying Using a Self-Tracking Total Station: Evaluating System Crosstalk and Latency," *IEEE Transaction of Geoscience and Remote Sensing,* pp. 3792 - 3798, Oktober 2010.

[8] CTO Key Account, *Stufenweise Einführung von Building Information Modeling - Erläuterung der "Stufe 1" bei der DB E&C,* Berlin, 2018.

Monitoring im Rahmen eines digitalen Bauwerkszwillings

Max BOTZ [1], Christian GROßE [1]
[1] Technische Universität München, Lehrstuhl für Zerstörungsfreie Prüfung, München
Kontakt E-Mail: max.botz@tum.de

Kurzfassung. Die wichtigste Eigenschaft eines Digitalen Zwillings ist seine direkte Verbindung zum realen Objekt durch Messdaten. Diese Daten kommen im Idealfall aus Inspektionen und Monitoring und ermöglichen eine Optimierung von Wartungs- und Instandhaltungsprozessen oder eine Lebensdaueranalyse.

In diesem Beitrag wird das Konzept des Digitalen Zwillings näher erläutert und auf Chancen für das Bauwesen sowie die Bedeutung der messtechnischen Überwachung eingegangen.

Als Anwendungsbeispiel wird ein Konzept eines Digitalen Zwillings der Tragstruktur einer Windenergieanlage und die ersten Schritte der Umsetzung vorgestellt. Der Fokus liegt dabei auf der Messtechnik und Datenauswertung. Deren Ergebnisse werden genutzt, um ein FE-Modell zu validieren und Lasten abzuschätzen. Zur Erstellung eines integrierten Digitalen Zwillings muss der Datenaustausch automatisiert werden.

1. Einleitung/Motivation

Daten aus Inspektionen sowie aus einer messtechnischen Dauerüberwachung (Monitoring) eines Bauwerks sind die Grundlage für die Erfüllung verschiedener Aufgabenstellungen zu denen u.a. die Zustandserfassung und -beurteilung, die Schadensdetektion und -vorhersage und die Optimierung von Wartung und Betrieb gehören.

Im Idealfall sollten Daten sowohl während der Entwurfsphase und des Baus, als auch während der gesamten Lebensdauer des Bauwerks aufgenommen werden. Im Zuge der Digitalisierung wurden Methoden entwickelt, um den Entwurfs-/Bauprozess zu vereinfachen: Computer Aided Design (CAD) und Finite Elemente Modellierung (FEM) sind seit langem etablierte Techniken. Die aktuelle Entwicklung geht in Richtung einer ganzheitlichen Betrachtung von Bauwerken, für die eine umfassendere Datenbasis benötigt wird. Eine Umsetzung dieser Strategie ist das Building Information Modeling (BIM), das speziell für die Bauindustrie entwickelt wurde [1]. In der Baupraxis wird der BIM-Ansatz aus unterschiedlichen Gründen aber meist nur für die Bauphase angewendet und weniger in der Betriebsphase. Ein weitergehender zunächst im Maschinenbau ab 2002 entwickelter Ansatz ist der des Digitalen Zwillings [2]. Im Folgenden wird auf Definition und Anwendungsmöglichkeiten eines Digitalen Zwillings eingegangen, sowie der Bezug zum Bauwesen erläutert. Anhand des Anwendungsbeispiels Windenergieanlage wird eine mögliche Umsetzung eines Monitoring-Systems beschrieben, das eine Erstellung eines Digitalen Zwillings ermöglicht.

2. Digitaler Zwilling: Definition und Anwendungen

Die Bezeichnung *Digital Twin* basiert vermutlich auf einem Vorschlag der NASA in der "NASA integrated technology roadmap 2010", [2, 3]. Hierbei wird ein System mit allen für eine Zielstellung relevanten Parametern digital in Form eines Multiphysik-Modells oder mehrerer gekoppelter Modelle (z. B. CAD- und FE-Modelle) abgebildet. Diese Modelle sind über Messdaten direkt mit dem realen Objekt verbunden und können so automatisch validiert und aktualisiert werden [4]. Um stets den aktuellen Systemzustand wiederzuspiegeln und Vorhersagen über ein zukünftiges Objektverhalten treffen zu können, werden neben Systemeigenschaften auch Umgebungs- und Betriebsbedingungen (also Einwirkungen) messtechnisch erfasst und auf das digitale Modell angewendet [4].

Das Konzept des Digitalen Zwillings wird als der „nächste große Schritt" im Bereich der Modellierung und Simulation angesehen [5]. Die Methodik kann in verschiedenen Anwendungsbereichen genutzt werden, zu denen die Produktionstechnik, das Structural Health Monitoring und in Zukunft auch medizinische Anwendungen gehören. Die Zielstellungen können jeweils durchaus verschiedenen sein [2, 6], eine vollständige Umsetzung benötigt jeweils allerdings noch einen großen Forschungs- und Entwicklungsaufwand. Kritzinger et al. [7] unterscheiden die drei Integrationslevel *Digitales Modell*, *Digitaler Schatten* und *Digitaler Zwilling* mit manuellem, teilautomatisiertem und vollständig automatisiertem Datenaustausch zwischen Modell und realem System. Konkrete Fallstudien behandeln im Bereich der Produktionstechnik bisher meist ein *Digitales Modell* oder *Schatten* [7]. Ein BIM-Modell würde nach dieser Kategorisierung wahrscheinlich als Digitales Modell verstanden werden, da kein automatischer Datenaustausch zwischen Modell und Bauwerk vorgesehen ist; wobei dieser nicht ausgeschlossen ist.

3. Chancen für das Bauwesen

Eine Herausforderung hinsichtlich einer vollständigeren Integration dieser Technik im Bauwesen besteht in der üblicherweise längeren Lebensdauer von Bauwerken im Vergleich zu Maschinenbau-Produkten. Ein Ingenierurbauwerk beispielsweise der Infrastruktur (Brücke, Tunnel) wird oft für eine Lebensdauer von bis zu hundert Jahren oder mehr ausgelegt. Ein Digitaler Zwilling und das dazugehörige Monitoring-System sollten dann konsequenterweise für einen ähnlich langen Zeitraum ausgelegt sein. Alternativ wäre es bei einer bestehenden Struktur notwendig, zunächst eine umfangreiche Bestandsaufnahme des Bauwerks durchzuführen, was kostenintensiv sein kann.

Die meisten Bauwerke sind Komposite aus unterschiedlichen Materialien (Stahl, Beton, Beschichtungen, Polymere, Holz, Fasern), deren Zusammensetzung bei Bestandsbauten oft unbekannt oder lückenhaft dokumentiert ist. Der Bauwerkszustand wird in vielen Fällen basierend auf Sichtprüfungen in festgelegten Intervallen abgeschätzt. Die Sensortechnik war im Rahmen eines Bauwerksmonitorings in der Vergangenheit vielfach ungeeignet, um die notwendigen Daten von Strukturen unter rauen Umgebungsbedingungen zu ermitteln. In den letzten Jahren verbesserte sich die Technik hinsichtlich Robustheit, Kosteneffizienz und Anwendbarkeit. Mit steigender Rechenleistung wurden zudem die numerischen Simulationen genauer, so dass bei vielen (evtl. ausgewählten) Bauwerken eine Umsetzung des Konzepts Digitaler Zwilling möglich erscheint. Das Bewusstsein der Öffentlichkeit für den Zustand und die Nachhaltigkeit von Ingenieurbauwerken hat sich zudem erhöht, so dass auch unter wirtschaftlichen (und nicht nur ökologischen) Voraussetzungen die Inspektion und das Structural-Health-Monitoring als sinnvolles Werkzeug besser akzeptiert wird [8, 9].

4. Monitoring als Grundlage für einen Digitalen Zwilling

Neben geeigneten Modellen ist das Monitoring, also die sensorbasierte Erfassung von Systemeigenschaften und relevanten Betriebs- und Umgebungsbedingungen, der zweite Grundpfeiler eines Digitalen Zwillings, der sich aus dessen Definition direkt ergibt. Schon für die einfache Modellierung eines realen Systems sind Messdaten unabdingbar für eine Validierung des Modells und der damit erzielbaren Ergebnisse. Im Falle eines Digitalen Zwillings ist dieser Aspekt noch wichtiger, da die Messdaten die direkte Verbindung zwischen dem digitalen und dem physischen System darstellen. Je nach Aufgabenstellung müssen die relevanten Messdaten identifiziert, mit hinreichender Genauigkeit aufgenommen und passende Auswerteverfahren verwendet werden. Für einen hochintegrierten Digitalen Zwilling müssen die Auswertemethoden, der Modellabgleich (Model-Update) und eine mögliche Rückkopplung an das physische System vollständig automatisiert werden. Nur auf diese Weise kann der digitale Zwilling das physische System ohne Nutzereingriff über die Lebensdauer korrekt repräsentieren. Ohne diese Automatisierung wäre die Akzeptanz im Baubereich vermutlich auch sehr gering, deswegen stellt sie ein zentrales Element der Vorgehensweise dar.

5. Anwendungsbeispiel: Monitoring der Tragstruktur von Windenergieanlagen

5.1 Einordnung, Konzept und Zielstellung

Im Folgenden wird ein Konzept für die Erstellung eines Digitalen Zwillings am Beispiel einer realen Tragstruktur einer Windenergieanlage in Nordbayern von der messtechnischen Seite beleuchtet. Die für einen Digitalen Zwilling benötigte messtechnische Überwachung der Tragstruktur dieser Windenergieanlage, die Erfassung von Struktureigenschaften, Lasten sowie ein erster Modellabgleich werden erläutert. Die Arbeiten bilden die Grundlage für die Erstellung eines Digitalen Zwillings, sind hinsichtlich der Schnittstellen entsprechend ausgerichtet und sollen eine weiterführende Integration ermöglichen. Die Arbeiten entstanden gemeinsam mit Projektpartnern aus Industrie und Wissenschaft im Rahmen des MISTRALWIND-Projektes „**M**ontoring and **I**nspection of **Str**uctures **a**t **L**arge **Wind** Turbines" [10] und wurden danach im Rahmen eines Dissertationsprojektes weitergeführt.

Das hier vorgestellte Konzept ist in Abb. 1 visualisiert: Anhand von Messdaten am realen Objekt werden modale Parameter und Lasten berechnet. Die modalen Parameter werden für die Validierung eines FE-Modells und die Lasten für die Berechnung von Materialspannungen in lokalen hoch-belasteten Positionen entlang der Tragstruktur verwendet. Anhand der Spannungen kann die Materialermüdung berechnet und damit eine Lebensdauer abgeschätzt werden.

Die in Abb. 1 grau gezeichneten Funktionalitäten sind allerdings noch nicht umgesetzt worden: Die Modellvalidierung erfolgt bisher manuell, soll aber mithilfe von Model-Updating-Verfahren automatisiert werden. Durch Ermüdung können *Tension-softening*-Effekte entstehen, die zu einer Veränderung der Struktureigenschaften und zu einer Modellanpassung führen [11]. Eine mögliche und im MISTRALWIND-Projekt bereits untersuchte Rückkopplung des Digitalen Zwillings an das Modell kann die Berücksichtigung von Ermüdung durch die Anlagenregelung sein [12]. In diesem Fall spricht man nach der Definition von Kritzinger et al. [7] von einem voll integrierten Digitalen Zwilling.

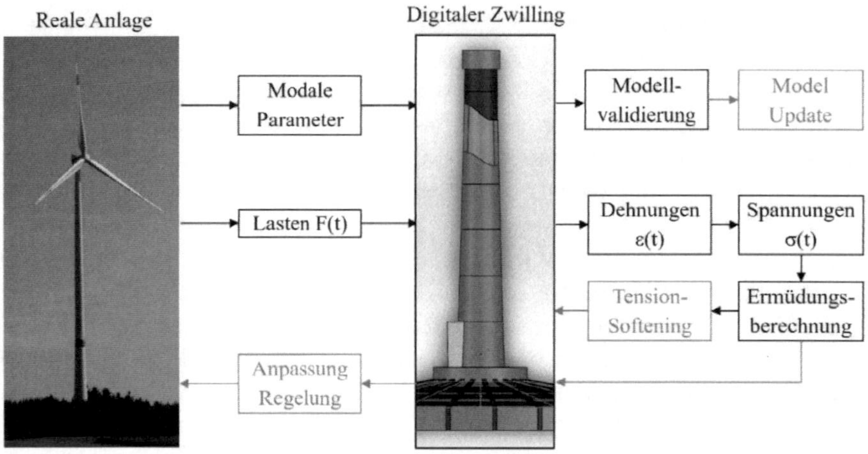

Abb. 1. Konzept für einen Digitalen Zwilling der Tragstruktur einer Windenergieanlage mit möglichen Datenschnittstellen und Auswerteverfahren (grau: bisher nicht realisierte Bestandteile).

5.2 Versuchsobjekt und Messaufbau

Das Versuchsobjekt ist die in Abb. 1 links dargestellte Windenergieanlage bzw. deren Tragstruktur. Die Anlage verfügt über eine Nennleistung von 3 MW. Eine solche Leistung kann durch die große Nabenhöhe (142,5 m) und den Rotordurchmesser auch an Standorten mit niedriger Windgeschwindigkeit erzielt werden. Der Turm ist in hybrider Bauweise ausgeführt und besteht bis zu einer Höhe von 79 m aus ringförmigen Betonfertigteilen, die extern vorgespannt werden. Ein Adaptersegment verbindet den unteren Betonteil mit dem oberen Stahlteil des Turmes [13].

Zur Überwachung der Tragstruktur wurde ein für die oben (Abschnitt 5.1) genannten Ziele optimiertes Monitoringsystem entworfen und installiert [14-17]. Der Aufbau ist in Abb. 2 schematisch dargestellt. Aufgrund der Ausmaße des Turmes wurde zur Minimierung analoger Datenübertragungsstrecken ein modulares Datenerfassungssystem mit drei Datenerfassungsmodulen (DAQ1-3) gewählt. Es erfasst Beschleunigung/Geschwindigkeit, Dehnung und Temperatur an fünf Vertikalpositionen im Turm.

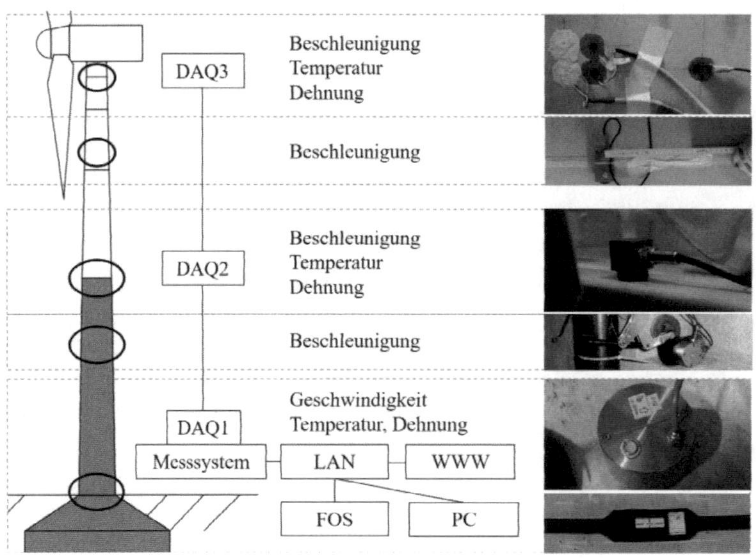

Abb. 2. Aufbau und Komponenten des in der Windenergieanlage installierten Monitoringsystems (in Anlehnung an [18]).

Zusätzlich wurde ein faseroptisches Messgerät (FOS) zur Erfassung von Dehnung und Temperatur am Turmfuß installiert. Die Messdaten werden automatisch erfasst, auf einem lokalen PC vorverarbeitet und an einen Server zur Datensicherung gesendet. Durch die kurzfristige Verfügbarkeit aktueller Messdaten ist das System für die weitere Integration hin zu einem automatischen Datenabgleich vorbereitet. Die Internetverbindung ermöglicht auch einen Fernzugriff zur Konfiguration und Wartung des Systems. Aktuell liegen Messdaten aus einem Zeitraum von fast vier Jahren (Aufzeichnungsstart Anfang 2016) vor.

Neben dauerhaft installierter, kabelgebundener Sensorik wurden auch drahtlose sowie optische Verfahren (Digital Image Correlation und Laser-Doppler-Vibrometrie) angewendet und zur Plausibilitätsprüfung eingesetzt [15, 19].

5.3 Datenauswertung

Im Anschluss an eine Vorverarbeitung und Überprüfung der Messdaten wurden verschiedene Analysen durchgeführt und Kenngrößen ermittelt [15-17, 20]. Für das in Abb. 1 dargestellte Vorgehen müssen modale Parameter sowie auf die Tragstruktur wirkende Lasten berechnet werden.

Die Eigenfrequenzen wurden zunächst durch einfaches *Peak-picking* im Frequenzbereich abgeschätzt. Für eine genauere Bestimmung aller modalen Parameter wurde die Operational Modal Analysis (OMA) verwendet. Sie erlaubt im Gegensatz zur experimentellen Modalanalyse eine Bestimmung der modalen Parameter (Eigenfrequenzen, Dämpfung und Eigenschwingformen) ohne Kenntnisse über die Anregung des Systems und wird auch als „output-only modal analysis" bezeichnet. Zur Umsetzung wurde aus einer Reihe von Verfahren das kovarianzbariserte *Stochastic-subspace-identification*-Verfahren (SSI-COV) ausgewählt, da es für Windkraftanlagen zuverlässige Ergebnisse liefert [21, 22]. Details zur Umsetzung sowie Anwendungsbeispiele werden in der Literatur [15-17] genannt.

Die Rotorschubkraft ist die dominierende äußere Last auf die Tragstruktur beim Betrieb der Windenergieanlage. Sie entsteht neben der Auftriebskraft, die den Rotor antreibt, durch die Windanströmung der Rotorblätter und wirkt senkrecht zur Rotorebene. Sie wird anhand von Dehnungsmessungen im unteren Stahlteil des Turmes (Höhe DAQ2) bestimmt. Bei Betrachtung des Turmes als Euler-Bernoulli-Balken kann aus Dehnungen ein Moment im Querschnitt und über ein Momentengleichgewicht die Rotorschubkraft bestimmt werden [17], [23, 24]. Zur Realisierung eines vollintegrierten Digitalen Zwillings muss der Datenaustausch automatisch ablaufen, wobei dann auch die Datenauswertung ohne Nutzereingriff erfolgen muss. Die Automatisierung der Verfahren ist aktuell Gegenstand weiterer Arbeiten.

5.4 Ergebnisse Modellvalidierung

Zur Modellierung des Strukturverhaltens und zur Berechnung lokaler Materialspannungen wurde die Finite-Elemente-Methode eingesetzt. Das Schalenmodell berücksichtigt die hohe Vorspannung durch die Spannglieder und ist in der Literatur [15, 20, 25] näher beschrieben.

Erster Schritt der Modellvalidierung ist der Abgleich der Eigenfrequenzen, die zunächst im Frequenzbereich der Schwingungsmessdaten ermittelt wurden. Abb. 3 zeigt ein Spektrum der Seismometerdaten, aus dem die ersten vier Biegeeigenfrequenzen sowie zwei Anregungsfrequenzen aus der Rotordrehzahl durch Unwucht (1p), sowie der dreifachen Rotordrehzahl (3p) durch Turmvorstau extrahiert werden können.

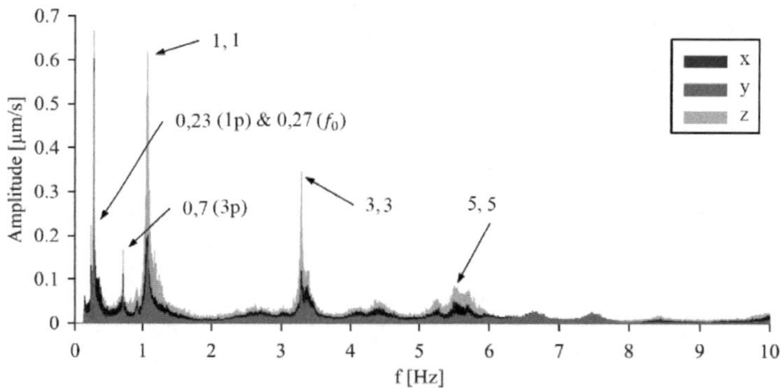

Abb. 3. Spektrum der Seismometerdaten (geschwindigkeitsproportional), über 24 Stunden aufgezeichnet in Turmfußebene [26].

Im nächsten Schritt wurde die Operational Modal Analysis für eine große Anzahl von Datensätzen durchgeführt, um Eigenfrequenzen mit höherer Genauigkeit, sowie Eigenschwingformen und Dämpfungen zu erhalten. Ein repräsentatives Ergebnis ist in Tabelle 1 den Eigenfrequenzen des FE-Modells gegenübergestellt; die Frequenzen unterscheiden sich nur geringfügig und zwar um 0 bis 7 %.

Tabelle 1. Eigenfrequenzen aus Messdaten mittels OMA sowie aus FE-Modell im Vergleich (nach [17]).

Eigenmode	OMA f in Hz	FEM f in Hz	Abweichung
1. Biegemode	0,274	0,273	0 %
2. Biegemode	1,063	1,138	7 %
3. Biegemode	3,401	3,207	6 %
4. Biegemode	5,688	5,495	3 %

Die Eigenschwingformen der Biegeeigenmoden aus OMA und FE-Modell sind in Abb. 4 dargestellt und dienen als weitere Modellvalidierung. Als letzter Validierungsschritt wurden lokale Materialspannungen/Dehnungen an den Sensorpositionen anhand von Messdaten und transienten Simulationen unter Aufbringung der gleichen äußeren Lasten verglichen. Es ergibt sich eine gute Übereinstimmung im relevanten Frequenzbereich, wie demnächst näher gezeigt wird [27]. Nächster Entwicklungsschritt wird eine automatische Anpassung der Modellparameter anhand der Messdaten über ein *Model-Updating*-Verfahren sein.

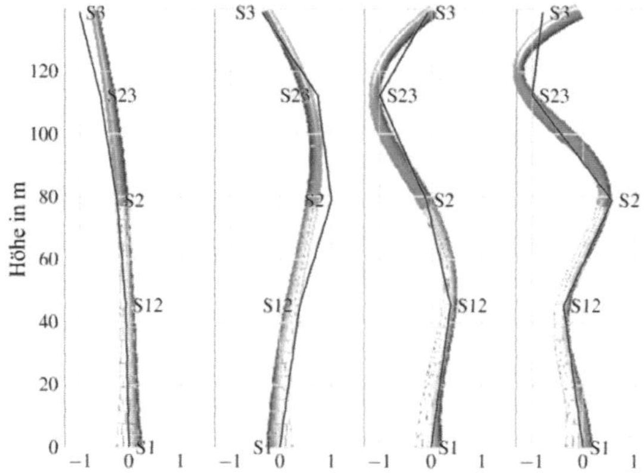

Abb. 4. Eigenschwingformen aus Simulation (3D-Modell) und Messdaten (OMA, Linie) nach [15].

5.5 Ergebnisse Lasten

Die Bestimmung von Lasten aus Dehnungsmessungen und deren Anwendung im numerischen Modell stellen die direkte Verbindung des Digitalen Zwillings zur Realität dar. Der Datenaustausch erfolgte zunächst noch manuell. Abb. 5 zeigt einen repräsentativen Verlauf der Rotorschubkraft über 24 Stunden zusammen mit der Anlagenleistung.

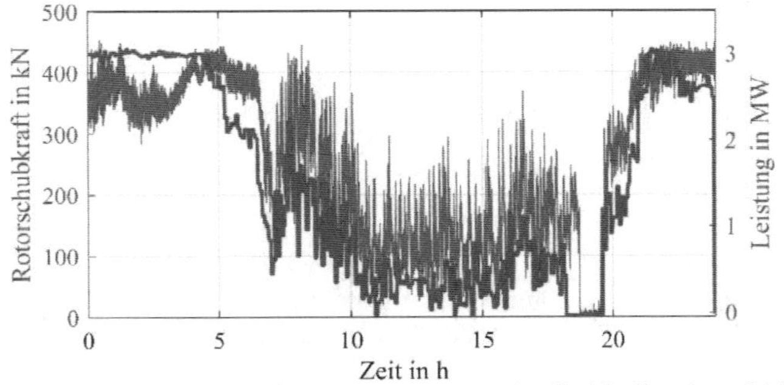

Abb. 5. Rotorschubkraft berechnet aus Dehnungsmessungen in Stahlteil, über 24 h am 01.07.2019 mit Anlagenleistung.

Bei Windgeschwindigkeiten bis zu 13 m/s wird der komplette Betriebsbereich der Anlage mit einer Leistungsabgabe von 0 bis 3 MW durchfahren. Während des betrachteten Messintervalls tritt zwischen 18:00 und 20:00 Uhr auch ein An-/Abschaltvorgang auf. Die Rotorschubkraft bewegt sich im Bereich zwischen 0 und 450 kN und folgt dabei der Anlagenleistung. Es fällt auf, dass im Teillastbereich höhere Schwankungen auftreten. Der Maximalwert kann mit Simulationen und Untersuchungen an Anlagen ähnlicher Leistungsklasse [24] verglichen und plausibilisiert werden. Aufgrund von Vereinfachungen bei der Berechnung sowie noch nicht quantifizierter Messunsicherheiten ist der Kraftverlauf als Näherung anzusehen. Für eine Erprobung und Weiterentwicklung der Methodik reicht die Genauigkeit jedoch aus. Details zur Ermüdungsberechnung können der Literatur [28] entnommen werden. Ergebnisse der Ermüdungsberechnung, basierend auf aus dem Modell abgeleiteten Materialspannungen an hochbelasteten Positionen, sind bald verfügbar [27].

6. Zusammenfassung und Ausblick

Das Konzept des Digitalen Zwillings bietet für das Bauwesen interessante und relevante Nutzungsszenarien die zu einem echten Mehrwert für den Eigentümer führen. Die steigende Verbreitung von BIM sowie Fortschritte auf dem Gebiet der Messtechnik könnten die Einstiegshürden für die Anwendung des Konzepts weiter mindern. Neben präzisen numerischen Modellen ist die messtechnische Überwachung des betrachteten Objekts die Grundlage für solche Konzepte. Eine Anwendung erfolgt dabei in drei Stufen, um die Gültigkeit der eingesetzten Modelle und damit auch der Schlussfolgerungen zu garantieren: Untersuchungen während, oder direkt nach dem Bau/Fertigstellung, Inspektionen in Intervallen sowie Monitoring.

Ein Anwendungsszenario für einen Digitalen Zwilling der Tragstruktur einer Windenergieanlage wurde aufgezeigt und eine mögliche Umsetzung eines Monitoring-Systems erläutert. Es wurden Struktureigenschaften zur Validierung eines FE-Modells ermittelt, sowie die dominierenden Lasten. Dies stellt die Grundlage für die Erstellung eines Digitalen Zwillings dar, der für weitere Zielstellungen wie Optimierung von Wartung und Betrieb sowie die Abschätzung der Lebensdauer genutzt werden kann [29]. Die Entwicklung eines automatischen Datenaustauschs zwischen realem Bauwerk und Modell ist das nächste Ziel der geplanten Arbeiten. Sie wird zu einer besseren Integration des Digitalen Zwillings führen.

Danksagung

Die Autoren danken dem Bundesministerium für Wirtschaft und Energie (BMWi) für die Förderung des MISTRALWIND-Projekts (FKZ 0325795E), den Projektpartnern für die gute Zusammenarbeit und der Max Bögl Firmengruppe für den Zugang zur Windenergieanlage.

Referenzen

[1] BORRMANN, A.; KÖNIG, M.; KOCH, C.; BEETZ, J.: *Building Information Modeling: Technologische Grundlagen und industrielle Praxis.* Springer-Verlag 2015.

[2] GRIEVES, M.: *Virtually Intelligent Product Systems: Digital and Physical Twins*, in *Complex Systems Engineering: Theory and Practice*, 2019, p. 175-200.

[3] SCHLEICH, B.; ANWER, N.; MATHIEU, L.; WARTZACK, S.J.C.A.: *Shaping the Digital Twin for Design and Production Engineering.* 66 (2017), H. 1, S. 141-144.

[4] GLAESSGEN, E.; STARGEL, D.: *The Digital Twin Paradigm for Future NASA and U.S. Air Force Vehicles.* 2012.

[5] ROSEN, R.; VON WICHERT, G.; LO, G.; BETTENHAUSEN, K.D.: *About The Importance of Autonomy and Digital Twins for the Future of Manufacturing.* IFAC-PapersOnLine 48 (2015), H. 3, S. 567-572.

[6] SADDIK, A.E.: *Digital Twins: The Convergence of Multimedia Technologies.* IEEE MultiMedia 25 (2018), H. 2, S. 87-92.

[7] KRITZINGER, W.; KARNER, M.; TRAAR, G.; HENJES, J.; SIHN, W.: *Digital Twin in Manufacturing: A Categorical Literature Review and Classification.* IFAC-PapersOnLine 51 (2018), H. 11, S. 1016-1022.

[8] GROSSE, C.U.: *Monitoring and Inspection Techniques Supporting a Digital Twin Concept in Civil Engineering. 5th International Conference on Sustainable Construction Materials and Technologies (SCMT5)*, London, England, 2019.

[9] GROßE, C.U.: *Bauwerksmanagement 4.0?!* Beton- und Stahlbetonbau 114 (2019), H. 10, S. 705-706.

[10] GEISS, C.T., et al.: *The Mistralwind Project—Towards a Remaining Useful Lifetime Analysis and Holistic Asset Management Approach for More Sustainability of Wind Turbine Structures. 11th International Workshop on Structural Health Monitoring, (IWSHM 2017)*, Stanford, USA, 2017.

[11] PFISTER, T.: *Ein Ermüdungsschädigungsmodell für Zuverlässigkeitsanalysen von Stahlbetontragwerken.* Dissertation, Ruhr-Universität Bochum, 2007.

[12] LÖW, S.; OBRADOVIC, D.; BOTTASSO, C.L.: *Direct Online Rainflow-counting and Indirect Fatigue Penalization Methods for Model Predictive Control. 2019 18th European Control Conference (ECC)*, 2019.

[13] BÖGL, S.; HIERL, M.; KNITL, J.: *Turm mit einem Adapterstück sowie Verfahren zur Herstellung eines Turms mit einem Adapterstück.* Google Patents 2011.

[14] BOTZ, M.; OBERLAENDER, S.; RAITH, M.; GROSSE, C.U.: *Monitoring of Wind Turbine Structures with Concrete-steel Hybrid-tower Design. 8th European Workshop on Structural Health Monitoring, (EWSHM)*, 2016.

[15] BOTZ, M.; RAITH, M.; EMIROGLU, A.; GROSSE, C.U.: *Monitoring of Wind Turbine Structures using Stationary Sensors and Short-term Optical Techniques. 11th International Workshop on Structural Health Monitoring (IWSHM)*, 2017.

[16] BOTZ, M.; ZHANG, Y.; RAITH, M.; PINKERT, K.: *Operational Modal Analysis of a Wind Turbine during Installation of Rotor and Generator. IOMAC 2017 - 7th International Operational Modal Analysis Conference*, 2017.

[17] BOTZ, M.; HARHAUS, G.; GROSSE, C.U.: *Monitoring Modal Parameters and External Loads of Wind Turbines for Remaining Useful Life Analysis. Sustainable Materials, Systems and Structures Conference (SMSS)*, Rovinj, Croatia, 2019.

[18] BOTZ, M.; GROßE, C.U.: *Structural Health Monitoring von Windenergieanlagen - Ermittlung modaler Parameter und externer Lasten im Betrieb. Beiträge zur 6. DAfStb-Jahrestagung mit 59. Forschungskolloquium*, 2018.

[19] WONDRA, B.; MALEK, S.; BOTZ, M.; GLASER, S.D.; GROSSE, C.U.: *Wireless High-Resolution Acceleration Measurements for Structural Health Monitoring of Wind Turbine Towers.* Data-Enabled Discovery and Applications 3 (2019), H. 1, S. 4.

[20] BOTZ, M.; RAITH, M.; EMIROGLU, A.; WONDRA, B.; GROSSE, C.U.: *Structural Health Monitoring as a Tool for Smart Maintenance of Wind Turbines. 7th International Conference on Structural Engineering, Mechanics and Computation (SEMC)*, Cape Town, South Africa, 2019.

[21] DEVRIENDT, C., et al.: *Structural Health Monitoring of Offshore Wind Turbines Using Automated Operational Modal Analysis.* Structural Health Monitoring 13 (2014), H. 6, S. 644-659.

[22] OLIVEIRA, G.; MAGALHÃES, F.; CUNHA, Á.; CAETANO, E.: *Continuous Dynamic Monitoring of an Onshore Wind Turbine.* Engineering Structures 164 (2018), S. 22-39.

[23] RÉTHORÉ, P.-E.: *Thrust and Wake of a Wind Turbine: Relationship and Measurements.* Master-Thesis, DTU, 2006.

[24] LORAUX, C.: *Long-term Monitoring of Existing Wind Turbine Towers and Fatigue Performance of UHPFRC under Compressive Stresses.* Dissertation, EPFL Lausanne, 2017.

[25] EMIROGLU, A.: *Multiphysics Simulation and CAD Integrated Shape Optimization in Fluid-Structure Interaction.* Dissertation, Technische Universität München (TUM), 2019.

[26] OBERLAENDER, S.: *Aufbau eines Systems zur Schwingungsanalyse für die Dauerüberwachung der Tragstrukturen von Windkraftanlagen.* Diplomarbeit, Technische Universität München (TUM), 2016.

[27] BOTZ, M., et al.: *(eingereicht) Überwachung und Modellierung der Tragstruktur von Windenergieanlagen – Beitrag zu einem Digitalen Zwilling.* Beton- und Stahlbetonbau (2020).

[28] OSTERMINSKI, K.; GEHLEN, C.: *Echtzeitmodellierung der Ermüdung von Windenergieanlagentürmen. 59. Forschungskolloquium des Deutschen Ausschuss für Stahlbeton (DAfStB)*, München, 2018.

[29] GEISS, C.T.; GROSSE, C.U.: *A Concept for a Holistic Risk-based Operation and Maintenance Strategy for Wind Turbines. Safety and Reliability – Safe Societies in a Changing World (ESREL)*, Trondheim, Norway, 2018.

Machine Learning – Potenzial und Anwendung in der Zerstörungsfreien Bauwerksprüfung

Daniel ALGERNON [1]
[1] SVTI, Wallisellen, Schweiz
Kontakt E-Mail: daniel.algernon@svti.ch

Kurzfassung. Machine Learning-Anwendungen stellen ihre Leistungsfähigkeit in diversen Bereichen technischer Anwendungen unter Beweis. Derartige Analysekonzepte sind in Bezug auf ZfP-Aufgabenstellungen sehr relevant. Insbesondere gilt dies für die Unterstützung von Vorgehensweisen in der Auswertung, die über die Definition von Schwellwertkriterien deutlich hinausgehe. So erweist sich die Auswertung und Interpretation von Impact-Echo-Daten in der Praxis oft als komplex. Neben den damit verbundenen Herausforderungen für die Analyse ergeben sich aus der Komplexität jedoch vor allem auch vielversprechende Möglichkeiten, wenn durch intelligente Auswertungsansätze ein signifikantes Informationsvolumen aus Daten extrahiert werden kann.
Durch überwachtes Lernen (Supervised Learning) werden Modelle trainiert, die das vorgegebene Entscheidungsverhalten annehmen. Die dabei verwendeten Algorithmen können an extrahierten Merkmalen (Features) ansetzen, oder durch Rohdaten direkt gespiesen werden. Gerade im letzteren Ansatz zeigen Deep Learning-Lösungen, bestehend aus mehreren Schichten neuronaler Netze, ihre Leistungsfähigkeit.
Um die Möglichkeiten des Machine Learning für ZfP-Anwender praxisnah umzusetzen, wurde speziell für das Impact-Echo-Verfahren mit MALBIES ein Softwaretool entwickelt, welches gängige Ansätze implementiert. Es ermöglicht in der Praxis effektive Modelle auf einfache und effiziente Weise zu generieren. Die Vorgehensweise wird für eine Detektionsaufgabe in einem Anwendungsbeispiel illustriert.

Machine Learning, Supervised Learning, Deep Learning, Impact-Echo, Software

Einführung

Motivation

Der Einsatz moderner Verfahren der zerstörungsfreien Prüfung (ZfP) im Bauwesen (ZfPBau) wie beispielsweise die Ultraschallprüfung (UT), Georadar (GPR) und Impact-Echo (IE) liefert häufig beträchtliche Datenmengen. Aus diesen gilt es die relevanten Informationen zu extrahieren, um Prüfziele zu erreichen. Die Erfahrung des Bedien- und Auswertungspersonals ist von wesentlicher Bedeutung. Signalstörungen aufgrund von Geometrie- bzw. Oberflächeneffekten können die Interpretation zur Herausforderung werden lassen, ist doch die Unterscheidung zwischen Artefakten und tatsächlichem Signal nicht immer trivial. Anspruchsvolle Prüfaufgaben lassen die Bewertungskriterien oft komplex werden. In vielen Fällen basiert die Bewertung auf Mustern, die für erfahrene Prüfer identifizier- und interpretierbar sind. Darüber hinaus scheint die exakte Definition von Vorgehensweisen in diesem Bereich der ZfP häufig nicht anwendbar zu sein. Dementsprechend wichtig wird es für Prüfpersonal sein, über ausreichende Erfahrung mit der Interpretation von Daten zu verfügen. Diese Umstände motivieren dazu, die Effektivität der ZfPBau durch Automatisierung zu steigern [1] und zu sichern.

Die Automatisierung der Datenauswertung galt lange Zeit als schwierig, da eine Abstraktion der Vorgehensweise selten einfach zu realisieren ist. In vielen Branchen und Anwendungsbereichen, insbesondere in der Medizin und Biotechnologie [2], wird über den erfolgreichen Einsatz von Machine Learning berichtet. Computerprogramme entwickeln ein Entscheidungsverhalten durch maschinelles Lernen, das der menschlichen Leistung immer ähnlicher wird [3]. Dies wird durch ein überwachtes Lernen (Supervised Learning) ermöglicht [4], bei dem einem System die richtige Lösung in exemplarischen Szenarien bzw. für Eingangsdatensätze vorgegeben wird [3]. Auf diese Weise wird das System für eine Vielzahl von Eingaben sukzessive geschult. [4]

Der Einsatz selbstlernender Systeme in verschiedenen technologischen Bereichen geht mit den raschen Fortschritten bei der Datenerfassung einher. Repräsentative Datensätze sind dabei eine Grundvoraussetzung für den Erfolg. Insbesondere Entwicklungstrends im Cloud-Computing [5] [6] und in den Big-Data-Technologien [6] eröffnen in diesem Zusammenhang neue Möglichkeiten für maschinelles Lernen und künstliche Intelligenz [5].

Den Möglichkeiten, maschinelles Lernen in der ZfPBau anzuwenden, um Leistungsfähigkeit und Zuverlässigkeit zu erhöhen, steht die Tatsache entgegen, dass die direkte Funktion der auf diese Weise erzeugten komplexen Modelle in der Regel kaum nachvollziehbar oder physikalisch hergeleitet ist, sondern vielmehr auf statistischen Korrelationen beruht. Die richtige Auslegung stellt dabei einen Optimierungsprozess dar [7].

Das generelle Potenzial Machine Learning-basierter Ansätze für die ZfP von Betonstrukturen wurde in Anwendungen bereits aufgezeigt, insbesondere im Hinblick auf die Datenfusion [8], welche verschiedene ZfP-Methoden zusammenführt, oder in einer weitergehenden Interpretation von GPR-Daten [9] oder für das Impact-Echo-Verfahren.

Ziele

Eine Einbeziehung von Machine Learning in Prozesse der ZfPBau wird immer eine Verbesserung des status quo zum Ziel haben, welche die nachfolgend aufgeführten Aspekte beinhaltet.

- Automatisierung: Im Sinne der künstlichen Intelligenz wird für das System ein Entscheidungsverhalten angestrebt, welches dem eines Menschen bzw. erfahrenen Bedieners ähnlich ist.
- Zuverlässigkeit: innerhalb eines spezifizierten Geltungsbereiches wird von dem System erwartet, seine Aufgabe im Wesentlichen korrekt zu erfüllen.
- Nachvollziehbarkeit: die Entscheidung des Systems soll verständlich und somit nachvollziehbar sein.
- Wirtschaftlich effizient: durch den Einsatz des Systems soll die Erfüllung einer Aufgabe wirtschaftlicher werden.

Formen des Machine Learning

Supervised Learning vs. Unsupervised Learning

Eine verbreitete Form des Machine Learning ist wohl jene, welche zur Automatisierung von Lösungen und Prozessen eingesetzt wird. Das System wird anhand von Eingängen (Beispielen) trainiert, für welche die richtige Lösung (Target) vorgegeben wird. Durch Wiederholung dieses Vorgangs für eine Vielzahl von Eingangswerten und deren richtige Lösungen wird durch einen Algorithmus ein Modell geformt, das sukzessive die Eignung erlangt, und somit scheinbar „erlernt", selbstständig eine Ausgabe für eine neue und unbekannte Eingabe zu erstellen. Diese Form des Machine Learning wird als Supervised Learning bezeichnet.

Im Unsupervised Learning werden dem Algorithmus hingegen keine Targets vorgegeben. Anders als das Supervised Learning hat diese Art der Anwendung weniger die automatisierte Lösung einer Aufgabe zum Ziel als die Extraktion von Information aus einer Menge von Daten.

Während Unsupervised Learning ebenfalls ein hohes Potenzial mit sich bringt und eine Anwendung in der ZfPBau durchaus erfolgsversprechend erscheint, beziehen sich die in diesem Beitrag angestellten Betrachtungen zunächst auf das Supervised Learning.

Algorithmen

Während das Ziel eines Supervised Learning die Generierung eines Modells auf Basis vorhandener Daten und wahrer Antworten (*Targets*) ist, kann der Weg dorthin recht unterschiedlich gestaltet sein. Eine generelle Unterscheidung der dafür zum Einsatz kommenden Algorithmen kann beispielsweise erfolgen in solche, welche auf zuvor aus den Daten extrahierten Kennwerten oder allgemein Merkmalen (Features) angewendet werden und solche, welche direkt auf Grundlage der Rohdaten ablaufen.

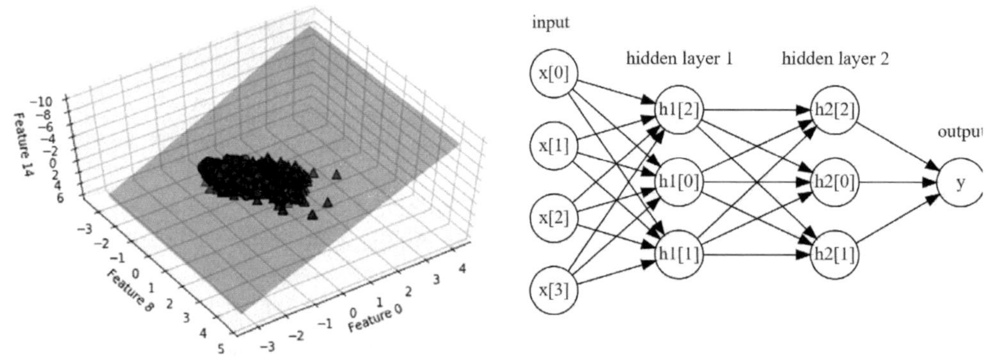

Abbildung 1: Veranschaulichung von *Hyperplane* (links) resultierend aus einer *Linear SVM* und einem Neuronalen Netz (rechts) bestehend aus zwei *Hidden Layers*, als mögliche jedoch grundsätzlich verschiedene Algorithmen des Machine Learnings.

Klassisches Feature-Basiertes Machine Learning

Der Feature-basierte Ansatz kann als die klassische Form des Supervised Learning betrachtet werden. Grundlage ist hierbei die Darstellung der Daten anhand einer Anzahl n von Features, welche einen n-dimensionalen Vektorraum bilden, der als Merkmalraum (Feature Space) bezeichnet wird. Zum Zwecke der Veranschaulichung eines hochdimensionalen Raumes wird oft eine zweidimensionale Darstellung gewählt [1]. Die eigentliche Funktionsweise des Algorithmus beruht jedoch auf einer Trennung der Klassen im *n*-dimensionalen Raum. Damit dies sinnvoll erfolgen kann, ist eine ausreichende Anzahl von Daten erforderlich. Die dafür notwendige Menge an Datensätzen ist umso höher, je höher die Dimensionalität ist. Es wird vom sogenannten „Fluch der Dimensionalität" gesprochen.

Als Algorithmen kommen bei diesem Ansatz insbesondere die Kernelized Support Vector Machines (SVM's) [2] zum Einsatz. Das Prinzip einer SVM ist es, eine (*n-1*)-dimensionale Ebene aufzusapnnen (s. *Hyperplane* in Abbildung 1, links), welche die Datensätze verschiedener Klassen möglichst effektiv voneinander trennt [3]. Dabei sind es vor allem die Datensätze in der Umgebung der Hyperplane, welche für ihre Konstruktion relevant sind. In Abhängigkeit dessen, wie weiter von der Hyperplane entfernte Datensätze ebenfalls einbezogen werden, wird ein Modell höherer bzw. geringer Komplexität generiert. Dies wird durch den Parameter C gesteuert. Je höher dieser gewählt wird, desto komplexer wird das resultierende Modell. Eine Verringerung hat hingegen eine geringere Komplexität bzw. höhere Generalisierung zur Folge. In ihrer reinsten Form bilden SVM's einen linearen Ansatz. Eine gängige Erweiterung bildet die Verwendung von Kernels, welche durch nichtlineare Ansätze effektivere Lösungen ermöglichen. Dies repräsentiert der Parameter γ. Mit dessen Anstieg steigt auch die Komplexität des resultierenden Modells.

Deep Learning

Ein grundsätzlich verschiedener Ansatz von Algorithmen ist in der Verwendung Neuronaler Netze [4] zu sehen (Abbildung 1, rechts). Derzeit anzutreffende Konzepte sehen meist mehrere hintereinander angeordnete Lagen neuronaler Netze vor. Diese Vorgehensweise wird allgemein mit dem Überbegriff Deep Learning zusammengefasst [5]. Deep Learning hat in erheblichem Maße zur erfolgreichen Entwicklung künstlicher Intelligenz beigetragen. Gleichzeitig gelten Deep Learning-Konzepte als aufwendig hinsichtlich der für das Training notwendigen Datenbasis [6].

Insbesondere Convolutional Neural Networks (CNN's) [7] [8], welche ihr Potenzial im Bereich der Bilderkennung in zahlreichen wissenschaftlichen und kommerziellen Anwendungen unter Beweis stellen konnten [9], erscheinen vielversprechend für die automatisierte Auswertung von ZfP-Daten. Ein CNN beschreibt einen Deep-Learning-Ansatz, in welchem zusätzliche Convolutional Layers angesetzt werden, um gewissermaßen ein Maß der Wichtigkeit den verschiedenen Aspekten in einem Bild (oder allgemein Datensatz) zuzuordnen und zwischen diesen zu unterscheiden.

In erster Linie besteht der Vorteil von CNN's darin, eine hohe Anzahl von Filtern parallel auf Trainingsdatensätze anzuwenden und auf diese Weise spezifische Merkmale in Eingangsdatensätzen zu detektieren. Die Architektur von CNN's besteht im Normalfall aus einer Serie dreidimensionaler Convolutional und Pooling Layers, gefolgt von einer Flattening-Operation, welche in die konventionelle Architektur aufeinanderfolgender Lagen neuronaler Netze führt.

Klassifizierung und Regression

Die Anwendungen von Supervised Learning werden in zwei grundsätzlich voneinander zu unterscheidende Bereiche unterteilt: in Klassifizierung und Regression. Während die Klassifizierung eine Zuordnung von Datensätzen zu vorgegebenen Klassen vornimmt, beschreibt die Regression das Aufstellen eines Modells zur Schätzung kontinuierlicher Werte auf Basis von Datensätzen. In beiden Fällen erfolgt die Zuordnung anhand eines Modells, welches mittels bekannter Datensätze trainiert wurde.

Training- und Testdatensätze

Die grundsätzliche Vorgehensweise beim Supervised Learning (Abbildung 2) besteht darin, dass die Menge der vorliegenden Datensätze mit bekannten Zielwerten, d.h. die gelabelten Datensätze, in Teilmengen aufgeteilt werden. Die erste Teilmenge sind die Trainingsdatensätze. Sie werden für das Training, d.h. die Anpassung des Modells an diese Datensätze, verwendet. Die zweite Teilmenge bildet die Testdatensätze. Sie bleiben beim Training des Modells unberücksichtigt und werden dem trainierten Modell als unbekannte Datensätze übergeben. Die vom Modell erzeugte Prognose des Zielwertes wird dann mit dem wahren Zielwert verglichen. Auf diese Weise kann eine Testgenauigkeit bestimmt werden, die für die Bewertung des Modells maßgebend ist.

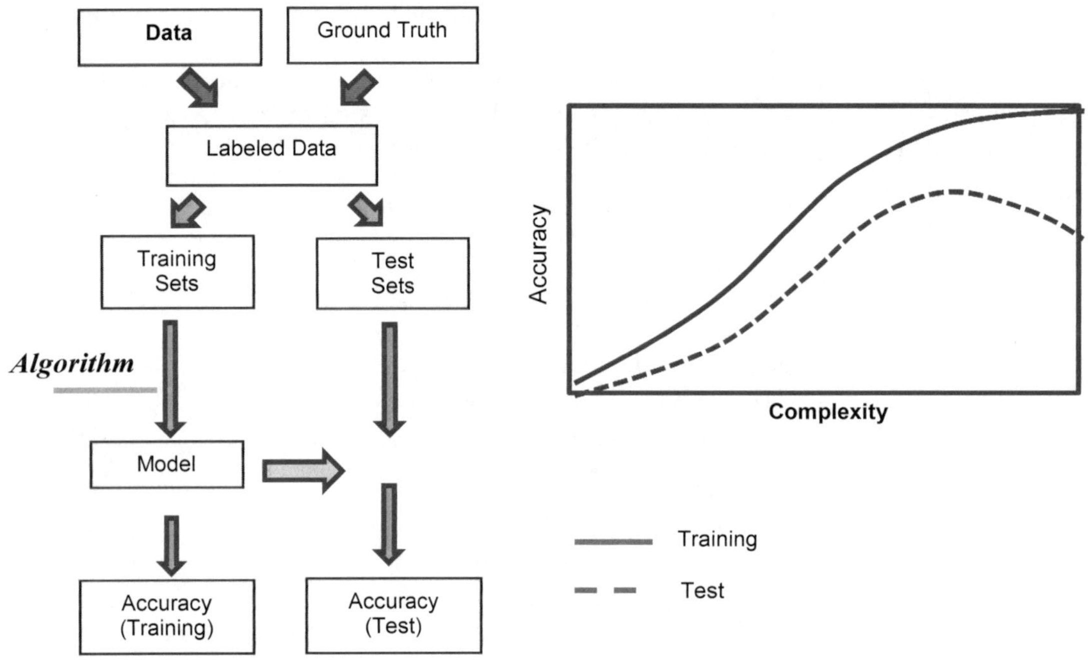

Abbildung 2: Training des Modells durch Supervised Learning. Erhöhung der Modellkomplexität passt das Modell zunehmend an die Trainingsdaten an. Anhand der Testdatensätze wird die Testgenauigkeit ermittelt. Während die Trainingsgenauigkeit durch hohe Komplexität fast immer Werte von 100% erreichen kann, fällt die Testgenauigkeit ab einem gewissen Wert wieder, ein Effekt der als Overfitting bezeichnet wird.

Grundsätzlich zu vermeiden ist eine Überanpassung (Overfitting) des Modells an die Trainingsdaten beschreibt, die in Bezug auf die Testdatensätze jedoch nicht zielführend ist.

Potenzielle Anwendungsfelder von Machine Learning in der ZfPBau

Bezogen auf die ZfPBau sind typische Klassifizierungsaufgaben beispielsweise die qualitative Detektion („Fehler“ oder „intakt“) bzw. Ortungsaufgaben im Allgemeinen („vorhanden“ oder „nicht vorhanden“) sowie die diskrete Einteilung in Qualitätsklassen. Regressionsaufgaben hingegen betreffen die quantitative Bestimmung von Materialparametern wie Druckfestigkeit oder Elastizitätsmodul auf Basis von Datensätzen. Somit kommt Machine Learning hier in der Phase der Datenauswertung zum Tragen. Auch der vorliegende Beitrag beschränkt sich primär auf diesen Schritt der Bauwerksprüfung.

Grundsätzlich ist die Anwendung von Machine Learning jedoch in allen Stadien einer Bauwerksprüfung denkbar.

MALBIES - Entwicklung eines Software-Tools für das Impact-Echo-Verfahren

Das Software-Tool MALBIES (Abbildung 3) ist für Machine-Learning-Anwendungen bezogen auf das Impact-Echo-Verfahren konzipiert. In MALBIES ist die Extraktion verfahrensspezifischer Signalkennwerte implementiert, welche als Features den eigentlichen Input für die Machine Learning-Algorithmen liefern. Die Software verfügt über Visualisierungsmöglichkeiten sowie über spezielle Sub-Tools, welche u.a. das Labeling sowie die Verteilung von Trainings- und Testdatensätzen bequem und schnell ermöglichen. Daran schließt sich die eigentliche Anwendung der Machine-Learning-Algorithmen an, welche auf der etablierten SciKit-Learn Bibliothek [10] basiert. Ausgerichtet auf die angestrebte schnell wachsende Datenbasis, werden cloudbasierte Berechnungen derzeit erprobt und weiterentwickelt.

Die Software *MALBIES* ist in ihrer Bedienbarkeit intuitiv gestaltet und auf die Zielgruppe von Verfahrensanwendern auch ohne Machine-Learning- oder gar Programmierkenntnisse ausgelegt. Es wird somit ein leichter Zugang zum Machine-Learning gewährleistet und auf diese Weise eine zügig wachsende Datenbasis ermöglicht.

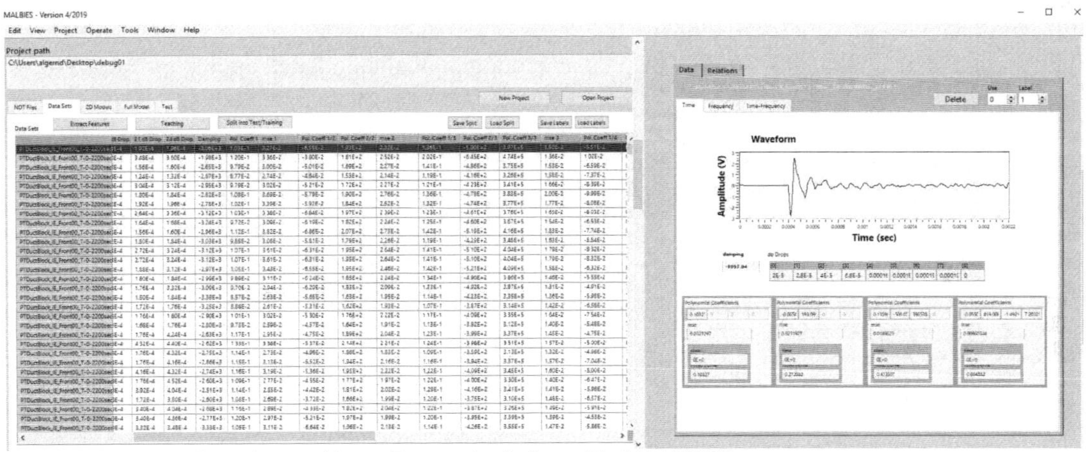

Abbildung 3: Darstellung der extrahierten Features im Software-Tool MALBIES.

In MALBIES sind sowohl der klassische merkmalbasierte Machine-Learning-Ansatz implementiert, welcher den Schritt der Feature-Extraktion beinhaltet, als auch das Deep Learning, insbesondere in Form von CNN's. In beiden Fällen bilden Zeit-Frequenz-Spektrogramme der Daten die Grundlage (Abbildung 4).

Für den Feature-basierten Ansatz extrahiert das Tool eine Vielzahl n von Merkmalen aus den Eingangsdaten. Dies resultiert in einer Darstellung der Daten in einem n-dimensionalen Vektorraum, dem Merkmalraum (*Feature Space*).

Wesentlicher Teil der Anwendung von Machine Learning Algorithmen ist die Steuerung der Komplexität, im Sinne der Anpassung des Modells an die zugrundeliegenden Trainingsdaten. Um ausreichende Leistungsfähigkeit zu erzielen, wird die Komplexität erhöht, jedoch nur in dem Maße, in dem ein Overfitting vermieden werden kann.

Im Falle der SVM's mit einem RBF-Kernel [11] wird die Komplexität über die Hyperparameter C und γ gesteuert. Während die genaue Bedeutung dieser Parameter hier nicht ausführlich behandelt wird, sei gesagt, dass sowohl eine Erhöhung von C als auch eine Erhöhung von γ jeweils die Komplexität erhöhen.

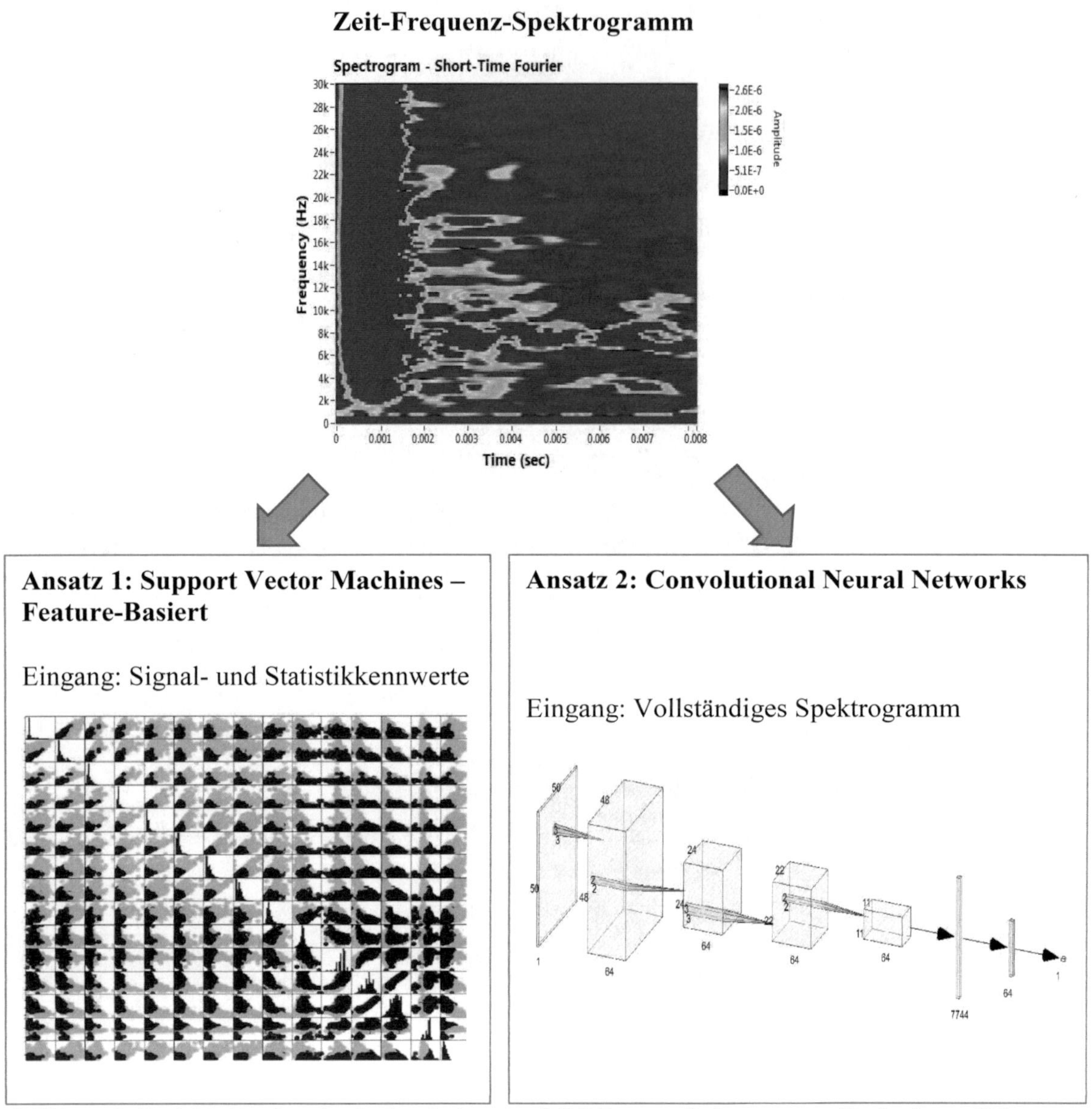

Abbildung 4: Zwei Machine-Learning-Ansätze basierend auf Zeit-Frequenz-Spektrogrammen für das Impact-Echo-Verfahren. Links: Feature-basierter Ansatz auf Grundlage von Signalcharakteristiken und statistischen Kennwerten als Features, dargestellt in paarweisen 2D-Verteilungen. Die Generierung des Modells erfolgt dabei insbesondere durch SVM-Algorithmen. Rechts: Deep Learning-Ansatz mit CNN's. Hierbei wird der Algorithmus mit dem vollständigen Spektrogramm gespiesen.

Anwendungsbeispiel: Detektion von Hüllrohren

Jede Detektionsaufgabe kann generell als Klassifizierungsproblem in die Klassen „vorhanden" und „nicht vorhanden" verstanden werden. Dies gilt sowohl für die Detektion von Fehlstellen als auch die Ortung innerer Komponenten der Konstruktion, beispielsweise für Hüllrohre. Dieses Beispiel ist im Folgenden gewählt, um die Herangehensweise und Einbeziehung unterschiedlicher Arten von Algorithmen heranzuziehen.

Generierung von Trainingsdatensätzen

Geeignete Trainingsdatensätze sind die Voraussetzung für ein Supervised Learning. Insbesondere betrifft dies den wichtigen Schritt des Labelings, das heißt der Vorgabe des Traget-Werte (Zielwerte, also die „richtigen Antworten") für die Trainingsdaten. Auf dieser Basis lernt der Algorithmus und generiert das Modell.

Der Schritt des Labelings erweist sich gerade in bauwerksdiagnostischen Anwendungen nicht immer als einfach. Das Labeling setzt voraus, dass z.B. ein wahrer Zustand an der jeweiligen Messposition bekannt ist. Für bestehende Bauwerke im Feld wird dies jedoch eher die Ausnahme sein und insbesondere zerstörende Prüfungen beinhalten. Angesichts der großen Anzahl von Datensätzen, welche für das Training benötigt werden, dürfte dies in den meisten Fällen die Möglichkeiten überschreiten.

Demzufolge sind Testkörper, für welche ein maximales Maß an Informationen vorliegt, wichtige Hilfsmittel für die Generierung von Trainingsdatensätzen. Gleichzeitig müssen diese die Situation in Feld ausreichend realistisch widerspiegeln. Naturgemäß kann dies nur zu einem Kompromiss führen.

Für die Klassifizierungsaufgabe der Spannkanaldetektion wurden Testkörper verwendet, wie sie in Abbildung 5, links, dargestellt sind. Hieran wurden mithilfe eines Scannersystems mechanisiert Impact-Echo-Daten aufgenommen [12] [13]. In MALBIES wurde schließlich das Labeling vorgenommen, d.h. den Daten wurden jeweils die Zielwerte „vorhanden" (rot dargestellt) bzw. „nicht vorhanden" (blau dargestellt) zugeordnet.

Die Testkörper, an denen die Daten gewonnen wurden, haben Dicken im Bereich von 30 - 50 cm. Die Hüllrohre liegen im Tiefenbereich 15 - 30 cm. Daten unterschiedlicher Impact-Echo-Prüfköpfe wurden einbezogen.

Abbildung 5: Aufnahme von Trainingsdatensätzen. Links: Testkörper mit eingebrachten Hüllrohren vor dem Betonieren. Mitte: Aufnahme von Impact-Echo-Daten mit einem Scannersystem, welches die Aufnahme einer hohen Anzahl von Datensätzen erlaubt. Rechts: Labeling der Datensätze über die Messfläche in MALBIES.

Training des Modells

Für das Training des Modells wird im Vortrag die Anwendung von SVM's als auch die Anwendung von CNN's demonstriert.

<u>Ansatz 1: Feature-Baiserte SVM's</u>

Ansatz 1 repräsentiert das klassische Machine Learning, bei dem in einem ersten Schritt Merkmale aus Daten extrahiert werden. Diese bilden den eigentlichen Eingang in den Algorithmus. In MALBIES wird die auf den Algorithmus bezogene Wichtigkeit der Features bestimmt und die 16 wichtigsten Features selektiert. Als Algorithmus werden die gängigen SVM's mit RBF-Kernel aus den Optionen in MALBIES gewählt. Die Modellkomplexität wird in Form der Hyperparameter C und γ variiert [14]. Während mit steigender Komplexität die Genauigkeit für die Trainingsdatensätze 100% erreicht, liegt das Maximum der Genauigkeit für die Testdaten bei 91% und wird bei $\gamma = 0{,}1$ und $C = 100$ erreicht. Eine weitere Steigerung dieser Hyperparameter passt das Modell lediglich stärker an die Trainingsdaten an, verringert aber die Genauigkeit in Bezug auf die Testdatensätze.

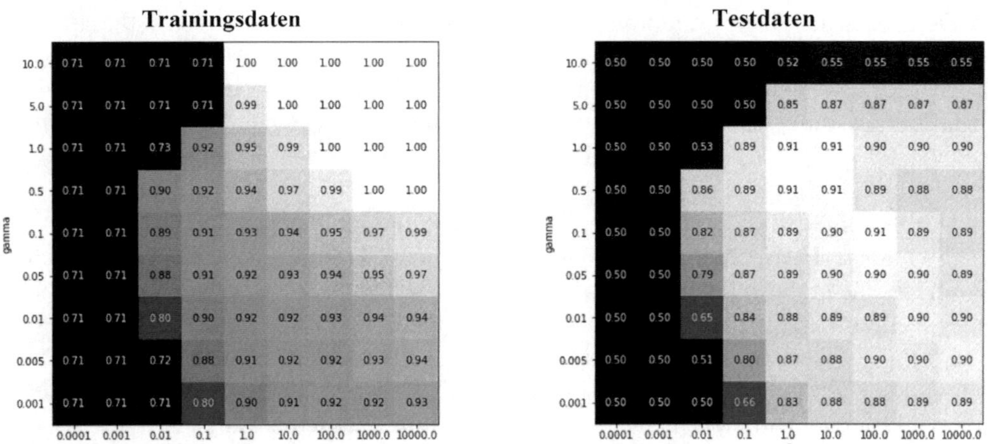

Abbildung 6: Variation der Hyperparameter C und γ in Bezug auf die Anwendung von SVM's mit RBF-Kernel. Es wird eine Testgenauigkeit von 91% bei C=100 und γ = 0.1 erzielt.

Ansatz 2: Convolutional Neural Networks

Wie in Abbildung 4 dargestellt, wird eine gebräuchliche Architektur verwendet, welche in einem iterativen Prozess optimiert wurde. Diese besteht aus einem 64-kanäligem Convolutional Layer mit einer 3 x 3 Convolution, gefolgt von einem 2 x 2 Max Pooling Layer mit Rectified Linear (ReLu)-Aktivierung. Dies mündet in ein Dense Layer und einen Ausgangsknoten. Unter Anwendung des *Adam*-Optimizers basierend auf *Tensorflow* mit einer Lernrate von $Lr = 0.0001$, wird in MALBIES eine Anzahl von *epochs* = 200 berechnet. Abbildung 7 zeigt die Trainings- und Validierungsgenauigkeiten (links) sowie die *Validation Loss Function* (rechts). Letztere weist einen zunächst fallenden Trend auf und erreicht ein Minimum nach etwa *epochs = 50*, um anschließend erneut anzusteigen. Das Minimum der *Validation Loss Function* wird als Referenzpunkt für das Modell verwendet. Die Genauigkeit erreicht hierbei einen Wert von etwa 95%.

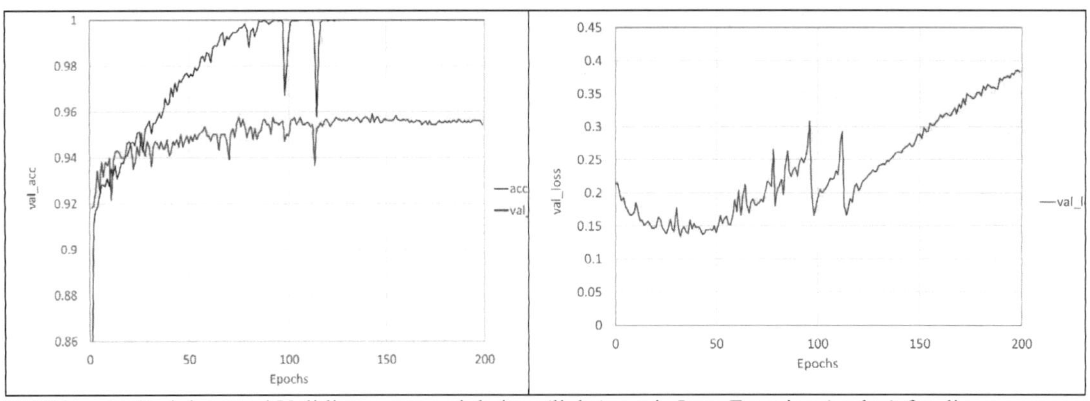

Abbildung 7: Training- und Validierungsgenauigkeiten (links) sowie Loss Function (rechts) für die Anwendung eines CNN gemäß Abbildung 4, rechts.

Fazit

Machine Learning ist eine Schlüsseltechnologie, welche auch für die Bauwerksdiagnostik neue Möglichkeiten eröffnet. Die automatisierte Analyse von Daten auf Bass mittels Supervised Learning trainierter Modelle ist derzeit für einige Fälle bereits implementiert und hat langfristig das Potenzial, die Auswertung nicht nur sehr viel effizienter, sondern auch zuverlässiger werden zu lassen.

Exemplarisch wurde die Vorgehensweise für das Impact-Echo-Verfahren demonstriert. Insbesondere wurde hierfür die selbständige Erkennung von durch Erschütterungen erzeugten Fehlauslösungen herangeführt. Ebenso wurde das Training und die Anwendung eines Modells zur Erkennung von Hüllrohren umrissen. Die für die ausgewählten Beispiele erzielten Resultate weisen Genauigkeiten von über 90% auf. Für das frühe Entwicklungsstadium erscheint dies zunächst vielversprechend.

Für die praktische Implementierung leistungsfähiger Modelle ist eine ausreichende Anzahl geeigneter Trainingsdatensätze notwendig, für welche der Zielwert, d.h. die wahre Antwort, bekannt ist. Dies stellt eine Herausforderung dar, da entsprechende Beispiele von Daten in vielen baupraktisch relevanten Szenarien in ausreichender Anzahl nicht vorliegen. Dementsprechend ist die Entwicklung künstlicher Daten oder Daten, welche an künstlich hergestellten Schäden gesammelt wurden, ein wesentlicher Teil der zukünftigen Arbeit.

Neben der für vorhandene Daten maximal erzielbaren Genauigkeit stellt sich hinsichtlich der Zuverlässigkeit Machine Learning-basierter Systeme jedoch in erster Linie die Frage nach den Anwendungsgrenzen eines trainierten Modells. Anhand der im Training ermittelten Genauigkeiten auf die zu erwartende Genauigkeit für neue Datensätze zu schließen, welche sich in gewissen Aspekten möglicherweise von den Trainingsdaten unterscheiden, und zu beurteilen, ob es sich dabei um für das Modell relevante oder vernachlässigbare Aspekte handelt, ist oft nicht trivial.

Referenzen

[1] P. Baldi and S. Brunak, Bioinformatics: A Machine Learning Approach, Cambridge, MA: MIT Press., 2002.

[2] T. Hastie, R. Tibshirani and J. Friedman, The elements of Statistical Learning - Data Mining, Inference, and Prediction, Berlin: Springer-Verlag, 2001.

[3] N. Cristianini and J. Shawe-Taylor, An Introduction to Support Vector Machines, London: Cambridge University Press, 2000.

[4] C. M. Bishop, Neural Networks for Pattern Recognition, New York: Oxford University Press, 1995.

[5] I. Goodfellow, Y. Bengio and A. Courville, Deep Learning, MIT Press, 2016.

[6] J. Schmidhuber, "Deep Learning in Neural Networks: An Overview," *Neural Networks,* vol. 61, pp. 85-117, 2015.

[7] A. Vedadi and K. Lenc, "Matconvnet: Convolutional neural networks for Matlab," in *Proceedings of the 23rd ACM international conference on Multimedia*, 2015.

[8] Ji, Shuiwang, Wei Xu, Ming Yang and Kai Yu, "3D convolutional neural networks for human action recognition," *IEEE transactions on pattern analysis and machine intelligence,* vol. 1, no. 35, pp. 221-231, 2012.

[9] A. Krizhevsky, I. Sutskever and G. E. Hinton, "ImageNet Classification with Deep Convolutional," in *Advances in neural information processing systems*, Lake Tahoe, NV, 2012.

[10] F. Pedregosa, "Scikit-learn: Machine Learning in Python," *Journal of Machine Learning Research,* vol. 12, pp. 2825-2830, 2011.

[11] S. Istrail and P. A. Pevzner, Kernel Methods in Computational Biology, Cambridge, MA: MIT Press, 2004.

[12] D. Algernon and D. R. Hiltunen, "Validierung automatisierter und bildgebender ZfP-Verfahren am Florida Department of Transportation," in *Fachtagung Bauwerksdiagnose 2010*, Berlin, 2010.

[13] D. R. Hiltunen, D. Algernon and C. Ferraro, "Validation of Nondestructive Testing Equipment for Concrete," Florida Department of Transportation, Gainesville, FL (USA), 2010.

[14] A. C. Müller and S. Guido, Introduction to Machine Learning with Python: A Guide for Data Scientists, O'Reilly Media, 2016.

Spann Stahl und orte Bruch!
Von der Idee zum Positionspapier

Prof. Dr.-Ing. Bernd HILLEMEIER[1]
Dipl.-Ing. Simon Knapp[1]
B.Sc. Thomas Luther[1]
[1] Ingenieure für das Bauwesen, Prof. Hillemeier & Knapp GmbH, Berlin
Kontakt E-Mail: hillemeier@zfp-bauwesen.de

Kurzfassung. „Spann Stahl" ist für den Bruch des Spannstahls wohl eine conditio sine qua non, eine notwendige gegenseitige Bedingung. Das eine kann ohne das andere nicht eintreten.

Spannstahlbrüche bei Spannbetonbauwerken frühestmöglich und zerstörungsfrei zu orten, ist eine Herausforderung unserer Zeit.

Das Kriterium „Riss vor Bruch" hatte bei der Spannbetonbemessung nicht immer Priorität. Das Baujahr ist deshalb bei der Lebensdauerabschätzung bestehender Spannbetonbauwerke von großer Bedeutung.

Werden gleichartige und benachbarte Bauwerke auf Unversehrtheit ihrer Spannbewehrung untersucht, dann werden Prüfungskosten gespart, wenn die gleiche Provenienz für die Spannstähle nachgewiesen werden kann.

Magnetfelder eröffnen den Blick in das Innere der Tragstruktur. Sie zeigen im Bilddokument den Zustand der Spannbewehrung. Das Verfahren ist so einfach und schon so weit entwickelt, dass die DGZfP bereits im Jahr 2017 das Positionspapier „magnetische Verfahren zur Spannstahlbruchortung" veröffentlichen konnte. [1]

Die Kunst besteht darin, Magnetfelder in die Stahlteile einzuprägen, seien es Elektromagnete oder Permanentmagnete. Je kleiner und handhabbarer die Geräte sind, desto weniger tief ist allerdings ihre Wirkung. Von hauptsächlicher Bedeutung ist, wie man die Magnete führt und wie man die Daten liest und man sie filtert. Hier handelt es sich um Kunstgriffe mit hohem Innovationspotenzial.

Der Beitrag enthält Interessantes bezüglich grenzwertiger Anforderungen in Prüfsituationen.

Lebensdauerprognose von Spannbetonbauwerken

Die seit Beginn der Spannbetonbauweise eingesetzten Spannstähle sind nicht genormt und benötigen eine allgemeine bauaufsichtliche Zulassung. In der Fachliteratur, in den Betonkalendern, in den Rundschreiben Straßenbau (ARS) und in den Mitteilungen der Deutschen Bundesbahn finden sich Listen mit allen zum jeweiligen Zeitpunkt bauaufsichtlich zugelassenen Spannstählen und ihrer wichtigsten Eigenschaften. In der DDR waren die Spannstähle in der Normenreihe „TGL 101 – 036: Stähle für den Stahlbetonbau" geregelt, die später durch die Normenreihe „TGL 12.530: Stähle für den Stahlbetonbau" ersetzt wurde.
Die Bundesanstalt für Materialforschung und -prüfung (BAM), das Otto-Graf-Institut und die TU Darmstadt bearbeiteten einen Forschungsauftrag des Bundesverkehrsministeriums (BMV) über die Abschätzung des Gefährdungspotenzials eines unangekündigten Versagens

von mit vergütetem Spannstahl hergestellten Straßenbrücken [3]. Basierend auf den Ergebnissen dieser Untersuchungen wurde vom BMV im Jahr 1993 die Richtlinie „Empfehlungen zur Überprüfung und Beurteilung von Brückenbauwerken, die mit vergütetem Spannstahl St 145/160 Neptun N 40 bis 1965 erstellt wurden“, herausgegeben. Die Empfehlungen wurden zunächst auf Sigma-Oval-Spannstähle [4] der Produktion bis 1978 und später auch auf die vergüteten Spannstähle aus dem Werk Hennigsdorf [5], die auch im TL Thüringen zum Einsatz kamen, ausgeweitet.
Für viele Spannbetonkonstruktionen kann wegen ihrer statischen Unbestimmtheit mit Hilfe der Probabilistik gezeigt werden, dass die Wahrscheinlichkeit eines Versagens ohne Ankündigung durch die Rissbildung von Spanngliedern gering ist [6]. Falls Brüche vorhanden sind ist die Kenntnis wichtig in welcher Zahl und räumlichen Verteilung sie auftreten. Das zerstörungsfreie Prüfverfahren auf der Basis des Remanenzmagnetismus lokalisiert Brüche von Spannstählen in direktem Verbund oder in Hüllrohren [7, 9-19].
Neben den abtragenden Korrosionsformen, die bei Betonstählen der maßgebende Schädigungsmechanismus sind, ist es bei den hochfesten Spannstählen die Schädigung durch Spannungsrisskorrosion und Wasserstoffversprödung. Besonders empfindlich sind vergütete Spannstahlsorten, die bis 1965 bzw. bis 1978 hergestellt wurden [8].
Mit der magnetischen Streufeldmessung liegt ein ausgereiftes Verfahren zur Ortung von Brüchen an Spannstählen in verschiedensten Spannbetonbauteilen vor, das die Deutsche Gesellschaft für Zerstörungsfreie Prüfung e.V. in dem DGZfP-Fachausschuss für zerstörungsfreie Prüfung im Bauwesen, Unterausschuss magnetische Verfahren zur Spannstahlbruchortung im August 2017 als „Positionspapier: Magnetische Verfahren zur Spannstahlbruchortung“ veröffentlichte. [1]
Auch wenn bei einer Überprüfung ein Risswachstum detektiert würde, ergäbe sich unmittelbar noch kein Standsicherheitsproblem. Die Nachrechnungsrichtlinie öffnet dazu die Wege durch Nachrechnung [2]. Sollten jedoch vermehrt Risse detektiert werden, ist unmittelbar zwischen allen Beteiligten zu entscheiden, wie weiter vorzugehen ist. Ein erster Schritt wäre die Verdoppelung der Überprüfungen hinsichtlich des Zeitpunkts der Untersuchung.

Das RM-Verfahren

Das Remanenzmagnetismus-Verfahren (RM-Verfahren) nutzt die ferromagnetischen Eigenschaften des Spannstahls für die zerstörungsfreie Lokalisierung von Spannstahlbrüchen. Das zu untersuchende Spannglied wird von der Betonoberfläche aus remanent magnetisiert. An Bruchstellen einzelner Spanndrähte bilden sich magnetische Streufelder, wie an Bruchstellen gebrochener Stabmagnete.

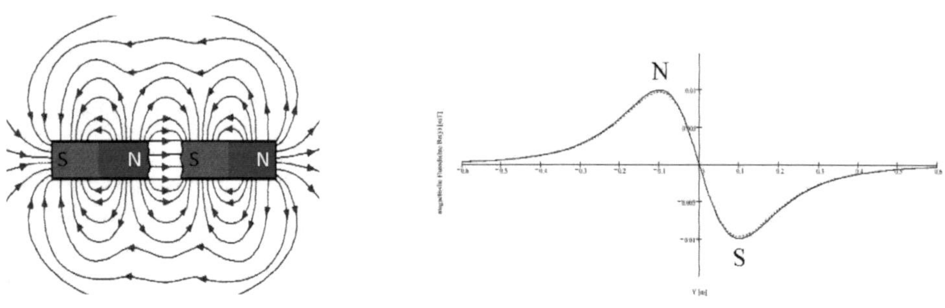

Abbildung 1: An der Bruchstelle liegen sich eng benachbart ein magnetischer Nordpol (N) und ein magnetischer Südpol (S) gegenüber (Bild links). Das Messsignal (Bild rechts) zeigt einen charakteristischen Verlauf. Zwischen den beiden Polen (Extremwerten) befindet sich der Wendepunkt des Signalverlaufs der transversalen Komponente, der exakt die Mitte der Bruchstelle anzeigt.

Im Anschluss an die Magnetisierung werden die axiale (parallel zur Betonoberfläche gerichtete) und die transversale (orthogonal zur Betonoberfläche gerichtete) Komponente der magnetischen Flussdichte entlang dem Spanngliedverlauf an der Betonoberfläche gemessen. Spanndrahtbrüche erzeugen einen charakteristischen Signalverlauf (Abbildung 1). Die Bruchstelle befindet sich dort, wo die axiale Komponente ein Extremum und die transversale Komponente einen Wendepunkt besitzt. Der Schädigungsgrad eines Spannglieds an einer Stelle, an der ein Bruchsignal aufgetreten ist, lässt sich bei Kenntnis weiterer Parameter, wie der Betondeckung des Spannglieds, der Spannstahlart und der Stärke des Signals abschätzen.

Durchführung des Verfahrens

Für den Durchführenden des Verfahrens und für den Auftraggeber bleibt entscheidend wie sicher das Prüfergebnis und wie zuverlässig die Aussage ist. In Abhängigkeit von der Komplexität des Bauwerks hinsichtlich der Anordnung und Konzentration der Stahlbeton- und der Spannbetonbewehrung empfiehlt sich grundsätzlich ein Labortest mit nachgestellter Bewehrung. Erst bei gegenseitigem Überzeugtsein für die Aussagesicherheit wird die Prüfung am Bauwerk durchgeführt.

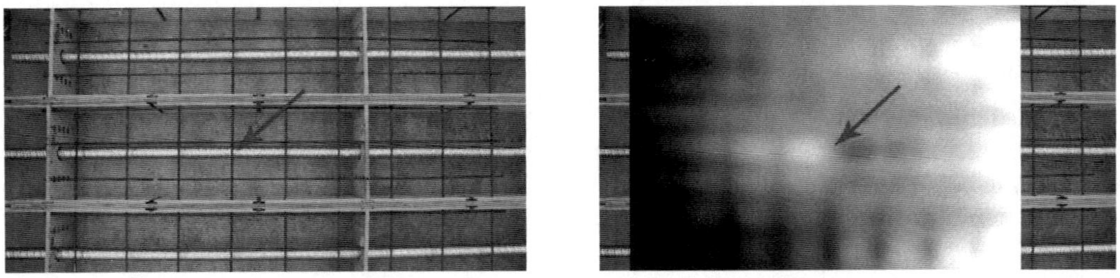

Abbildung 2: Nachgestellter Bewehrungsaufbau mit Spanngliedbruch im Hüllrohr in 16 cm Tiefe direkt unter einem Bewehrungseisen

Bei dem Schalendach des Kongresshauses in Biel (Abbildung 7) stellte der Bauherr zusätzlich zu den Laboraufbauten in Berlin noch ein Probeelement zum experimentellen Nachweis her.
An einem Brückenbauteil an der FIU (Florida International University, Miami - USA) sind Spannglieder kreuzweise in variabler Tiefe angeordnet. Prüfaufgaben dieser und ähnlich hoher Komplexität sind die Treiber, die zur Weiterentwicklung des Verfahrens beitragen. Neuerungen sind weiterentwickelte Magnete und Umstellungen in der Sensortechnik, die Detektionen bis zu mehr als 30 cm Tiefenlage der Spannbewehrung ermöglichen. Die mathematische Behandlung der Streufelder mit den Flussdichten in x- , y- und z-Richtung entwickelte sich zur Standardmethode.

Abbildung 3: Brückenelement längs- und quer vorgespannt an der FIU (Florida International University, Miami)

Besondere Herausforderungen liegen heute in der Zugänglichkeit zur Prüfstelle und in der Anpassung des Messsystems an die örtliche und geometrische Oberflächensituation. Mit einem die Wände hinauflaufenden Roboter an der FIU werden aufwendige Gerüstaufbauten in bestimmten Situationen erspart.

Abenteuerlich für die Ausführungsexperten wird es, wenn es in die „Unterwelt" geht. Ob Brückenhohlkästen mit 70 cm lichter Innenhöhe oder unterirdische Konstruktionen wie bei dem Rathaus in Köln, auch hierbei sind Innovationen in der Manipulatortechnik gefragt.

Quantensprünge in dem Detektionsergebnis ergeben sich durch die Art der Magnetisierung, worüber demnächst die Experten S. Knapp und T. Luther berichten werden.

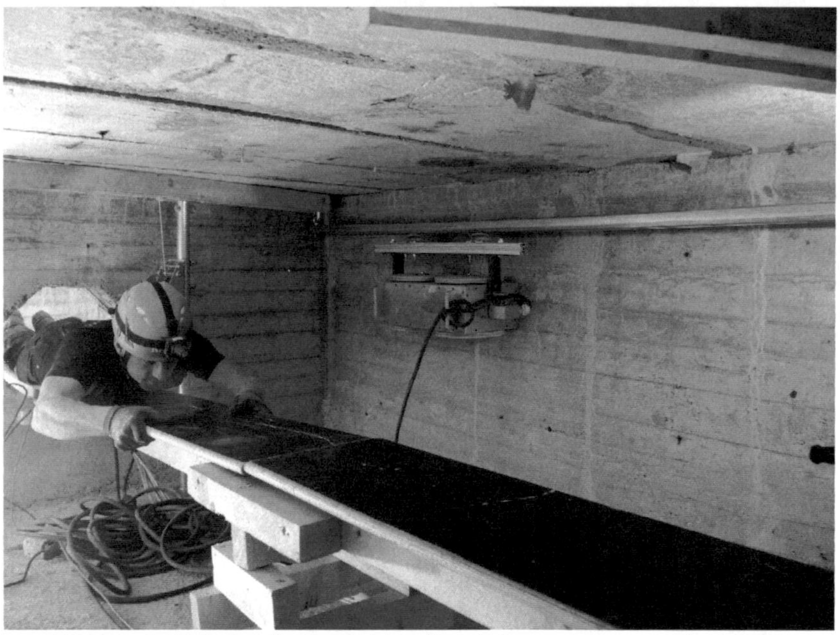
Abbildung 4: Professionelles Bauchgleiten für Arbeiten unter beengten Verhältnissen

Abbildung 5: Datenkontrolle unmitelbar nach der Messdurchführung

Abbildung 6: Magnetisches Projektionsbild der Bewehrungssituation an Ort und Stelle. Auf eine vorauslaufende Radarortung kann verzichtet werden

Abbildung 7: Das Testfeld für den betonierten Prüfkörper in Wildegg in der Schweiz für das Kongresshaus in Biel

Abbildung 8: Das magnetische Prüfsystem witterungsgeschützt im Einsatz auf dem vorgespannten Dach des Kongresshauses in Biel (Schweiz, 2018)

Referenzen

[1] DGZfP Fachausschuss für Zerstörungsfreie Prüfung im Bauwesen, POSITIONSPAPIER, Magnetische Verfahren zur Spannstahlbruchortung, August 2017

[2] Bundesministerium für Verkehr, Bau und Stadtentwicklung Abteilung Straßenbau Richtlinie zur Nachrechnung von Straßenbrücken im Bestand (Nachrechnungsrichtlinie), Ausgabe: 05/2011

[3] König, G., Tue, N., Pommerening, D., Bauer, T., Abschlussbericht zum BMV-Forschungsvorhaben FE Nr. 15.210 R 91 D: Studie zum Verformungs- und Tragverhalten von Spannbetonbrücken beim Auftreten von Spannungsrisskorrosion in den Spanngliedern, Darmstadt, Oktober 1999

[4] Bertram, D., Hartz, U., Isecke, B. et al, Gefährdung älterer Spannbetonbauwerke durch Spannungsrisskorrosion an vergütetem Spannstahl in nachträglichem Verbund, Beton- und Stahlbetonbau 97 (2002), H. 5, S. 236-238

[5] Ehmann, R., Spannungsrisskorrosion von Spannstählen, BAW-Brief Nr. 3, Bundesanstalt für Wasserbau, Karlsruhe, 2006

[6] Bauer, T., Müller, M., Patz, R., Wilhelm, T., Schwarz, F., Tue, N., Stochastische Abschätzung der Versagenswahrscheinlichkeit von Spannbetontragwerken infolge Spannungsrisskorrosion unter Berücksichtigung verschiedener Schädigungsverteilungen, Bautechnik 87 (2010), H. 7, S. 389-396

[7] Hillemeier, B., Assessment of Structural Stability of Pre-stressed Concrete by Non-Destructive Detection of Steel Fractures. Proceedings of the International Symposium Non-Destructive Testing in Civil Engineering Vol. 1, 23-29, Deutsche Gesellschaft für Zerstörungsfreie Prüfung e. V., Berlin 1995

[8] Handlungsanweisung zur Überprüfung und Beurteilung von älteren Brückenbauwerken, die mit vergütetem, Spannungsrisskorrosion gefährdetem Spannstahl erstellt wurden, Bundesministerium für Verkehr, Bau und Stadtentwicklung, Ausgabe 06/2011, Bonn 2011

[9] Scheel, H., Spannstahlbruchortung an Spannbetonbauteilen mit nachträglichem Verbund unter Ausnutzung des Remanenzmagnetismus, Dissertation an der TU Berlin, Berlin 1997

[10] Kloster, A., Aufbau einer Entwicklungsplattform für niederfrequente magnetische Prüfverfahren, Dissertation an der Universität des Saarlandes, Saarbrücken 2008

[11] Pak, Chol-I., Optimierungen des Remanenzmagnetismus-Verfahrens zur Stahlbruchortung in Bauwerken, Theoretische Weiterentwicklung, Dissertation an der TU Berlin, Berlin 2010

[12] Walther, A., Vergleichende Signalinterpretation von Spannstahlbrüchen im remanenten und aktiven magnetischen Streufeld, Dissertation an der TU Berlin, Berlin 2012

[13] Luther, T., Magnetic Flux Leakage - Methode – Im Vergleich einer additiven Spulenanordnung hinsichtlich Betondeckung und Brucherkennung in Spannbetonbauteilen, Bachelorarbeit an der TU Berlin, 2018

[14] Hillemeier, B.; Scheel, H., Magnetische Ortung von Spanndrahtbrüchen in Spannbeton, Materials and Corrosion 49, 799-804 (1998)

[15] Hillemeier, B., Walther, A., Pak, Chol-I, Fast Non-Destructive Localization of Prestressing Steel Fractures in Post-Tensioned, Concrete Bridges in „2008 Accelerated Bridge Construction - Highway for Life", Conference, Baltimore, Maryland 2008, S. 409-410

[16] Taffe, A., Hillemeier, B., Walther, A., Condition Assessment of a 45-year old prestressed concrete bridge using NDT and verification of the results, NDE/NDT for Highways and Bridges: Structural Materials Technology (SMT) 2010, New York, 16-20 August, 2010

[17] Hillemeier, B.; Taffe, A., Aktuelle Regelwerke der Bauwerksdiagnostik, Bauphysik Kalender - Gebäudediagnostik, S. 57 -101, 2012

[18] Knapp, S.; Hillemeier, B.: Zerstörungsfreie Prüfung von Spanngliedern in Brückenbauwerken mit der magnetischen Streufeldmessung, 3. Brückenkolloquium: Beurteilung, Ertüchtigung und Instandsetzung von Brücken, 19. - 20. Juni, TAE Technische Akademie Esslingen, 2018

[19] Knapp, S., Zerstörungsfreie Prüfung von Spanngliedern in Spannbetonbauwerken mit dem Remanenzmagnetismus-Verfahren, Betoninstandsetzungstag 2019, 15. Mai, Weiterbildungszentrum TFB AG, Wildegg (Schweiz), 2019

AIVOLUTION der Bauwerksinspektion

Dieter SCHLOSSER [1]
[1] Palfinger Structural Inspection GmbH, Wien, Österreich
Kontakt E-Mail: d.schlosser@palfinger.com

Kurzfassung. STRUCINSPECT deckt die gesamte Prozesskette der Bauwerks-inspektion ab:

Von der vollständigen Erfassung und Digitalisierung des Bauwerks bis hin zur teilautomatisierten und objektivierten Bauwerksanalyse und Zustandsbeurteilung.

Ein präziser digitaler Zwilling ermöglicht einen klaren Gesamteindruck des Prüfobjekts und eine übersichtliche Präsentation. Die Analyse der Inspektionsdaten erfolgt mittels künstlicher Intelligenz.

Neuronale Netze übernehmen die objektivierte Auswertung der Daten. Der dabei dokumentierte Bauwerkszustand kann darüber hinaus auch für weiterführende Planungen und Maßnahmen genutzt werden.

Einführung

Bauwerksinspektionen können in Zukunft viel präziser, wirtschaftlicher und nachhaltiger durchgeführt werden.

Die Palfinger AG, die VCE Vienna Consulting Engineers ZT GmbH und die Angst Group haben sich bisher diesem Thema aus unterschiedlichen Richtungen angenähert. Diese Unternehmen haben sich vor mehr als einem Jahr zusammengeschlossen, um ihre Erfahrungen zu bündeln, dabei entstand eine einzigartige und revolutionäre Lösung: - die AIVOLUTION der Bauwerksinspektion.

Motivation

Eine der wichtigsten Herausforderungen in unserer modernen Gesellschaft ist die Bereitstellung einer sicheren Verkehrsinfrastruktur. Infrastrukturbetreiber unterliegen Regelwerken, die bedingen, dass große Infrastrukturen regelmäßig auf Schäden überprüft werden müssen.

Bei der Standard-Bauwerksinspektion bringt man speziell ausgebildete Bauingenieure zu dem zu prüfenden Objekt vor Ort. Notizen, Skizzen und Fotos werden für den nachfolgenden Bericht vorbereitet. Die Inspektoren werden mit speziellen Brückeninspektionsgeräten an nicht direkt zugängliche Orte gebracht. Bei einer solcher Prüfung ist das Objekt nicht oder nur teilweise nutzbar, was zu Unterbrechungen, Verspätungen, Staus und damit erheblichen Nichtverfügbarkeitskosten führt.

In den letzten Jahren sind Ansätze einer drohnengestützten Bauwerksinspektion zunehmend spürbar. Diese beschränken sich vor allem auf eine visuelle Betrachtung der erzeugten optischen Bilder.

Durch den Einsatz neuer Technologien kann eine objektivere und schnellere Bauwerksinspektion zu geringeren Kosten durchgeführt werden. Um den höchstmöglichen Grad der Automatisierung zu erreichen, wird die eigentliche Inspektion nicht mehr am realen Objekt, sondern an einem digitalen Zwilling des Bauwerkes durchgeführt. Die Schadensbegutachtung und die Berichterstattung erfolgt automatisch.

Konventionelle Inspektion vs. Digitale Inspektion

Was ist der Unterschied zwischen STRUCINSPECT und der konventionellen Gebäudeinspektion? Im Wesentlichen liegen die Unterschiede in den Methoden und im Prozess.

Bei der konventionellen Inspektion geht es vor allem darum, die individuellen Schaden vor Ort zu identifizieren. Der Fokus liegt daher auf der Erkennung von Defekten und Schäden, welche durch Fotos und Notizen dokumentiert werden. Nach Abschluss der Vor-Ort-Inspektionsarbeiten wird eine saubere und detaillierte Dokumentation der Schäden in Form von Tabellen und Markierungen auf Plänen erstellt. Anschließend wird aus diesen manuell generierten Informationen ein Inspektionsbericht der konventionellen Inspektion erstellt. Dieser Prüfbericht ist die Grundlage für die Zustandsbewertung von Komponenten und dem Gesamtobjekt.

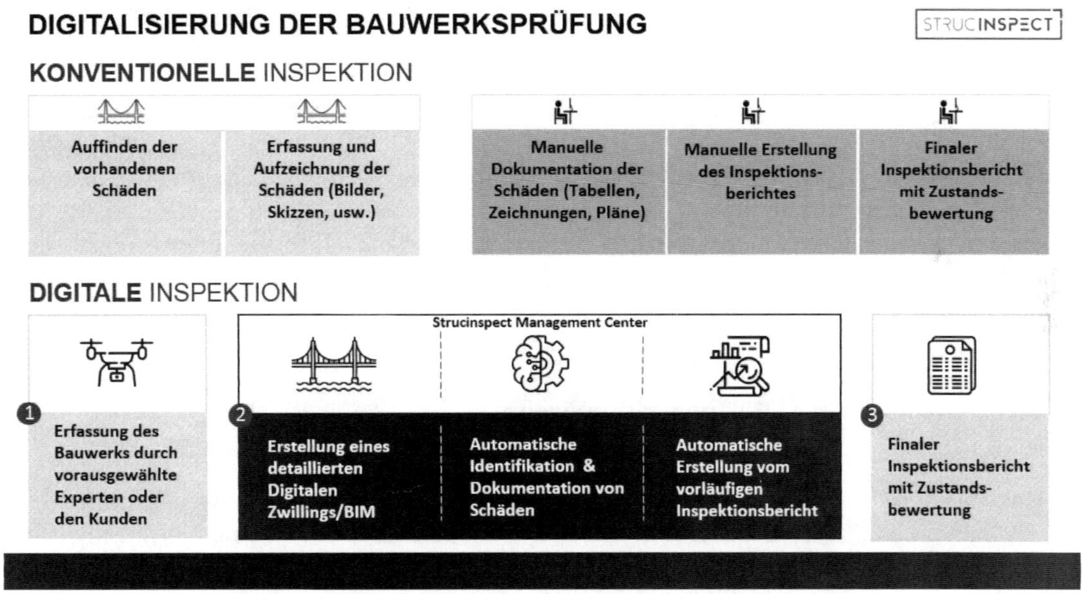

Fig.1 Vergleich STRUCINSPECT vs Konventionelle Inspektion

Bei STRUCINSPECT konzentriert sich der erste Schritt auf die vollständige und professionelle Erfassung des gesamten Bauwerkes mit hochauflösenden Bildern. Aus diesen Aufnahmen wird ein photogrammetrisches Modell berechnet - die sogenannte Erstellung des digitalen Zwillings.

Der nächste Schritt ist der Identifizierung von Schäden gewidmet. Dabei wird das Bildmaterial mit Hilfe künstlicher Intelligenz ausgewertet und identifizierte Schäden in der Schadensdatenbank dokumentiert. Der Inhalt der Schadensdatenbank wird dann vom Bauingenieur eingesehen und die einzelnen Schäden bewertet und kommentiert. Aus den Schadensbildern und dem Inhalt der Schadensdatenbank wird dann ein Prüfbericht erstellt, der wie bei der konventionellen Prüfung die Grundlage für die Befunde und Zustandsbeurteilung bildet.

Digitalisierung von Bauwerken

Mit hochauflösenden Kameras und Sensoren werden tausende Bilder vom Inspektionsobjekts aufgenommen. Aus diesen Daten wird ein digitaler Zwilling - ein exaktes 3D-Modell der realen Struktur - mittels Photogrammmetrie (bildbasierte Modellierung) hergestellt.

Fig. 2 3D-Modell aus hochauflösenden Bildern

Diese virtuelle Darstellung stellt den allgemeinen Gesamtzustand sowie alle spezifischen Schäden und materiellen Zuständen dar. Mit dieser Methode können Abplatzungen und Risse mit einer Auflösung von bis zu 0,1 mm präzise identifiziert und untersucht werden. Informationen über Feuchtigkeitsgehalt, Chloridgehalt und andere chemische Eigenschaften ermöglichen es, detailliertere Informationen über den Gesamtzustand zu erhalten. Alle erkannten Schäden werden in einer Datenbank erfasst und auf dem digitalen Modell deutlich dargestellt.

Schadenserkennung mit künstlicher Intelligenz

Mit Hilfe der KI-gestützten Detektion werden alle Schäden identifiziert, analysiert, markiert und dokumentiert. Die Software unterscheidet auch zwischen einer Vielzahl von Schadensarten und Intensitäten.

Die Qualität des Ergebnisses hängt also nicht mehr von der individuellen subjektiven Meinung ab. Die erreichte objektive Datenauswertung und -interpretation bildet die Grundlage für eine zeitnahe und schnelle Bewertung durch Experten.

Um ausgezeichnete Detektionsraten zu erreichen wurde das neuronale Netzwerk mit der sogenannten Deep-Learning-Methode angelernt.

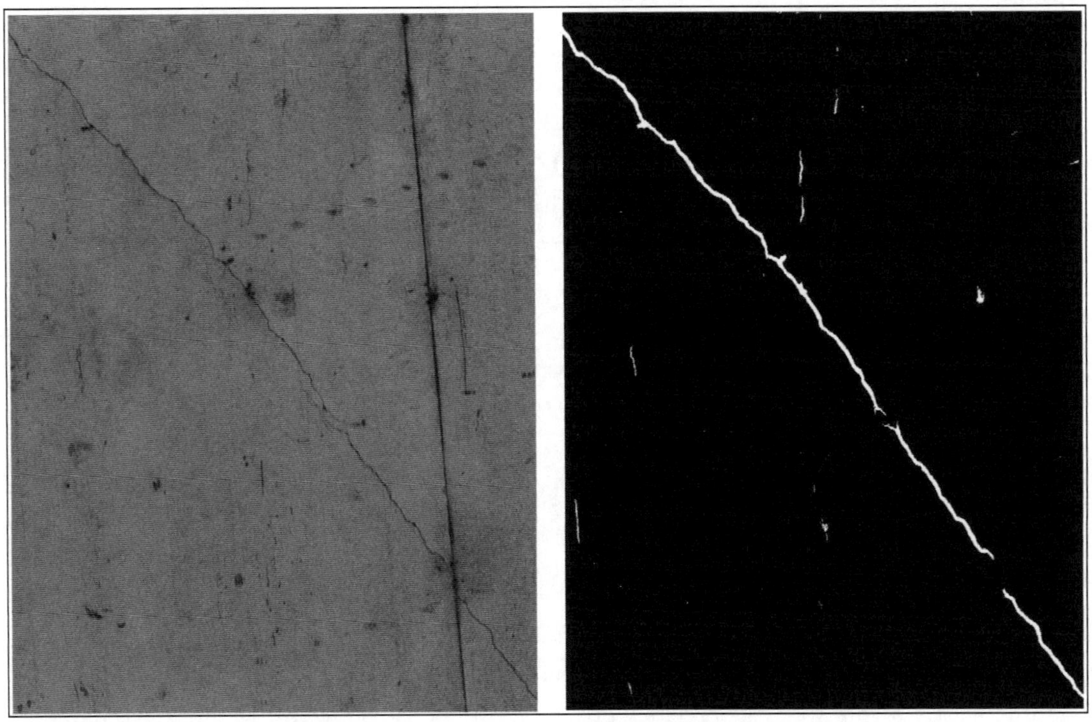

Fig. 3 Riss identifiziert und dokumentiert mit künstlicher Intelligenz

Vorteile und Mehrwert

STRUCINSPECT ist weniger arbeitsintensiv und zeitaufwändig im Vergleich zu konventionellen Bauwerksinspektionen. Die Datenerfassung (z.B. mit Drohnen) und die ortsunabhängige nachträgliche Datenanalyse des digitalen 3D-Zwillings minimieren Verkehrsstörungen. Das Bauwerk bleibt während den Inspektionsarbeiten verfügbar. Zusätzliche Sperren und indirekte Kosten werden vermieden.

STRUCINSPECT bietet Kunden, Prüfern und Behörden eine detaillierte Momentaufnahme und einen ganzheitlichen Eindruck über den aktuellen Zustand. Darüber hinaus liefern das virtuelle Modell und die Schadensdatenbank den Nachweis, dass die Kontroll- und Inspektionspflichten vollständig eingehalten wurden, da die vollständige Dokumentation der gesamten Struktur auch die schadensfreien Zonen umfasst. Auf dieser Grundlage wird ein konformer Inspektionsbericht erstellt. Die Daten sind auch für andere Anwendungen verfügbar.

Die digitalen Ergebnisse und Auswertungen können auch für andere zukünftige Anwendungen genutzt werden. Insbesondere die Möglichkeite BIM-Modelle aus den digitalen Zwillingen zu implementieren oder die Schadensdaten in BIM-Modelle zu importieren, bieten Infrastrukturbetreibern umfangreiche und zukunftsorientierte Möglichkeiten. Die reproduzierbare Qualität der Datensätze ermöglicht objektive Vergleiche mit früheren Prüfungen - z.B. für Langzeitbeobachtungen, Lebenszyklusanalysen und die Vorbereitung und Planung konkreter Erhaltungsmaßnahmen in der Zukunft.

Experimenteller Nachweis von Straßenbrücken kleiner Stützweite

Dennis KAHL [1], Marc GUTERMANN[2]
[1] Ingenieurgesellschaft Experimentelle Statik (IGES), Bremen
[2] Hochschule Bremen

Kontakt E-Mail: Dennis.Kahl@ext.hs-bremen.de

Kurzfassung

Der schlechte Erhaltungszustand deutscher Autobahn- und Bundesstraßenbrücken ist hinlänglich bekannt. Kleinere Straßen- und Wegebrücken stehen eher selten im Fokus der Öffentlichkeit, obwohl ihre Zustandsbewertungen oft ebenso schlecht ausfallen wie bei den Brücken im Fernstraßennetz. Auch kommt häufig noch erschwerend hinzu, dass über die Jahre sehr viele Informationen über die Bauausführung verlorengegangen sind und der Erhaltungszustand unbefriedigend ist. In solchen Fällen ist eine rechnerische Bewertung der Tragsicherheit oft unmöglich, insbesondere, wenn Teile des Bauwerks für Erkundungen unzugänglich sind oder die Gründungssituation unbekannt ist.

Im vorliegenden Beispiel wurde nach einer Anfrage zur Untersuchung von Durchlässen und Wegebrücken im Stadtwald Eilenriede, Landeshauptstadt Hannover, eine kostengünstige Methode entwickelt, wie die Tragsicherheit von Brücken kleiner Stützweite wirtschaftlich und risikoarm nachgewiesen werden kann. Das Belastungssystem, bestehend aus einem Mobilkran mit extern angebrachter Prüfhydraulik, kann schnell und flexibel eingesetzt werden und ermöglicht den risikoarmen experimentellen Tragsicherheitsnachweis.

Das Verfahren wurde an 13 Stahlbetonbauwerken und einem Mauerwerksgewölbe erfolgreich erprobt, so dass die Tragfähigkeit der getesteten Bauwerke bei allen Versuchen ohne Erreichen eines Grenzwertkriteriums bis zur Versuchsziellast FZiel ≤ 330 kN gesteigert werden konnten. Die Brücken wurden daher für die gewünschte Nutzlast BK 30 bzw. BK 9 als gebrauchstauglich und tragsicher eingestuft. Das verwendete Belastungsverfahren eignete sich ohne Einschränkungen, um die Beanspruchungen aus dem maßgebenden Lastbild einer schweren Einzelachse regelbar im Bauwerk zu erzeugen.

Unsere Erfahrungen haben gezeigt, dass durch den Einsatz moderner Belastungs- und Messtechnik Tragreserven an Brückenbauwerken zerstörungsfrei erschlossen werden können, auch wenn die statische Berechnung negative Ergebnisse erzielt. Letztere muss die physikalische Realität in Modellen abbilden und bleibt dabei naturgemäß immer auf der sicheren Seite. Die experimentelle Tragsicherheitsanalyse erschließt demnach ein großes Steigerungspotenzial der zulässigen Verkehrslasten.

Digitalisierung und Inspektion von Brücken mithilfe von Multibeam- und Laserscan

Frederic MÜLLER-BRAUNE [1]
[1] VRT, Jyväskylä, Finnland
Kontakt E-Mail: frederic@vrt.fi

Kurzfassung

VRT ist ein finnisches High-Tech Ingenieurunternehmen, das sich auf die Untersuchung und Digitalisierung von Wasserbauten spezialisiert hat. Das Unternehmen wurde 2010 als Reaktion auf die wachsenden Ansprüche und neuen technischen Möglichkeiten in der Brückeninspektion gegründet. Als erstes Unternehmen weltweit bot VRT hochauflösende Inspektionsdaten mithilfe von Multibeam- und Laserscans an. Das innovative Verfahren ermöglicht es, die Bauwerksabschnitte sowohl unter, als auch über Wasser in einem detaillierten 3D-Punktwolkemodell komplett darzustellen.

Die gewonnen Daten werde im Anschluss von lizensierten Bauwerksprüfern ausgewertet und auf Auffälligkeiten untersucht. So lassen sich Beschädigungen wie z.B. Risse genauso feststellen wie Auskolkungen oder Neigungen in der Bauwerksstruktur. Vor allem in den schwer einsehbaren Bereichen unter Wasser lassen sich so leicht Daten gewinnen, die mit traditionellen Verfahren bisher kaum zu bekommen waren. Ein weiterer Vorteil ist, dass VRT den kompletten Prozess aus einer Hand anbietet: Von den Vermessungsarbeiten vor Ort, über die Datennachbearbeitung bis hin zur Prüfung. Dies Vereinfachten den Abstimmungsprozess und die Kommunikation zwischen Unternehmen und Klient enorm.

Die Untersuchungsergebnisse werden über die online Plattform Gisgro geliefert, die den Benutzern einen einfachen Zugang gewährt und ermöglicht, die Daten schnell und leicht mit Kolleginnen/Kollegen zu teilen. Die Plattform enthält zudem nützliche Werkzeuge um z.B. Abmessungen vorzunehmen oder Querschnitte zu erstellen. Es ist auch möglich Datenpolygone zu exportieren und diese in andere Programme zu übertragen oder in digitale Bestandspläne zu integrieren.

Alle Punkte der Punktwolke verfügen zudem über eine Georeferenzierung und können einfach mit einem GPS-Gerät wiedergefunden werden. Dies ermöglicht es, Beschädigungen genauestens zu verorten. Die Digitalisierung von Brücken mithilfe des Verfahrens von VRT stellt auch die Vergleichbarkeit zwischen Ist-Zustand und z.B. BIM-Planungsmodellen her. Es ist auch möglich mehrere Punktwolken desselben Bauwerks miteinander zu vergleichen. Dies vereinfacht die Überwachung der Bauwerksentwicklung und stellt eine sinnvolle Ergänzung zur Handnahen Prüfung dar.

Einsatz von hochauflösendem Bauradar bei der Planung und Kontrolle von Verpressarbeiten

Markus HÜBNER [1]
[1] GGU Gesellschaft für Geophysikalische Untersuchungen mbH, Karlsruhe
Ettlinger Straße 51, 76137 Karlsruhe
Kontakt E-Mail: markus.huebner@ggukarlsruhe.de

Kurzfassung

Hohlräume oder Risse in Beton- und Natursteinbauwerken werden zur Verbesserung der Gefügestruktur häufig verpresst. Sowohl für die Planung der Verpressarbeiten als auch zur Kontrolle des Verpresserfolges werden hochauflösende Bauradarmessungen erfolgreich eingesetzt.
Die spezifischen Anforderungen an die Gerätetechnik und die Messdurchführung sowie die Möglichkeiten und Grenzen des Verfahrens werden exemplarisch anhand der Ertüchtigung eines Stahlbetonpfeilers und einer Natursteinbrücke beschrieben.

Signalmerkmale des Radarverfahrens zur Klassifizierung von Feuchteschäden in Fußbodenaufbauten

Tim KLEWE [1], Christoph STRANGFELD [1], Tobias RITZER [2], Sabine KRUSCHWITZ [1]
[1] Bundesanstalt für Materialforschung und -prüfung, Berlin
[2] Ingenieurbüro Tobias Ritzer GmbH, Schwabach
Kontakt E-Mail: tim.klewe@bam.de

Kurzfassung

Zur Eingrenzung und Klassifizierung auftretender Feuchteschäden in geschichteten Fußbodenaufbauten wird bereits seit vielen Jahren das Neutronensondenverfahren eingesetzt. Während eine Eingrenzung des Schadens bereits durch die zerstörungsfrei aufgenommenen Messdaten möglich ist, erfordert die Klassifizierung zeit- und kostenintensive Sondierungsbohrungen. Die somit gewonnenen Tiefeninformationen zur Lage des Flüssigwassers tragen maßgeblich zur Planung der erforderlichen Reparaturarbeiten bei, was die Frage nach einer zerstörungsfreien Alternative zur vertikalen Lokalisierung von Feuchte in Fußböden stellt. Das Radarverfahren ist mit seiner hohen Sensitivität für Wasser besonders geeignet und soll künftig zur automatisierten Klassifizierung typischer Schadensfälle beitragen.
In einem laufenden Forschungsvorhaben werden in systematischen Laborstudien gängige Schadensfälle an häufig anzutreffenden Fußbodenaufbauten simuliert und deren Einfluss auf die genannten Verfahren untersucht. Hierbei kommen Zement- und Anhydritestriche, sowie unterschiedliche Dämmmaterialen mit variierenden Schichtdicken zum Einsatz. Wesentlicher Bestandteil der Auswertung ist die Extraktion signifikanter Signalmerkmale des Radarverfahrens, welche Rückschlüsse auf den Schadensfall und ggf. die Wassermenge zulassen. Die Robustheit gegenüber unterschiedlichsten Aufbauten mit wechselnden Schichtdicken und Materialien steht hierbei besonders im Fokus. Erste Ergebnisse empfehlen die Betrachtung der örtlichen Verteilung bestimmter Signalmerkmale im Radargramm (B-Scan), um eine Klassifizierung der Schadensfälle vornehmen zu können.

Ermittlung der Porosität von Sandsteinen - Vergleich von Quecksilberporosimetrie, Tauchwägung und NMR

Sarah Mandy NAGEL [1], Ludwig STELZNER [1], Christoph STRANGFELD [1], Sabine KRUSCHWITZ [1,2]
[1] Bundesanstalt für Materialforschung und -prüfung (BAM), Berlin
[2] Technische Universität Berlin, Berlin
Kontakt E-Mail: sarah-mandy.nagel@bam.de

Kurzfassung

Die Porosität sowie die Porengrößenverteilung (PSD) eines Baustoffs sind wichtige petrophysikalische Eigenschaften, die Transportprozesse im Material beeinflussen und im direkten Zusammenhang mit der Schadensanfälligkeit stehen (Frost-Tau-Schäden, Schäden durch Salzeinträge und sauren Regen). Verfahren zur Ermittlung der Porosität stellen die Quecksilberporosimetrie (MIP), das Prinzip der Tauchwägung nach Archimedes (triple weighing method, TWM) und die Kernspinresonanz (NMR) dar.

Das Hauptziel dieser Arbeit ist der Vergleich der drei Methoden für die Porositätsbestimmung. Als Untersuchungsmaterial wurde Sandstein gewählt. Als Baustoff wird Sandstein trotz einer teilweise geringen Festigkeit, aber aufgrund seiner Farbvielfalt häufig für Kulturbauten, Gehwegmaterial und Fassaden eingesetzt. Sandsteine weisen zudem meist eine hohe effektive Porosität (bis zu ca. 30 %) und teilweise breite Porengrößenspektren auf, wodurch Feuchte- und Ioneneinträge begünstigt werden und zu z. B. langfristigen Verfärbungen an Sandsteinfassaden führen können.

Im Rahmen dieser Arbeit werden die Porositäten von 10 verschiedenen Sandsteinen aus Deutschland und Tschechien bestimmt. Für die Untersuchungen mittels TWM und NMR wurden für jede Sandsteinart zwei zylinderförmige Proben unter Unterdruck mit Leitungswasser aufgesättigt. Beim Vergleich der Verfahren liegt der Fokus insbesondere auf NMR und der verwendeten Gerätetechnik, die mit einer minimalen Echozeit von 50 µs ein Wasserstoffsignal in Sandsteinen aus bis zu ca. 2 nm kleinen Poren erfassen kann. Darüber hinaus wird das Auflösungsvermögen von MIP und NMR bezüglich der Poren- bzw. Poreneingangsgrößen diskutiert. Für den Vergleich von NMR und MIP werden an ausgewählten Sandsteinproben ebenfalls die zusätzlich ermittelten PSD in Korrelation zueinander gebracht.

Erste Ergebnisse zeigen eine gute Korrelation von NMR- und TWM-Daten, aber teilweise starke Abweichungen zu den mit MIP bestimmten Porositäten. Ergebnisse zu den PSD zeigen teilweise nahezu identische Kurvenverläufe. Jedoch ist die Abschätzung des Umrechnungsfaktors für die NMR-Daten ohne Hinzuziehen von zusätzlichen Referenzverfahren wie Röntgen-Computer-Tomographie oder Spektral Induzierte Polarisation teilweise sehr schwierig.

Qualifizierung von Personal der Zerstörungsfreien Prüfung im Bauwesen

Sascha FEISTKORN [1], Daniel ALGERNON [1], Ralf W. ARNDT [2], Jürgen BERGER [3], Martin FRIESE [4], Christian U. GROSSE [5], Dietmar MÄHNER [6], Ernst NIEDERLEITHINGER [7], Martin SCHICKERT [8], Alexander TAFFE [9], Andrei WALTHER [10], Martin WILCKE [10], Julia WOLF [11], Andreas ZOËGA [12]

[1] SVTI - Schweizerischer Verein für Technische Inspektionen, Nuklearinspektorat, Wallisellen, Schweiz

[2] FH Erfurt - Hochschule der angewandten Wissenschaften Erfurt, Erfurt

[3] Beuth Hochschule für Technik Berlin, Berlin

[4] BASt - Bundesanstalt für Straßenwesen, Bergisch Gladbach

[5] TUM - Technische Universität München, München

[6] FH Münster - Hochschule der angewandten Wissenschaften Münster, Münster

[7] BAM - Bundesanstalt für Materialforschung und -prüfung, Berlin

[8] MFPA Weimar - Materialforschungs- und -prüfanstalt an der Bauhaus-Universität Weimar, Weimar

[9] HTW Berlin - Hochschule der angewandten Wissenschaften Berlin, Berlin

[10] Kiwa GmbH, Berlin

[11] DB Engineering & Consulting GmbH, Bremen

[12] TFI - Institut für Bodensysteme an der RWTH Aachen e.V., Aachen

Kontakt E-Mail: sascha.feistkorn@svti.ch

Kurzfassung

Die zerstörungsfreie Prüfung im Bauwesen (ZfPBau) hat in den letzten Jahren den Sprung von der Forschung in die Praxis erfolgreich gemeistert. So ist die Ermittlung der Betondeckung oder die Abschätzung der Betondruckfestigkeit mit zerstörungsfreien Prüfverfahren als Stand der Technik anzusehen. Darüber hinaus sind auch Informationen über den inneren Strukturaufbau - beispielsweise zur Lage der Spannglieder - in der Praxis zuverlässig zerstörungsfrei zu generieren.

Neben der Auswahl eines geeigneten Verfahrens und einer zielführenden Vorgehensweise hängt die Zuverlässigkeit maßgeblich vom Prüfpersonal ab, welches die zerstörungsfreie Prüftechnik anwendet. Um eine hohe Qualität bei der Zustandserfassung zu erzielen, ist die dem Prüfpersonal geschuldete Unsicherheit auf ein Minimum zu reduzieren. Aus diesem Grund ist neben der Verwendung von Prüfanweisungen eine strukturierte, einheitliche und somit geregelte theoretische und praktische Ausbildung von Prüfpersonal essentiell. Während die Qualifizierung von Prüfpersonal zur zerstörungsfreien Qualitätssicherung in der Fertigung sowie zur zerstörungsfreien wiederkehrenden Prüfung von Rohren, Behältern oder anderen metallischen Komponenten durch die ISO-Norm 9712 «Zerstörungsfreie Prüfung - Qualifizierung und Zertifizierung von Personal der zerstörungsfreien Prüfung» umfassend geregelt ist, werden an die Ausbildung von Prüfpersonal in der ZfPBau keinerlei Anforderungen gestellt.

Um diese Lücke zu schließen, wurde im Mai 2018 der Unterausschuss «Ausbildung» (UA-A) im Fachausschuss «ZfP im Bauwesen» der DGZfP reaktiviert, um langfristig einheitliche theoretische und praktische Ausbildungsstandards zu entwickeln. Der Unterausschuss setzt sich hierbei aus Dienstleistern, Behördenvertretern, Wissenschaftlern sowie Hochschullehrern zusammen. Bei der Entwicklung von Konzepten gilt es nun, verschiedene Herausforderungen anzunehmen. So gibt es mit Ausnahme der Abschätzung der Betondruckfestigkeit keine verfahrensspezifischen Normen sowie keine Bauproduktnormen, die einen klaren Bezug zur ZfPBau herstellen. Darüber hinaus kann auch die ISO 9712 nicht angewendet werden, da diese Norm den Sektor «Bauwesen» nicht abdeckt.

Im Rahmen des Posterbeitrags werden Konzepte und erste Ergebnisse des in zwei Gruppen unterteilten Unterausschusses - «ZfPBau-Ausbildung in der Hochschule» und «ZfPBau-Ausbildung in der Industrie» - vorgestellt.

Beurteilung von Bestandsbauwerken mit zerstörungsfrei gemessenen Daten — Erprobung eines neuen Konzepts an der Regenbrücke Roding

Stefan KÜTTENBAUM [1], Thomas BRAML [2], Alexander TAFFE [3], Stefan MAACK [1]

[1] Bundesanstalt für Materialforschung und -prüfung, Unter den Eichen 87, 12205 Berlin
[2] Universität der Bundeswehr München, Neubiberg
[3] Hochschule für Technik und Wirtschaft Berlin, Berlin

Kontakt E-Mail: stefan.kuettenbaum@bam.de

Kurzfassung

Fortwährend besteht ein wesentlicher Bedarf an Nachrechnungen von bestehenden Brückenbauwerken. Die Zuverlässigkeit der Berechnungsergebnisse hängt insbesondere von der Anzahl und von der Qualität der einbezogenen Informationen ab. Durch die Anwendung von zerstörungsfreien Prüfmethoden können quantitative Informationen gesammelt werden, die für die Beurteilung der Tragwerke sowohl relevant als auch ausreichend genau sind. Die gemessenen Daten können explizit in probabilistische Berechnungsmodelle für die Nachrechnung einer Brücke einfließen. Dadurch wird das Modell sukzessive an die Realität angenähert — in anderen Worten: "zugeschärft". Die Zuverlässigkeit der Ergebnisse der Nachrechnung steigt.

In diesem Posterbeitrag wird ein entwickeltes Konzept für die Verwendung von Messergebnissen (anstelle von deterministischen Informationen und Annahmen) im statischen Nachweis zusammengefasst. Am Fallbeispiel einer Spannbetonbrücke werden die Vorteile des dargestellten Ansatzes aufgezeigt. Die Messgrößen (hier die Positionen der Längsspannglieder) und die Messstrategien können anhand von Sensitivitätsanalysen definiert und die Anforderungen an die Messergebnisse aus der statischen Berechnung spezifiziert werden. Die Auswirkungen

a) der Messunsicherheit auf die Tragwerkszuverlässigkeit sowie
b) von gegenüber den vor den Messungen verfügbaren Informationen abweichenden Messwerten sind am Beispiel der Lokalisierung der Längsspannglieder durch Ultraschall- und Radarmessungen dargestellt.

MOIST MONITOR – Kontinuierliche Feuchteüberwachung an Bauwerken

Arndt GÖLLER [1], Björn JUNGSTAND [1]
[1] hf sensor GmbH, Leipzig
Kontakt E-Mail: sales@hf-sensor.de

Kurzfassung. Feuchte stellt einen der großen Einflussfaktoren auf die Lebensdauer von Gebäuden aller Art dar. Vor allem Aussagen zu ihrem zeitlichen Verlauf helfen bei der Zustandsbeurteilung von Bauobjekten. Bisher wurde jedoch die Feuchtemessung mangels geeigneter und robuster Sensoren in den meisten Fällen nicht dauerhaft durchgeführt, sondern nach den bekannten klassischen Verfahren zerstörend vorgenommen. Mit MOIST MONITOR, dem neuen Bauwerksüberwachungs- und -diagnose-System, ist eine kontinuierliche Überwachung und Aufzeichnung des Feuchtezustands an neuralgischen Punkten von Bauwerken möglich geworden. MOIST MONITOR beruht auf den bewährten Prozess-Feuchtesensoren der MOIST-Serie. Diese werden in der Errichtungsphase oder nachträglich an wichtigen Punkten am Bauwerk an- oder in dieses eingebracht und verbleiben dort je nach Anwendungsfall mittel- oder langfristig.

Die eingesetzten Mikrowellen-Sensoren sind sehr stabil und langlebig ausgeführt und weisen den hohen Schutzgrad IP68 auf. Mikrowellen-Sensoren arbeiten nach dielektrischen Messprinzipien und bieten daher besondere Vorteile für die Feuchtemessung. Sie arbeiten schnell und unabhängig von Salzeinflüssen, lassen sich robust ausführen und gut in Bauobjekte integrieren, haben eine hohe Feldreichweite und erfassen somit repräsentative Messvolumina.

MOIST MONITOR arbeitet mit einem integrierten Bussystem, mit dem bis zu 30 Sensoren über ein einziges Kabel an einer Auswerteeinheit betrieben werden können. Die Anzahl der insgesamt anschließbaren Feuchtesensoren ist frei wählbar und praktisch unbegrenzt. In der Auswerteeinheit werden die Feuchtedaten ausgelesen und aufgezeichnet. Es sind Messraten vom Minuten- bis zum Tagesrhythmus einstellbar. Die Aufzeichnung der Daten ist je nach Konfiguration über mehrere Wochen, Monate oder auch Jahre möglich.

Mit MOIST MONITOR lassen sich von allen sensiblen Stellen in Bauwerken kontinuierlich Feuchtewerte erfassen und damit der zeitliche Feuchteverlauf aufgenommen werden. Einem Feuchteeintritt von außen oder innen, langfristig zu hoher Feuchtebelastung und den damit verbundenen nachfolgenden Schädigungen kann auf diese Weise wirksam vorgebeugt werden.

1. Einführung

Bei einem Gesamtwert der bestehenden Bausubstanz von rund 50 Billionen € ergeben sich bei angenommenen Lebensdauern von bis zu 100 Jahren riesige Summen für die Unterhaltungs- und Sanierungskosten. Eine Möglichkeit zur Kostenreduktion besteht in der Verlängerung der Lebensdauer bestehender Bauwerke in Verbindung mit einer präziseren Vorhersage der verbleibenden Nutzungsdauer. Einer der wichtigsten Wege dorthin führt über fortschrittliche Überwachungs- und Diagnosetechnologien.

Die Bedeutung derartiger Monitoringtechnologien wurde gerade in der Vergangenheit eindrucksvoll bestätigt durch Einstürze öffentlicher Bauwerke, wie z. B. der Brücke in Genua im August 2018, der Eissporthalle in Bad Reichenhall oder der Messehalle in Katowice im Jahr 2006. Die große Zahl bestehender und derzeit unkontrolliert alternder Bauwerke macht daher Bauwerksüberwachung nicht nur wirtschaftlich sinnvoll und notwendig, sondern aus Gründen der Sicherheit auch erforderlich. Mit Hilfe geeigneter Überwachungsmaßnahmen lassen sich Schäden in vielen Fällen frühzeitig erkennen und können so vermieden werden.

Die Materialfeuchte ist neben mechanischen Belastungen und der Temperatur eine der wesentlichsten Einflussgrößen für Bauwerke. Wasser in beliebiger Form ist eine der Hauptursachen für Schäden in allen Bereichen des Bauwesens. In der Bauzustandsanalyse, bei der Sanierung der Altbausubstanz und für die Zustandsbeurteilung von Ingenieurbauwerken ist Feuchte eine wichtige Messgröße. Ein großer Teil von Feuchteschäden ließe sich durch rechtzeitige zerstörungsfreie Messungen oder geeignete Überwachungsmaßnahmen auf wirtschaftliche Weise erkennen und eindämmen, wodurch enorme Einsparungen für den Einzelnen und die Volkswirtschaft möglich wären.

2. Feuchtemonitoring mit Mikrowellen-Feuchtesensoren

Ein durchgängig einsetzbares Monitoringsystem zur Überwachung und Aufzeichnung des Feuchtehaushalts von Bauwerken und Baukörpern wird bisher noch nicht kommerziell eingesetzt, auch wenn ein hoher Bedarf dafür besteht. Da sich Mikrowellensensoren prinzipiell gut für die Feuchtemessung in Baustoffen eignen, haben sie ein hohes Potential für den Einsatz in einem solchen Monitoringsystem.

Vor diesem Hintergrund hat hf sensor als technologisch führendes Unternehmen in der Feuchtediagnose das Monitoringsystem MOIST MONITOR für Bauwerke entwickelt, welches eine kontinuierliche Feuchteüberwachung in verschiedensten bautechnischen Anwendungen ermöglicht. Erstmals sind damit robuste Feuchtesensoren kommerziell verfügbar, welche direkt an Bauobjekte oder in diese eingebracht werden können und auch eine integrierte Temperatursensorik aufweisen. Diese Sensoren widerstehen den harten Anforderungen beim Anbringen an Mauerwerk, Fassaden, in Bauteile oder Beton- und Erdbauwerke und haben eine lange Lebensdauer.

MOIST MONITOR beruht auf einer Weiterentwicklung der bewährten Mikrowellensensoren der MOIST–Serie. Die neuen, verkleinerten Mikrowellen–Sensoren vom Typ EM MONITOR 150 sind robust und langlebig ausgeführt und weisen eine sehr niedrige Stromaufnahme auf. Über ein integriertes Bussystem mit maximal 1.200 m Kabellänge lassen sich bis zu 30 Sensoren an einer Auswerteeinheit betreiben. Die gewählten Mikrowellensensoren haben verschiedene Feldreichweiten und ermöglichen somit verschiedene Eindringtiefen in den Baukörper. Zum ersten Mal ist es damit möglich, auch absolute Feuchtewerte und deren zeitlichen Verlauf aufzunehmen.

3. Feuchtemonitoring mit Mikrowellen-Feuchtesensoren

Mikrowellen-Feuchtemessverfahren haben gegenüber anderen Verfahren zur Feuchtebestimmung in Baustoffen sehr viele Vorteile, sie

- arbeiten zerstörungsfrei und
- unabhängig von Salzeinflüssen
- ermöglichen durch die hohe Eindringtiefe der Mikrowellen Feuchteaussagen auch aus tiefen Bereichen

- liefern mit der entsprechenden Kalibrierung sofort absolute Feuchtewerte des untersuchten Baustoffs.

Mikrowellen-Feuchtemessungen basieren auf den herausragenden dielektrischen Eigenschaften des Wassers. Der dielektrische Effekt ist bei Wasser so stark ausgeprägt, dass die relative Permittivität (Dielektrizitätszahl DZ) von Wasser etwa 80 beträgt. Die relative DZ der meisten Feststoffe, darunter auch der Baustoffe, ist wesentlich kleiner, sie liegt im Bereich 2 ...10 und vorzugsweise zwischen 3 und 6. Der Messeffekt wird daher verursacht durch den Unterschied zwischen der DZ von Wasser und der DZ der Baustoffe.

Im Mikrowellen-Frequenzbereich kommen zum Realteil der DZ aufgrund der internen Bindungskräfte des Wassers besonders stark ausgeprägte dielektrischen Verluste hinzu. Andererseits werden wegen der hohen Frequenz bei anderen Messverfahren störende Einflüsse ionenbedingter Leitfähigkeiten vernachlässigbar klein; es tragen nur noch die dielektrischen Eigenschaften des Wassers zu den Verlusten bei, so dass eine Verfälschung durch Salzeinflüsse ausscheidet. Mikrowellenfeuchtesensoren arbeiten daher praktisch versalzungsunabhängig.

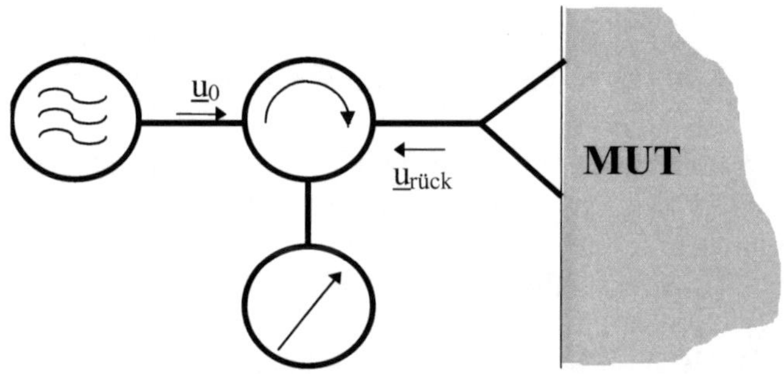

Abb. 1 Mikrowellen-Feuchtemessung nach dem Reflexions-Prinzip

Die heute üblicherweise für Feuchtemessungen an Bauwerken eingesetzten Sensoren messen die feuchteabhängige Mikrowellenreflexion. Mittlerweile stehen diese Sensoren neben den in Handgeräten verwendeten und bereits sehr robusten Ausführungsformen auch als Prozesssensoren zur Verfügung, die Schutzgrade bis IP68 erreichen. Derartige Sensoren haben ein rundum dichtes Edelstahlgehäuse und können prinzipiell auch komplett in Wasser getaucht betrieben werden. Sie bieten daher gute Voraussetzungen für den Einsatz in einem Monitoringsystem.

4. Mikrowellensensoren EM MONITOR xP zur dauerhaften Installation an Bauwerken

An Feuchtesensoren, die fest an oder in Bauwerken verbaut werden sollen, stehen besondere Anforderungen. Sie sind hohen mechanischen Belastungen ausgesetzt und müssen daher entsprechend robust sein. Baumaterialien sind in vielen Fällen nicht homogen, das Material ist besonders im Beton, aber teilweise auch im Erdbau stückig und teilweise grob. Die Sensoren dürfen nicht zu groß sein, um in verschiedene Aufbauten integrierbar zu bleiben. Baumaterialien in Verbindung mit Feuchte und Ionen sind chemisch aggressiv, so dass eingebaute Sensoren auch dieser Belastung widerstehen müssen.

4.1 Leichte Bauform für den Einsatz in Gebäuden

Auf Basis dieser grundlegenden Anforderungen wurde eine neue Bauform miniaturisierter Mikrowellensensoren mit folgenden Eigenschaften realisiert:

- kleine Baugröße (L x B x H = 98 mm x 60 mm x 30 mm)
- kompakte quaderförmige Bauform für leichte Montage z. B. an Mauerwerk, Fassaden, Betonsteinen, Betonelementen usw.
- gute Ankopplung durch ins Gehäuse integrierte Mikrowellenapplikatoren
- Absolutgenauigkeit 1% Materialfeuchte bei Kalibration erreichbar,
- hochauflösende Feuchtemessung - Auflösung bis 0,1% Materialfeuchte erreichbar
- hohe Langzeitstabilität
- integrierte Temperaturkompensation der Sensor- und Umgebungstemperatur
- geringe Stromaufnahme – Realisierung eines Low-Power-Modus mit einer Stromaufnahme < 10 μA
- lange Lebensdauer – mindestens 5 Jahre, besser 10 Jahre.

Für den Langzeitbetrieb konnte die Stromaufnahme gegenüber bisher verfügbaren Mikrowellen-Feuchtesensoren etwa um den Faktor 1.000 verringert werden. Zur dauerhaften Überwachung der absoluten Materialfeuchte in Baukörpern werden die Sensoren fest mit dem Untersuchungsobjekt verbunden. Die Befestigung kann durch Anschrauben an Wänden und Decken, durch Einmauern in Wände oder Fassaden oder durch Eingraben erfolgen. Standardmäßig werden die Sensoren mit materialspezifischen Kalibrierungen auf Beton C35 und auf Ziegelmauerwerk mit einer Dichte von 1.600 kg/m³ ausgeliefert.

Die Hinterlegung weiterer Kalibrierfunktionen für andere Baustoffe ist auf Anfrage möglich. Für den Einsatz in praktischen Messanwendungen können diese zusätzlichen Kalibrierkurven auch dann genutzt werden, wenn keine Übereinstimmung mit den Materialeigenschaften der zu messenden Stoffe besteht. In diesem Fall stellen die von den Mikrowellensensoren ausgegebenen Feuchtewerte allerdings nur relative Feuchtewerte dar, die durch absolute Feuchteangaben ausgedrückt werden. Diese können über nachträgliche zerstörende Messungen z. B. per Darr-Trocknung, die an gezielt auswählbaren Punkten durchgeführt werden, auf absolute Feuchtewerte zurückgeführt werden. Die Anpassung der Kalibrierkurven an die realen Gegebenheiten erfolgt mittels eines zusätzlichen Softwaremoduls.

Die Feuchtesensoren der EM MONITOR xP-Serie liefern an ihrem Ausgang digitale und standardisierte Signale und sind mit einer RS485 Bus-Schnittstelle ausgestattet. Dies hat den großen Vorteil, dass einmal die Sensoren auch nach dem Einbringen ins Bauwerk über entsprechende Software noch konfiguriert werden können. Bis zu 30 Sensoren können dabei mit der Steuereinheit MOIST CONTROL zu einem Netzwerk verbunden werden. Damit ist es möglich, kabelgebunden über Leitungslängen bis zu 300 Metern zu kommunizieren.

Die Messdaten werden in der Steuereinheit MOIST CONTROL gespeichert und können über die Software MOIST TOOLS manuell ausgelesen werden.

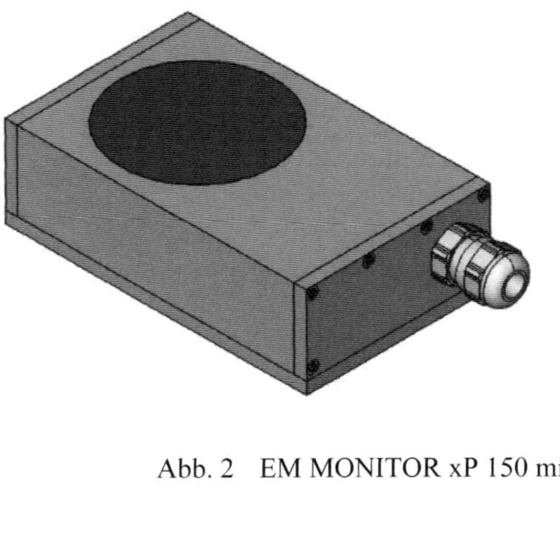

Abb. 2 EM MONITOR xP 150 mit Dielektrikum und Kabelverschraubung

5. Grundlegender Aufbau eines MOIST MONITOR Systems

Die Steuerungseinheit MOIST CONTROL weist verschiedene Funktionen eines Datenloggers auf und ist zur Aufnahme von maximal 1.000.000 Messwerten ausgerüstet. Sie zeichnet die Daten aller eingebauten Sensoren mit Datum und Uhrzeit auf. Sie kann entweder in einen bereits vorhandenen Schaltschrank eingebracht oder komplett mit Schaltschrank bereitgestellt werden. Das Auslesen ist entweder kontinuierlich z.B. über eine übergeordnete Steuerung möglich oder manuell in größeren Zeitabständen. Je nach Ausbaustufe und Detaillierungsgrad des Systems können eine oder mehrere Steuereinheiten zum Einsatz kommen. Mit der zugehörigen Software MOIST LOG TERMINAL können die Daten aller Sensoren einzeln wie auch zusammengefasst ausgewertet werden.

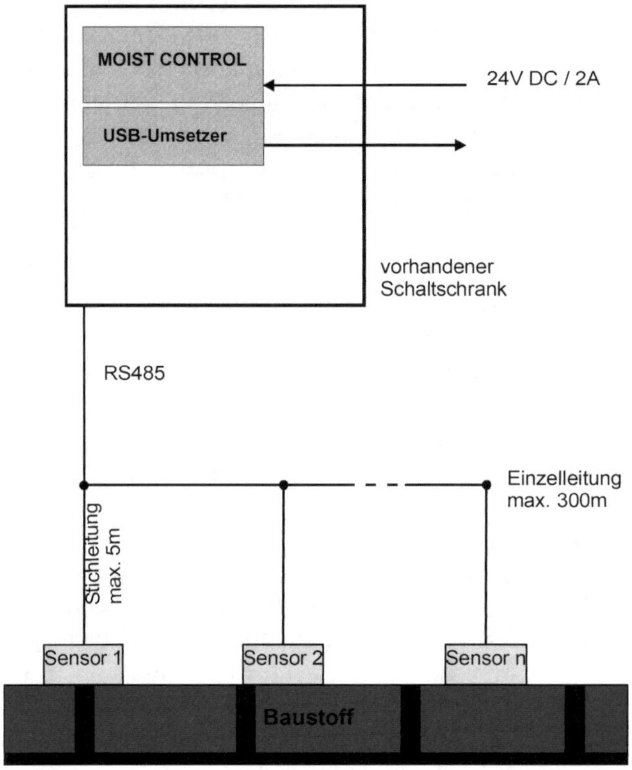

Abb. 3 Basiskonzept des Feuchtemonitoringsystems MOIST MONITOR

Erstmalig steht damit für Bauanwendungen ein System mit verteilten Feuchtesensoren zur Verfügung, das Feuchtesignale von unterschiedlichen Einbauorten zusammenführt. Die Einbringung kann in verschiedenste Schichten oder Elemente von Bauwerken oder Straßenaufbauten erfolgen, so z. B. ins Planum, in die Frostschutzschicht oder in die Asphalttragschicht, in Abdichtungselemente oder deren Nähe, in Dachaufbauten oder an besonders exponierte Positionen von Gebäudefundamenten. Die bisher nachgewiesene Lebensdauer im eingebauten Zustand beträgt mehr als 10 Jahre.

6. Anwendungsmöglichkeiten von MOIST MONITOR Systemen

Für ein durchgängiges Monitoringsystem zur Feuchteüberwachung in Bauwerken und Gebäuden gibt es umfangreiche Einsatzmöglichkeiten im Hochbau, im Tiefbau, an Ingenieurbauwerken, in Wohngebäuden usw. Zu den naheliegenden Anwendungsfällen zählen besonders exponierte Gebäude wie Schwimmbäder (Hallenbäder, Freizeitbäder oder Kombi-Bäder) und Eishallen. Da es in der Vergangenheit gerade bei solchen Gebäuden immer wieder zu Störfällen kam, ist deren Ausrüstung mit Monitoringsystemen zur frühzeitigen Erkennung zu hoher Feuchtebelastungen naheliegend.

Tabelle 1. Auswahl möglicher Anwendungen von Feuchte-Monitoringsystemen an Bauobjekten

Art des Bauobjekts	Anwendung	Anzahl in Deutschland (geschätzt)
Bäder (Hallenbäder, Freizeitbäder, Kombi-Bäder)	Montage im Deckenbereich /an Dachträgern	ca. 3.400
Eishallen	Montage im Deckenbereich /an Dachträgern	ca. 260
Brücken	Montage an neuralgischen Punkten	ca. 120.000
Eisenbahntunnel	Montage an neuralgischen Punkten	ca. 1.080
Straßentunnel	Montage an neuralgischen Punkten	ca. 330
Denkmale / denkmalgeschützte Gebäude	Montage an neuralgischen Punkten	ca. 1.000.000

Bauwerke des Ingenieurbaus wie Brücken und Tunnel unterliegen hohen Feuchtebelastungen, die derzeit weder konkret überwacht noch nachgewiesen werden können. Eine Feuchteüberwachung im Sinne der Erfassung absoluter Feuchtewerte an neuralgischen Punkten ist jedoch hochgradig wünschenswert und wird zunehmend nachgefragt.

Weitere interessante Einsatzgebiete ergeben sich in öffentlichen Gebäuden unterschiedlichster Art z. B. zur Sicherung der Kellerräume vor unerkannten Wassereintritten, zur Kontrolle von Fassaden auf Schlagregendichtigkeit oder zur Überwachung von Dächern auf Feuchteeintritte. Ein weiteres Beispiel zur Darstellung des möglichen Marktes für Feuchte-Monitoringsysteme bezieht sich auf die zerstörungsfreie oder -arme Feuchteüberwachung in Denkmalen.

6.1 Einsatzbeispiel Feuchtemessung an Innenwänden

Für die Feuchtemessung im Inneren von Gebäuden kann die leichte Sensorbauform EM MONITOR xP zum Einsatz kommen. Diese steht analog zu den seit vielen Jahren portabel eingesetzten Mikrowellen-Feuchtesensoren in den 4 Ausführungsformen R1, R2, D und P für unterschiedliche Tiefenbereiche zur Verfügung.

Durch eine Kombination von EM MONITOR Sensoren der in Abb. 4 dargestellten Typen wird so auch die zeitgleiche Aufzeichnung des Feuchtehaushalts in mehreren Tiefenbereichen von Wandaufbauten möglich. Auf diese Weise lassen sich z. B. Austrocknungsvorgänge dauerhaft überwachen und die Entwicklung in verschiedenen Tiefenhorizonten miteinander vergleichen.

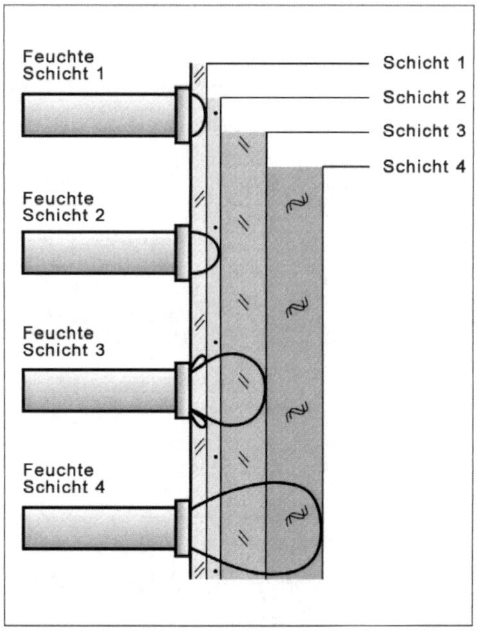

Abb. 4 Tiefenwirkung der Feuchtesensoren EM MONITOR R1P, R2P, DP und PP

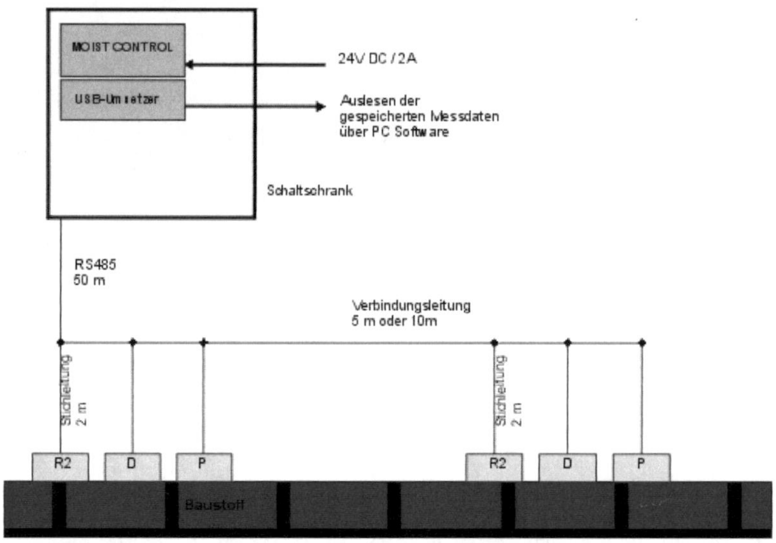

Abb. 5 Feuchtemonitoringsystem mit den Sensor EM MONITOR R2P, DP und PP

Da die Mikrowellensensoren zerstörungsfrei arbeiten, ist es nicht notwendig, sie in die Wand einzubringen. Die Montage ist in diesem Fall sehr einfach und kann z. B. durch Anschrauben erfolgen. Ebenso können Sensoren mit niedriger Eindringtiefe mit speziellen Montageelementen aber auch in die Wand eingebracht werden, z. B. unter die oberste Steinlage einer Fassade. Mit den so dauerhaft eingebauten Feuchtesensoren kann dann die Schlagregendichtigkeit überwacht werden. In Abb. 5 wird das Verdrahtungsschema eines Feuchtemonitoringsystems mit den Sensoren EM MONITOR R2P, DP und PP für drei verschiedene Eindringtiefen (5 cm, 10 cm und 20 cm) dargestellt.

6.2 Einsatzbeispiel Feuchtemessung an Felsgestein und Baudenkmälern

Ein neuer Anwendungsbereich hat sich in den vergangenen Jahren in der Geomorphologie ergeben. Die kompakten Sensorbauformen EM MONITOR R2P und DP kommen dort auch für die absolute Feuchtemessung an verschiedenen Arten von Felsgestein sowie an historischen Baudenkmälern zum Einsatz. Die Feuchtemessung dient dabei der dauerhaften Überwachung von Verwitterungsvorgängen und des Zerfalls von Gestein in Gebirgen und in natürlichen und künstlichen Höhlen. Hierzu können die in den Feuchtesensoren hinterlegten Kalibrierkurven über verschiedene Softwaretools an das jeweilig zu überwachende Material angepasst werden.

Abb. 6 Montage eines EM MONTOR PP Feuchtesensors an der Wand

6.3 Einsatzbeispiel Feuchtemessung im Straßenbau

Bei der Beurteilung des Zustandes von Straßenbauwerken spielt die Feuchte in den verschiedenen Trag- und Schutzschichten eine wesentliche Rolle. Vor allem Aussagen zum zeitlichen Verlauf und über das Tiefenprofil der Feuchteverteilung in verschiedenen Horizonten sind dort wünschenswert.

Diese Anforderung wurde vor dreizehn Jahren in einem Projekt zum Neubau einer Straße umgesetzt. Diese wurde auf einer Länge von 1.200 m mit Feuchtesensoren und zusätzlichen Temperatursensoren instrumentiert, um Informationen über den Feuchtehaushalt in Planum und Frostschutzschicht zu erhalten. Hintergrund war der Wunsch, Aussagen zum Feuchteverhalten verschiedener neuer in die Frostschutzschicht eingebrachter Materialien zu erhalten. Zu diesem Zweck wurden 24 Feuchtesensoren in 2 Horizonten in die Straße eingebracht und in ein Monitoring-System mit 2 Auswerteeinheiten eingebunden.

Zuerst erfolgte der Einbau der Sensoren in den oberen Bereich des verdichteten Planums. Die Sensoren wurden bereits vorkalibriert geliefert, jedoch wurde während des Einbringens auf der Baustelle noch einmal eine Feinkalibration durchgeführt. Den Abschluss des Einbauvorgangs bildete eine erneute Verdichtung am Einbauort. Im zweiten Schritt wurden die Sensoren nach demselben Schema in die Frostschutzschicht eingebracht.

Die Sensorkabel wurden in beiden Ebenen jeweils zu einer Seite der Straße nach außen geführt und dort über Abzweigdosen an das Buskabel angeschlossen. In zwei Schaltschränken in der Mitte des zu überwachenden Straßenabschnitts befinden sich die Auswerteeinheiten. Diese fragen im Takt von einer Stunde jeweils alle 12 an ein MOIST CONTROL angeschlossenen Sensoren ab und speichern die Werte.

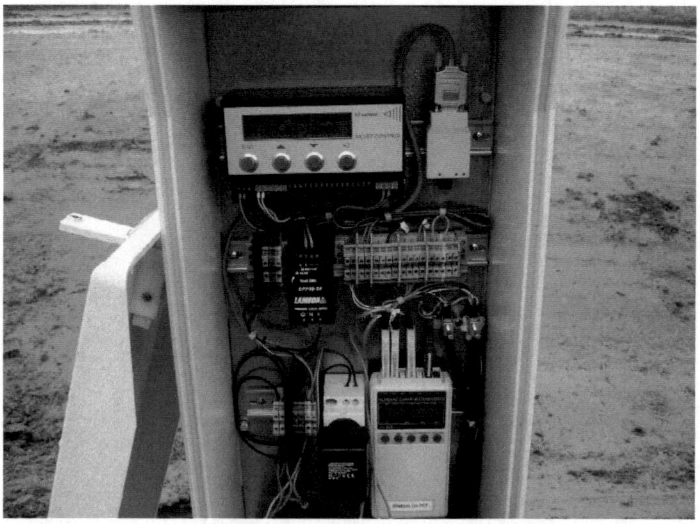

Abb. 7 Steuereinheit MOIST CONTROL im Schaltschrank

Über die Steuereinheiten können verschiedene Systemparameter wie die Messrate oder die Uhrzeit eingestellt und Statusmeldungen des Systems erfasst werden. Das Auslesen der Daten ist mit der Software MOIST LOG TERMINAL und einem normalen Notebook möglich.

7. Zusammenfassung

Mit MOIST MONITOR können an Bauwerken kontinuierlich Feuchtewerte erfasst werden. Auf lange Sicht sind so im Betrieb des mit MOIST MONITOR ausgerüsteten Objekts aufgrund der stets genauen Kenntnis des Feuchtezustands im Bauwerk und der Möglichkeit zur Reaktion auf eventuell diagnostizierte Schäden noch während deren Entstehung erhebliche wirtschaftliche Einsparungen realisierbar.

Referenzen

[1] Dr. Göller, Arndt: Kontinuierliche Feuchteüberwachung für Straßen und Ingenierbauwerke. tis Tiefbau Ingenieurbau Straßenbau 7-8/2007, S.56 ff

[2] Dr. Göller, Arndt: Kontinuierliche Feuchteüberwachung in Ingenieurbauwerken. In: Bautechnik 85 (2008), Heft 4, S. 286-287; Berlin: Verlag Ernst & Sohn / Wiley

[3] Lataste, J.-F./Göller, A.: Microwave Reflection. In: Nilsson, L.-O. (Hrsg.): Methods of Measuring Moisture in Building Materials and Structures. State-of-the-Art Report of the RILEM Technical Committee 248-MMB (2018), Cham: Springer International Publishing, pp. 123-140.

[4] Lataste, J.-F./Hanse, K. H./Nilsson, L.-O./Thiel, Ch./Schießl-Pecka, A./Göller, A./Gehlen, Ch.: Spatial Distributions. In: Nilsson, L.-O. (Hrsg.): Methods of Measuring Moisture in Building Materials and Structures. State-of-the-Art Report of the RILEM Technical Committee 248-MMB (2018), Cham: Springer International Publishing, pp.173-190.

AUTHOR INDEX

Deutsche Gesellschaft Fuer Zerstoerungsfreie Pruefung (DGZfP)
Max-Planck-Str. 6
12489 Berlin
Germany

CURRAN ASSOCIATES INC.
proceedings.com

ISBN 978-1-7138-3711-4
9 781713 837114